GOLDMANN

My favourite book! Hope
you enjoy it too~
Andrea.

## Buch

»Aus irgendeinem Grund war mir, als hätte ich gerade von neuem zu leben begonnen. Nach langer Abwesenheit tat ich endlich wieder das, was ich eigentlich gelernt hatte. Nur wußte ich jetzt sehr viel mehr über mich selbst, denn der Rückweg hierher war nicht einfach gewesen.«
(Shirley MacLaine)

Shirley MacLaine begann auf dem Höhepunkt ihres Erfolgs als Schauspielerin aus dem Elfenbeinturm des kalifornischen Starlebens auszusteigen und sich aktiv mit Fragen der Politik und des Feminismus zu beschäftigen. Die Erfahrungen, die sie dabei sammelte, vor allem aber eine, sie bis in die Grundfesten ihres Seins erschütternde, eindrucksvolle Reise nach China, brachten Shirley Schritt für Schritt weiter auf ihrem Weg zu sich selbst – und zu einer neuen Etappe ihrer künstlerischen Karriere. Am Ende erkannte sie, wo ihr eigentlicher Platz war – nicht so sehr in der Politik, als auf der Bühne und vor den Film- und Fernsehkameras: »Ich war weder Soldat noch Philosoph, noch Politiker; ich konnte keine Krankheit heilen, keine wirtschaftlichen Probleme lösen und keine Revolution anführen. Aber ich konnte tanzen. Ich konnte singen. Ich konnte die Menschen zum Lachen bringen. Ich konnte sie zum Weinen bringen.«
*Schritt für Schritt* – ein weiterer fesselnder Bericht von Shirley MacLaines unermüdlicher, leidenschaftlicher Suche nach Selbsterkenntnis und Selbstverwirklichung.

## Autorin

Shirley MacLaine – in Virginia geboren und aufgewachsen – begann ihre Karriere als Broadway-Tänzerin, bevor sie international angesehene Drehbuchautorin, Regisseurin und Schauspielerin wurde. Für ihre Bühnenauftritte gewann sie fünf »Emmy Awards«, und für ihre Filmarbeit erhielt sie 1984 den »Oscar« *(Zeit der Zärtlichkeit)*. Darüber hinaus zählt Shirley MacLaine heute auch zu den großen internationalen Bestsellerautoren. In einer Reihe von weltweit überaus erfolgreichen Büchern berichtet Shirley MacLaine von den bedeutenden Stationen ihres Lebens und des Bemühens um Selbsterkenntnis und -verwirklichung. *Schritt für Schritt* war das zweite Buch der Autorin; daneben sind bisher erschienen: *Raupe mit Schmetterlingsflügeln* (Goldmann-Taschenbuch 8949), *Zwischenleben* (Goldmann-Buch 30080 und Goldmann-Taschenbuch 6769) und *Tanz im Licht* (Goldmann-Buch 30054).

# Shirley MacLaine

# Schritt für Schritt

Deutsche
Erstveröffentlichung

**GOLDMANN VERLAG**

Aus dem Amerikanischen von Elke vom Scheidt
Die Originalausgabe erschien unter
dem Titel
»You Can Get There From Here«
bei W. W. Norton & Company, New York, London

Der Goldmann Verlag
ist ein Unternehmen der Verlagsgruppe Bertelsmann

Made in Germany · 2/88 · 2. Auflage
Copyright © 1975 by Shirley MacLaine
© der deutschsprachigen Ausgabe
1987 by Wilhelm Goldmann Verlag, München
Umschlaggestaltung: Design Team München
Umschlagfoto: Photo Selection, Hamburg
Satz: IBV Satz- und Datentechnik GmbH, Berlin
Druck: Elsnerdruck, Berlin
Verlagsnummer: 8807
Lektorat: Werner Morawetz/G. R.
Herstellung: Peter Papenbrok/Voi
ISBN 3-442-08807-0

*Für Pete*

# I

Lassen Sie mich am Ende anfangen: in Las Vegas. Es war am 12. Juli 1974 um zwanzig Minuten nach acht abends. Ich stand in der Seitenkulisse des riesigen Hoteltheaters in der Öde der amerikanischen Wüste. Ich hörte das Rollen der Trommeln und dann die Klänge der Titelmelodie von *Das Apartment*. Nun war keine Minute mehr Zeit, kein Aufschub, kein Nachdenken oder Zögern mehr möglich. Eine eigenartig ferne Stimme rief meinen Namen. Ich ging hinaus auf die Bühne und begann zu singen:

*If they could see me now...*
*That little gang of mine...*

Stürmischer Applaus brauste auf, als die Scheinwerfer mich erfaßten. Ich spürte, wie der weiche, pfirsichfarbene Chiffon meine Beine umspielte, sah das Glitzern der Zirkone auf meinen Schulterträgern. Das hier war Las Vegas, eine Stadt, die Zirkone liebt, weil Zirkone mehr Klasse haben als Rheinkiesel, aber nicht so dauerhaft sind wie Diamanten.

*...Eating fancy chow*
*and drinking fancy wine.*

Allmählich erkannte ich vertraute Gesichter an den langen Reihen der Tische, auf denen ausgefallene chinesische Gerichte und erlesene Weine standen. Als ich ein Bein hochwarf, ertönte wieder Applaus. Mein Mund war wie mit Watte gefüllt, mein Magen schlingerte. Und dann, ganz plötzlich, schwebte ich, getragen von der Musik, den Worten, den Scheinwerfern und der samtenen Dunkelheit des großen Saales, in dem das Publikum saß, das Oscar Hammerstein einmal als »großen, schwarzen Riesen« bezeichnet hatte. Ich breitete weit die Arme aus und fühlte mich froh, begeistert und frei.

*I'd like those stumblebums to see for a fact*

*The kind of top-drawer, first-rate chums I attract.*

Direkt vor mir saßen Carroll O'Connor und seine Frau Nancy, hinter ihnen, schimmernd wie eine goldene Erscheinung, Goldie Hawn. Links von mir war Gwen Verdon, rothaarig und schön, und blendete mich mit ihrem elektrisierenden Lächeln. Rechts saß Matty Troy, Vorsitzender der Demokraten des New Yorker Bezirks Queens. Ich erkannte Pat Cadell und Fred Dutton, mit denen ich während der tragischen McGovern-Kampagne durch so viele fremde Städte gereist war. Im weiten Rund des abgedunkelten Theaters saßen Sam Brown und Dave Mixner, der beharrliche junge Mann, mit dem ich nach Washington marschiert war, um gegen das Töten in Asien zu protestieren. Lucille Ball, mit der ich so viel gelacht und von der ich so viel gelernt hatte, thronte hinten in einer Loge, neben ihr Ginger Rogers; ihretwegen wollte ich als kleines Mädchen Tänzerin werden. Es waren noch viele Dutzend anderer da, Freunde aus Politik und Medien, Zeitungen und Zeitschriften, aus dem Showbusineß, aus dem Ausland. Erstklassige Freunde aus der obersten Schublade, wie es scherzhaft in meinem Lied hieß. Es war, als säßen alle wichtigen Phasen der letzten zehn Jahre meines Lebens vor mir.

*All I can say is wow!*
*Just look where I am!*
*Tonight I landed, pow!*
*Right in a pot of jam!*

Ich fühlte mich fabelhaft; stark, ausdauernd und elastisch, mit genügend Atem und mühelosen, präzisen Bewegungen beim Tanzen. Ein Jahr lang hatte ich Strandläufe gemacht, lange Stunden in verschwitzten Gymnastiksälen zugebracht und frühmorgens in Tanzstudios trainiert. Ich hatte kein Brot gegessen, keine Kartoffeln, keine Mandelriegel und auch keine hausgemachten Schokoladenkekse mehr – meine Hauptnahrung während der Wahlkampagne. Keine Zigaretten mehr, keine sitzende Lebensweise mehr, um ein Buch zu schreiben. Die Trockenheit in meinem Mund verschwand; ich konnte spüren, wie Adrenalin durch meinen Körper strömte. Hinten in der Garderobe lagen Unmengen Blumen und

Hunderte von Telegrammen mit guten Wünschen. Während ich mich vorbereitete, hatte ich an all die Menschen gedacht, die ich in den letzten paar Jahren kennengelernt hatte, und mich gefragt, was sie wohl heute abend machten: Menschen, mit denen ich bei meiner verheerenden Fernsehserie zusammengearbeitet hatte, all die Amerikaner, mit denen ich während der Kampagne gesprochen hatte, die Menschen, die ich auf den fremden, staubigen Straßen Chinas begrüßt hatte. Angesichts dieser Umgebung war es absurd, aber ich mußte an Tschou En-lai denken, der einen Herzanfall erlitten hatte, und stellte mir vor, wie seine Frau, Teng Ying-ch'ao, nächtelang an seinem Bett saß. Ich fragte mich, ob einer von ihnen je würde verstehen können, daß mein Hiersein, meine Anwesenheit auf dieser riesigen Bühne im superkapitalistischen Las Vegas, sehr viel mit ihnen und all ihren Genossen zu tun hatte.

*What a set-up! Holy cow!*

*They'd never believe it…*

Jetzt waren die Tänzer auf der Bühne. Zusammen warfen wir die Beine hoch in die Luft, wollten Lachen und Freude auslösen, weil es uns Spaß machte, den Leuten ein gutes Gefühl zu geben, weil es uns freute, uns auch selbst wohl zu fühlen. Das Publikum begann wieder zu applaudieren, und wir warfen die Beine noch höher. Ich bewegte mich auf die linke Bühnenseite und sah plötzlich Margaret Whitman, silberhaarig und würdevoll, die mit mir in China gewesen war. Mir fiel ein, was sie an jenem Nachmittag zu einer Freundin gesagt hatte: »China gibt einem das Gefühl, daß alles möglich ist. Deswegen ist Shirley hier.« Den ganzen Tag hatte ich über diese Worte nachgedacht und sie in meinem Herzen bewegt.

Mit hocherhobenem Strohhut beendete ich die Eröffnungsnummer. Der Schlußapplaus war donnernd, angeführt von Dan Melnick, dem Chef von MGM, das nun kein großes Studio mehr war, sondern der das Hotel leitete, in dem ich auftrat. Ich erinnerte mich an einen Nachmittag vor ein paar Jahren, als auf dem MGM-Gelände alles öde und verloren ausgesehen hatte. Das war eine Zeit, in der ich, wie fast alle meine Bekannten, aufgehört hatte zu lachen. Nun aber lachte Dan; er saß neben Kirk Kerkorian, dem jetzt die Gesellschaft gehörte, die ihrerseits Metro besaß. Und auch alle anderen im Saal lachten. Aus irgendeinem Grund war mir, als hätte ich gerade von neuem zu leben begonnen. Nach langer Abwesenheit tat ich endlich wieder das, was ich eigentlich gelernt hatte. Nur wußte ich jetzt sehr viel mehr über mich selbst, denn der Rückweg hierher war nicht einfach gewesen.

## 2

Man schrieb April 1970, und ich stand in einer verlassenen Straße auf dem Gelände der Metro-Goldwyn-Mayer-Studios in Culver City. Die Luft war stickig vor Smog. Rings um mich ragten die Wände der Aufnahmestudios wie Kremlmauern auf. Ich ging auf den langen, flachen Bau mit den Garderoben der Stars zu, rüttelte an der Vordertür, aber sie war verschlossen. Ich äugte durch eins der schmutzigen Fenster, und da war sie – meine alte Garderobe. Fast zwei Jahre meines Lebens hatte ich in dieser Garderobe zugebracht und in dieser Zeit vier Filme gedreht. Die cremefarbenen Webvorhänge hingen noch da, und ich konnte die unberechenbare alte Dusche sehen, die immer gerade dann kein heißes Wasser geben wollte, wenn wir am Ende eines langen Drehtages mit Körper-Make-up dringend eine heiße Dusche brauchten. Der Tisch für den Plattenspieler stand noch an derselben Stelle – staubbedeckt. Mir fiel ein, wie Frank Sinatra und Dean Martin mir einmal einen Teller mit italienischer Salami gebracht und dann mit breitem Grinsen ein Dutzend Canneloni aus dem Wachspapier gerollt und mit einem »Plop« mitten auf »Come Fly with Me« gelegt hatten.

Mein Blick wanderte hinüber zu den Möbeln mit den Chintzbezügen, und ich erinnerte mich, wie sich das Sofa in dieser Garderobe angefühlt hatte, tief und plüschig und dauerhaft. Bei Metro hatte ich den Film gemacht, der mein Leben veränderte, *Verdammt sind sie alle,* und mich zwischen den Aufnahmen auf dieser Couch ausgeruht. Das war der Film, in dem ich merkte, daß ich die Leute gleichzeitig zum Lachen und zum Weinen bringen konnte. In diesem Raum hatte ich mich allmählich daran gewöhnt, was es heißt, ein Star zu werden. Und doch hatte ich lange Zeit jeden Abend diesen Raum verlassen und hatte mich danach gesehnt, mehr zu tun als bloß zu schauspielern.

Ich überquerte die Straße und ging zu »Maske und Friseur«. Die Tür war offen.

»Hallo, kann ich reinkommen?« rief ich. »Ist da jemand?«

Keine Antwort. In der Halle war das Geräusch eines Gebläses

zu hören. Ich trat ein. Ein Schnell-Haartrockner stand allein und verloren da. Ich ging langsam den Gang hinunter in die verlassenen Schminkräume. Die Make-up-Lichter rings um die Spiegel waren abgeschraubt und entfernt worden. Trockenhauben standen achtlos mitten in den Zimmern. Lederne Schminkstühle, schief und staubig, schienen darauf zu warten, daß jemand sie vor einem Spiegel benutzte.

Das Gebläse ächzte aus der Frisierabteilung am Ende des Ganges. Es erinnerte mich an den heulenden Wind in einer verlassenen Goldgräberstadt.

Das Geräusch wirkte fast auffordernd, und so trat ich ein. Große Messing-Arbeitsleuchten starrten auf leere Tische herunter. Zwei hölzerne Perückenständer voller Nadeln ragten von der Arbeitsplatte in die Luft. In der Ecke stand der vertraute Eisschrank verloren mit offenen Türen. Rostringe auf den untersten Fächern waren das einzige Zeichen dafür, daß hier einmal Champagnerflaschen gestanden und auf Feiern gewartet hatten. Dies war der Raum, in dem sich alles abspielte. An jedem Morgen eines Wochentags zwischen sechs und neun ging es hier magischer zu als in der Werkstatt eines Zauberers. Metro-Goldwyn-Mayer war damals das Studio, in dem die großen Filme gedreht wurden, und die Schmink- und Frisierräume waren der Ort, wo die Stars sich darauf vorbereiteten.

Über die Schwelle des Metro-Tores glitten die Autos der berühmtesten Filmstars der Welt, und damals war ich lange Zeit einer von ihnen. Manchmal entstiegen wir schwarzen Limousinen, manchmal fuhren wir auch selbst. Wir schlenderten fast wie normale Leute zur Maske und zum Frisieren; nur wurde von uns erwartet, sogar in Jeans oder Sportkleidung »magisch« zu wirken, ganz gleich, ob wir vor Müdigkeit kaum die Augen offenhalten konnten oder in Gedanken noch bei der vergangenen Nacht waren.

Wenn wir eintraten, empfing uns gewöhnlich der Duft von frischem Kaffee und versprach, der frühe Morgen würde vielleicht doch nicht ganz so schlimm werden. Dean Martin schwang einen imaginären Golfschläger, während er seinen Kaffee schlürfte. Kirk

Douglas' Augen machten ständig die Runde, als gehe er alle in Frage kommenden Telefonnummern durch, und Robert Cummings pflegte dem Maskenbildner eine Landkarte von seinem Gesicht darzubieten, die nach seinen Instruktionen minutiös mit einem Schminkstift ausgefüllt werden mußte. Die männlichen Stars scherzten und flachsten mit ihren Maskenbildnern, als könnten die Späße und Witzeleien die Tatsache verhehlen, daß sie alle ihre tief verwurzelten Eitelkeiten hatten, für die sie sich genierten, wenn sie bekannt wurden.

Wir weiblichen Stars machten einen großen Bogen um das Tablett mit frisch aufgeschnittenem Gebäck, hielten uns mit eiserner Disziplin zurück und nahmen fast nie Zucker oder Sahne zum Kaffee. Ich fragte mich, ob die anderen zu Hause frühstückten, ehe sie hierherkamen, und ob sie morgens auch solche Schwierigkeiten mit dem Aufstehen hätten wie ich. Irgendwie konnte man, wann immer wir Stars über unsere persönlichen Angelegenheiten redeten, nie sicher sein, was nun stimmte. Wir behandelten diese Dinge so beiläufig und sahen dabei so beherrscht aus, daß man stets das Gefühl hatte, das, was *nicht* ausgesprochen wurde, sei wichtiger als das, was man sagte.

Die weiblichen Stars wurden immer in der intimen Atmosphäre eines einzelnen Maskenraumes geschminkt, so daß nur wir und unser Maskenbildner wußten, ob »wir es taten oder nicht«. Die meisten von uns taten es.

Doch wenn wir uns dann in Sydney Guillaroffs Frisierabteilung wiedertrafen, waren wir wie von Zauberhand in lauter strahlende Schönheiten verwandelt.

An einem beliebigen Tag konnte man alle Stars von Metro wie aufgereiht auf den Lederstühlen sitzen sehen, dampfende Kaffeetassen vor sich. Greer Garson, in ein türkisblaues Kleid gewandet, das ihr karottenrotes Haar besonders zur Geltung brachte, ging von hier aus direkt zur Kostümabteilung und ließ sich in weißen Hermelin hüllen, den sie für die Academy Awards anprobierte. Neben ihr plauderte Jean Simmons, gerade geschieden, über die Vorzüge der Ehe. Deborah Kerr, schmalhüftig und unzüchtigere

Reden führend, als die Welt je erfuhr, streute dann zum gleichen Thema ein paar wohlbekannte Adjektive ein, während Sydney Guillaroff ihre Kaffeetasse auffüllte und ihr tröstend auf die Schulter klopfte. Sydney war groß und anmutig und trug immer feine, hautenge Leinenhemden. Er rauchte spitz zulaufende Zigaretten, die er zeremoniös entzündete, und selten entging ihm die noch nicht brennende Zigarette eines Stars, auch wenn der zwei Tische von ihm entfernt saß. Sydney lebte in einer herrschaftlichen Villa mit goldenen Wasserhähnen an Waschbecken und Badewannen und gab rauschende Parties, zu denen man immer schwarze Schleife trug. Im Grunde interessierte er sich wenig für Frauen, die nicht das Potential zu irgendeiner Form von Größe besaßen. Wenn er aber auf eine stieß, dann stand er zur Verfügung, wann immer er gebraucht wurde, förderte ihre Kreativität und Fähigkeiten und respektierte auch die unbedeutendste Vertraulichkeit. Er wußte mehr über alle großen weiblichen Stars von Hollywood als deren Psychiater.

Audrey Hepburn, zart wie Dresdner Porzellan, pflegte mit ihrem kleinen Pudel sich gemessen zu erheben und wie auf seidenen Rollschuhen zum Drehort zu gleiten.

Debbie Reynolds, der Stolz Burbanks, platzte in den Raum, sprudelte Witze hervor und war zum Küssen.

Dann erschien Elizabeth Taylor, untersetzt und ungeschminkt zwölf Jahre jünger aussehend; sie warf sich in einen beliebigen leeren Sessel, kaute an einer Käserolle und legte die Füße auf den Tisch vor sich. Es waren kräftige Füße, und ich pflegte sie scherzhaft zu necken, sie sähen aus, als gehörten sie einem Gewichtheber. Sydney zündete ihr die Zigarette an; sie sog den Rauch langsam und tief in ihre Lungen, und zwar mit derselben satten oralen Befriedigung, mit der sie auch ihr Käsegebäck verzehrte. Dann schritt Sydney Guillaroff wie ein Maler oder Bildhauer an der Reihe entlang und formte die schönsten Frisuren, bis wir bereit waren, uns den Kameras zu stellen.

Eine Art Kameradschaft, verbunden durch gemeinsame Ziele und gemeinsame Ängste, herrschte in der Maske von Metro. Jeder schien zu verstehen, daß wir auf der Leinwand erscheinen und von fremden Menschen geliebt werden wollten und gleichzeitig Angst hatten, es könne anders kommen.

Was für eine Zeit war das damals in Hollywood! Alles schien so natürlich und dauerhaft; uns fiel im Traum nicht ein, daß es zum Untergang bestimmt war. Es floß dahin wie Wasser, das seinen eigenen Lauf findet. Filme wurden gemacht, weil Filmemachen eine Lebensweise war, und Stars und Begabungen und neue Ideen schwammen einfach mit dem kreativen Strom.

Mir und allen, die ich kannte, kam damals nie in den Sinn, das alles könne eines Tages vorbei sein.

Wir amüsierten uns auf »Hollywood-Parties«, vergnügten uns am Strand von Malibu, fuhren an den Wochenenden hinunter nach Palm Springs und gingen nach Las Vegas, wenn der Clan einen großen Auftritt hatte. Irgendwie empfanden wir *uns* als real und die Außenwelt nicht. Unsere Häuser waren luxuriöse Salons; und wenn jemand versuchte, das Gespräch auf ernste Dinge zu bringen, wurde er gemieden wie eine nasse Bettdecke. Wir *wußten*, daß es da draußen irgendwo Probleme gab; aber wir wollten das, was wir für unsere »Kreativität« hielten, einfach nicht davon anstecken oder uns unsere gute Laune, die wir »brauchten«, verderben lassen. So ging die Leichtlebigkeit weiter. Selbst wenn jemand sich an einer »Sache« beteiligte, geschah es nur deshalb, weil irgendeine große politische Persönlichkeit ihn oder sie darum gebeten hatte. Spaß und üppiges Wohlleben waren die höchsten Dinge des Lebens, wenn man zu den höheren Regionen von Hollywood gehörte. Man drehte zwei oder drei Filme im Jahr, begrenzte seinen Freundeskreis auf die Leute, mit denen man arbeitete, heuerte ein Rechtsanwaltsbüro und einen Steuerberater an, um Steuern zu sparen, bezahlte einen Agenten und einen Mann für die Publicity und hielt Ausschau nach Gründen, mehr desselben zu tun.

Ich bin viele Male aus Hollywood geflohen, weil ich das einfach brauchte. Es war, als habe man zu viel schwere Speisen gegessen. Aber ich kam immer gern zurück. Und nun, an diesem Tag im Jahre 1970, war ich zurückgekommen, und Hollywood war nicht mehr da. Es stand zum Verkauf. Konzerne kauften die Studios auf, Computer zogen ein, und noch nirgends hatte ein Computer je ein Kunststück geschaffen. Gesichtslose Menschen schwirrten umher, sahen geschäftig und tüchtig aus, redeten über Demographie, und doch... die Industrie, wie Hollywood-Leute ihre Mischung aus Geschäft und Kunst zu nennen pflegten, war in Schwierigkeiten geraten, in die tiefsten, ernstesten Schwierigkeiten ihrer Geschichte. Ich drehte mich um und verließ die Maske. Der Empfangsschalter an der Tür war mit einem Gitter verschlossen. Ich ging noch einmal zu meiner Garderobe. Über dem Eingang hing ein Schild: Erdgeschoß – Weibliche Stars – Frei.

An diesem Abend stellte ich mein Auto ab und ging zu Fuß durch Beverly Hills. Die Luft war feucht und stickig, wie sie in diesem Teil der Stadt an kühlen Abenden gewöhnlich ist. Niemand war zu sehen – nur taunasse, glänzende Autos. In manchem dieser Plüschheime waren Parties im Gange. »Zu verkaufen«-Schilder standen über elegant gestutzten Hecken, die Tausende von Dollars gekostet hatten. Man munkelte, vierhundertsechzehn Häuser stünden allein in Beverly Hills und Bel Air zum Verkauf, weil die Banken im Begriff seien, die Hypotheken für überfällig zu erklären. Ich hatte davon gehört, die erfolgreicheren und etablierteren Hollywoodleute zögen scharenweise an den Strand, wo sie gemeinsam den Surfern zuschauen konnten, während sie darauf warteten, daß das Telefon läutete. Aus Tagen wurden lange Monate für viele, die sich zu gelähmt fühlten, um etwas Neues zu versuchen, oder die es ablehnten, ohne Spitzengagen zu arbeiten, weil dann jeder wissen würde, daß sie einen Job brauchten.

Ich ging eine Stunde lang spazieren und fragte mich, was in Hollywood wirklich passiert war. Alles hatte sich so verändert. Die Leute schienen entweder siebzig oder dreißig zu sein. Niemand dazwischen. *Easy Rider* hatte viele zu der Annahme verleitet, man könne Millionen machen, indem man nur vierhunderttausend Dollar für einen Film ausgab (was *Easy Rider* in gewissem Sinn zum teuersten Film machte, den Hollywood je produziert hat). Und die neuen Regisseure schienen eine Menge über Filme zu wissen, aber sehr wenig über Menschen. William Wyler, Billy Wilder, Rober Wise, Alfred Hitchcock und andere etablierte Regisseure waren wie schwerfällige Dinosaurier auf einem Terrain, das statt tiefen Nachdenkens eher flinke Füße erforderte.

Im Neuen Hollywood schien es nur darum zu gehen, wie schnell man sich bewegen konnte, und nicht darum, wovon man etwas verstand, und 1970 war ein Tiefpunkt.

Ich entschloß mich, zu einer Party zu gehen. Ein Mädchen in schwarzer Uniform öffnete und nahm meinen Umhang entgegen, die Gastgeberin begrüßte mich, ohne allerdings zu fragen, was ich denn zur Zeit mache. Es war ihr peinlich, und sie fürchtete wohl, es könne auch mir peinlich sein. So verfuhr sie mit allen anderen Gästen.

»Im Augenblick sieht man die Leute meistens von hinten«, sagte jemand, »weil keiner wirklich hören will, was passieren könnte. Es kann nur schlimmer werden.« Die Gastgeberin führte mich in einen Raum, und einige Leute warfen mir Blicke des Erkennens zu, während sie ihre Konversation fortsetzten. Aber niemand grüßte mit einem offenen direkten: »Hallo, wie geht's?« Das war eine Frage, die man 1970 nicht stellte; man hätte ja eine Antwort darauf bekommen können.

Doch hinter den »Zu verkaufen«-Schildern wurde bei üppigen, von Feinkostläden gelieferten Köstlichkeiten gefeiert, bis die Lichter ausgingen. Die dezenten Kellner mit den prachtvollen schwarzen Schleifen taten ihr Bestes, um die Realität fernzuhalten, die sich nun massiv hereindrängte.

Als sei in Hollywood nichts geschehen, hörte ich einen Produzenten sagen: »Jetzt wird man endlich zu einer gesunden geschäftlichen Basis zurückkehren. Wir müssen lernen, die Kosten niedrig zu halten – das ist alles. Dann können wir auch leichter das tote Holz roden und unnötiges Personal loswerden.« Ein Kreis von Köpfen nickte zustimmend. Doch ihre Mundwinkel zuckten vor mühsam verhohlener Spannung. Wer gehörte zu dem toten Holz?

Frank Sinatra prostete mir mit einem Glas Jack Daniels zu. Er lächelte sein Lächeln, dessen Charme die Vögel aus den Bäumen zaubern kann, und ich wollte auf ihn zugehen und ihm ein paar Fragen stellen.

1970 war das Jahr, in dem Frank Sinatra sich den Rechten zuwandte. »Warum hast du das getan, Frank?« wollte ich ihn fragen. »Warum bist du für Ronald Reagan eingetreten, und warum verbreitest du Gerüchte, du wolltest Nixon unterstützen? Ich habe dir oft im Spaß vorgehalten, daß du der König einer geschlossenen Gesellschaft bist, aber mußtest du damit unbedingt an die Öffentlichkeit gehen?«

Doch noch ehe ich etwas sagen konnte, wurde ich von einem netten, unabhängigen Produzenten angesprochen, der sich bei einem netten, jungen Fernsehstar eingehakt hatte, der Arbeit hatte. Und während er mit mir sprach, dachte ich über meinen alten Freund Frank nach. Was war denn eigentlich so ungewöhnlich daran, daß Sinatra in Palm Springs ein Diktator war? Hollywood hatte immer und in allem, was es tat, etwas Totalitäres an sich. Die alten Moguln waren im Grunde hartgesottene, autoritäre Männer, die ein System miteinander verbundener Diktaturen geschaffen hatten, um die kreativen Persönlichkeiten zu beherrschen. Wir sollten die Kinder sein; verrückte, zu Wutanfällen neigende, brillante, begabte und nicht allzu gescheite Kinder. Wir mußten geführt, gelenkt, manipuliert, gekauft, verkauft, verhätschelt und ertragen werden. Aber es war uns nicht gestattet, unser Schicksal selbst in die Hand zu nehmen. Vielleicht war es das, was Frank ausgebrannt hatte. Vielleicht war er in seinen harten Zeiten einmal zu oft verletzt worden, ehe er lernte, wie man selbst Macht ausübt. Jetzt unterstützte er Leute, die die Macht raffinierter und umfassender auszuüben verstanden, als er sich je hatte träumen lassen.

Und sein Talent – sein wunderbares, vielseitiges Talent – nahm dabei ebenso Schaden wie seine Wertvorstellungen. Nein, ich hatte keine Mühe, mir vorzustellen, weshalb Frank die Wende vollzogen hatte. Es tat mir um seinetwillen leid, aber ich war nicht überrascht. Er hatte immer eine gewisse Sympathie für Gangster gehabt, auf eine romantische, theatralische Art, als wünsche er sich wirklich, selbst einer zu sein. Und nun stand er da oben mit einem der größten von ihnen. Aber ich mochte ihn noch immer gern. Zumindest besaß er den Anstand, sein Lächeln zu unterdrücken und in unbehaglicher Scham den Blick abzuwenden.

Ich ging auf Billy Wilder zu. Er zwinkerte wie eine schadenfrohe Kröte, und sein Gesicht verzog sich zu einem gezwungenen Lächeln. Billy war ein Meister des beredten Zynismus; das war sein Markenzeichen, aber jetzt schien es ihn zu verzehren. Nach ein paar Artigkeiten zur Begrüßung verfiel er in seine vertraute Tirade gegen das Publikum:

»Der Himmel weiß, was es will«, polterte er. »Anscheinend komme ich nicht auf die Antwort. Die Filme, die ich für pure Scheiße halte – die laufen. Was weiß denn ich? Ich sollte zurückgehen und mich in Berlin verkaufen.«

Billy war einer der begabtesten und scharfsinnigsten Köpfe, mit denen ich je gearbeitet habe. Als ich die Vermutung äußerte, er werde versauern, wenn er in Hollywood in seinem Büro herumhänge, Karten spiele und sich sonntags Ballspiele ansehe, antwortete er, er fühle sich nur deshalb in Hollywood wohl, weil er und seine Frau »den Komfort« benötigten. Die Außenwelt sei nichts für ihn. Ich fragte mich, wie lange es dauern würde, bis diese Denkweise ihn eingeholt hatte.

Während ich mich unter der wandelnden Gästeliste umsah, merkte ich allmählich, daß die Hälfte der Besucher Fernsehleute waren. Das Fernsehen erhielt die Studios am Leben, und das Fernsehen war das, was sie tödlich verwundet hatte – das Fernsehen und die amerikanische Kultur selbst.

Doch Billy Wilder war nicht der einzige, der sich fragte, was die amerikanische Öffentlichkeit eigentlich wollte. Dieselbe Frage beschäftigte sämtliche Studiochefs. Früher hatten sie Erfolge vorhersagen und abschätzen können, was die Amerikaner an einem Samstagabend sehen wollten. Jetzt nicht mehr. Und, was schlimmer war, sie hatten Angst vor den Menschen dort draußen bekommen, die letzten Endes über ihr Schicksal entscheiden würden. Ihr eigener Geschmack und ihr eigenes Urteil waren bestenfalls erschüttert und manchmal einfach nicht mehr vorhanden. Selbst wenn etwas gut war, neigten sie zur Selbstzerstörung und rissen es in Fetzen, ehe es richtig lanciert worden war. Und man konnte spüren, daß diese Demoralisierung die ganze kreative Gemeinschaft durchdrang. Fast jeder wirkte wie auf automatische Selbstzerstörung programmiert.

Jeder, ausgenommen die Fernsehleute. Die Männer sahen beherrscht und zuversichtlich aus. Die Frauen hatten leuchtende Augen. Es berührte sie offenbar überhaupt nicht, daß sie an der Produktion von Schund beteiligt waren. Sie schienen das vielmehr als Teil des Handels zu akzeptieren; im Grunde meinten sie, es sei besser, an Schund mitzuarbeiten, als überhaupt nicht zu arbeiten. Ich beobachtete, wie sie sich auf der Party verhielten. Ich fragte mich, ob es nicht möglich sei, Fernsehen zu machen und trotzdem Klasse zu haben.

Ich ging zur Damentoilette. Der *Hollywood Reporter*, eine Branchenzeitschrift der Stadt, lag auf dem marmornen Waschbecken, und ich blätterte die Seiten durch. Die Produktion lag am Boden, die Bruttoeinnahmen waren kläglich. Aber für CBS wurden sechs neue Pilotfilme gedreht. Eine Anzeige im Immobilienteil fiel mir besonders ins Auge. Sie enthielt die detaillierte Beschreibung einer zauberhaften Villa in Beverly Hills, mit Swimmingpool, Springbrunnen und Tennisplatz. Es war das Haus, in dem ich mich gerade befand.

Ich wusch mir die Hände, kämmte mich und betrachtete erneut die Titelseite. In den Branchenzeitschriften stand nichts darüber, was wirklich schiefgelaufen war. Nichts über Vietnam, Armut oder Rassismus, nichts über die Art, wie der ganze schöne amerikanische Traum um uns herum zu zerbröseln schien. Niemand schrieb darüber, daß es keine guten Filme geben würde, bis wir nicht bessere Umstände in unserem Land hätten; und solange das Land sich selbst gegenüber kein gutes Gefühl hatte, würde das Publikum sich auch nicht wohl dabei fühlen, ins Kino zu gehen. Niemand im Filmgeschäft schien diese Verbindung herstellen oder auch nur einräumen zu wollen. Ich ging zurück. Ein junges Fernsehpaar stand an der Tür, verabschiedete sich und erklärte dem

Gastgeber, sie müßten zeitig gehen, weil sie morgen arbeiteten. Die Filmleute blieben; Whisky und Wein flossen, als sei ihre Welt noch heil, als sei das noch immer ein Abend Anfang der sechziger Jahre, und sie würden für alle Zeit reich und berühmt sein. Ich nahm meinen Umhang und machte mich so still wie möglich davon. Auf dem Heimweg, während ich durch die kühle Nacht fuhr, vorbei an all den Träumen, die die Immobilienmakler zum Kauf anboten, begann ich, mir Gedanken über das Fernsehen zu machen.

## 3

Sir Lew Grade ist ein englischer Industriemagnat, Abteilung Showgeschäft, der die Fähigkeit besitzt, flammende Begeisterung zu erwecken, indem er einfach einen Raum betritt. Und wenn *Sie* einen Schritt in *sein* Zimmer tun, wird er wahrscheinlich Ihr Leben verändern. Geben Sie ihm ein Publikum, das nicht weglaufen kann, und er ist imstande, alles zu verkaufen. Mir verkaufte er das Fernsehen.

An einem verschneiten Tag besuchte ich ihn in London, ohne mehr als nur das Allgemeinste über ihn zu wissen. Ich wußte, daß er Leiter und Hauptanteilseigner der Associated Television Corporation Ltd. mit Sitz in London und angeblich vierhundert Millionen Dollar schwer war. Ich hatte eine seiner Produktionen gesehen, ein Fernseh-Special mit dem Titel »The Male of the Species« mit Lawrence Olivier, Michael Caine und Paul Scofield, und ich fand es ausgezeichnet. Ich wußte, daß er klein angefangen hatte, in den zwanziger Jahren europäischer Charleston-Meister geworden und noch immer fähig war, auf Wunsch auf einen Tisch zu steigen und seine Virtuosität zu beweisen. Aber damit wußte ich nicht sehr viel von ihm.

Jetzt, an diesem verschneiten Tag, konnte ich an diesem Mann etwas spüren, etwas, was über das strahlende rosa Gesicht, den kurzen, stämmigen Körper und das geschäftsmäßige Gehabe hinausging. Sir Lew Grade erschien mir an diesem Tag als ein Mann, dem das Geschäft über alles geht.

»Was hätten Sie gern, Shirley, meine Liebe?« fragte er und zündete sich eine riesige Zigarre an. »Alles, was Ihr kleines Herz begehrt, gehört Ihnen.«

Er schritt durch das geräumige, kahle Büro, zündete seine Zigarre erneut an, gestikulierte in einer Art zeremonieller Bosheit; wie jeder gute Schauspieler wußte er, wie charmant und wirkungsvoll er mit seinem Repertoire alten, biederen Humors war. Ich kann mich nicht an alles erinnern, was er sagte. Seine Worte waren wie ein Schneesturm, ein Hurrikan von Versprechungen, Träumen, Visionen. Sein Kopf wackelte auf seinen Schultern, während er kicherte und über die dicken, blauen Teppiche des Büros oberhalb von Mable Arch tanzte.

»Sehen Sie, Shirley, ich möchte offen sein. Ich will einen Star einfangen, einen amerikanischen Star, den alle Welt kennt. Die Tatsache, daß Sie begabt sind, ist super. Aber das interessiert mich hier nicht. Was mich an Ihnen interessiert, Shirley, ist Ihre Berühmtheit.« Er kostete das Wort genießerisch aus.

Meine Nasenflügel zuckten.

»Ich will Sie, weil jede Hausfrau in Amerika, die vor laufendem Fernseher im Wohnzimmer ihre Hamburger ißt, Sie kennt. Ich will Sie. Und wenn es Ihnen gefällt, mit mir zu arbeiten, dann werden Sie als mein Agent arbeiten, andere Stars mit großen Namen dazu veranlassen, auch hierher zu kommen. Sie können ein großes Beispiel für alle anderen sein. Ich bringe Sie dazu, auf diese Seite des Atlantik zu kommen, und zusammen tragen wir dazu bei, das Niveau des amerikanischen Fernsehens zu verbessern.«

Ich wußte nicht, ob er all das wirklich meinte, aber ich war tatsächlich besorgt über die augenscheinlich allgegenwärtige Mittelmäßigkeit des Mediums. Ich verstand eigentlich nicht viel von Fernsehen, aber ich war entschlossen: Wenn ich ins kalte Wasser springen sollte, dann wollte ich nur etwas machen, was den durchschnittlichen Amerikaner nicht vor den Kopf stieß. Mit etwas Glück wäre es vielleicht möglich, eine Serie zu schaffen, die gut geschrieben, gut arrangiert, gut inszeniert und gut gespielt war. Sie würde in der wirklichen Welt spielen, nicht in dem Zuckerwatteland, in dem so viele Situationskomödien angesiedelt waren. Tatsächlich sollte die Sache überhaupt keine »Situationskomödie« werden, sondern eine Serie, die die Zuschauer bewegte, aufmunterte, an ihre eigene Menschlichkeit und die anderer glauben ließ. Und sie könnte sinnvoll sein, vor allem, wenn sie eine Frau zeigte, die in ihrem Leben mehr tat, als nur einen schwerfälligen Ehemann zu verhätscheln, Kinder aufzuziehen oder ihr Unglück mit stoischer Gleichmut zu ertragen. Ich stellte mir vor, wir könnten die Serie um eine Frau herum anordnen, die Reporterin von Beruf war und ohne den Schutz von Männern an alle vier Ecken der Welt reiste, eine Frau, die ihr Leben genoß und nicht zu Hause anzurufen brauchte, um sich Ratschläge zu holen. Ich dachte, Frauen würden durch eine solche Figur vielleicht irgendwie stellvertretend leben und Männer sie bewundern können, ohne sich von ihr bedroht zu fühlen. Ich sprach mit Sir Lew über einige dieser Aspekte. Er jedoch sprach von Geld.

Seine Sekretärin steckte den Kopf durch die Tür des Nebenzimmers. »Lunch ist bereit, Sir Lew«, sagte sie. Und wir gingen nach nebenan zu einem Tisch, wo Kaviar, Melonen, Früchte und Käse wie auf einem Buffet aufgebaut waren. Auf dem Weg dorthin kamen wir an seinem Schreibtisch vorbei. Er war vollkommen leer.

»Ich möchte Ihnen mehr bezahlen, als jeder amerikanische Sender Ihnen bieten kann«, sagte Sir Lew und beobachtete mich, während ich Räucherlachs von einem Silbertablett aß. »Sie werden dazu beitragen, hier die Beschäftigung anzukurbeln, und ich werde auch einen Filmvertrag aufsetzen. Sie sollen nur vier Monate im Jahr fürs Fernsehen drehen, und ich werde jährlich zwei Filme für Sie finanzieren, über jedes Thema, das Sie interessiert.«

Er ließ mich nicht aus den Augen, während er sprach. Allmählich fühlte ich mich merkwürdig entrückt. Ich sagte ihm, ich hätte Zweifel und glaube nicht, daß berühmte Gesichter für Fernsehzuschauer, die immer anspruchsvoller würden, allein noch ausreichten. Die Amerikaner hatten durch das Fernsehen eine Menge über die Welt gelernt. Sie hatten den Krieg in Vietnam gesehen, den Hungertod in Biafra, Aufstände, Invasionen, die Erschießung von Studenten, die Ermordung politischer Führer; alles lebendig und in Farbe, während sie dem Baby die Windeln wechselten.

»Man verehrt noch immer Helden in Amerika«, erklärte ich, »aber ich glaube nicht, daß es genügt, ein Star zu sein.«

»Sie irren sich, Shirley«, antwortete er. »Das Publikum sieht gern Leute, die es bereits kennt. Das entspannt, gibt ein angenehmes Gefühl. Die Leute haben nicht die Zeit, neue Gesichter kennenzulernen; dazu sind sie zu stark mit ihrem eigenen Leben beschäftigt. Glauben Sie mir, es würde überhaupt keine Rolle spielen, wenn Sie das Telefonbuch vorlesen würden.«

Zwei Stunden vergingen. Noch immer fiel der Schnee, noch immer redete Sir Lew. Wir sprachen über Filme, Werbespots, seine Frau Kathy, seinen Sohn in einer Privatschule, seine Einstellung zum Geld. (Ein kleines Mädchen fragte ihn einmal, ob zwei und zwei vier seien. Sir Lew antwortete: »Kauf oder Verkauf?«) Das Telefon läutete nicht ein einziges Mal.

Am Ende der vierten ungestörten Stunde faßte er zusammen und fügte ein paar Punkte hinzu:

»Denken Sie gut über das nach, was ich Ihnen anbiete, Shirley. Aber lassen Sie sich nicht zu viel Zeit mit der Entscheidung. Heute in einem Jahr wird es wegen der neuen FCC-Führung, die eine halbe Stunde von der besten Sendezeit abknapst, nicht mehr viel Freiraum geben. Ist Ihnen klar, wie wenig Gelegenheit es für neue Serien oder ein Angebot geben wird, wie ich es Ihnen jetzt mache? Es wird mörderisch sein. Mörderisch. Hören Sie also genau zu. Sie müssen sich jetzt entscheiden, damit Sie Zeit haben, sich auf eine Serie vorzubereiten, die heute in einem Jahr gesendet wird. Wir haben keine Zeit zu verschwenden. Und ich werde jeden Film finanzieren, den Sie machen wollen, und wenn Sie auch Regie führen wollen, gut, dann können Sie auch das tun.«

Sir Lew begleitete mich zum Fahrstuhl und sagte dabei Hallo zu allen in seinem Büro Anwesenden; er nannte sie beim Vornamen. Das Gebäude schien sein Zuhause zu sein. Und seine Angestellten behandelten ihn, als sei er ein wunderbarer, geachteter, mächtiger und reicher Onkel. Ich fuhr nach unten und fand das Leben sehr merkwürdig. Die Filmindustrie wollte die großen Stars nicht mehr, aber das Fernsehen wollte uns, um der Filmindustrie aufzuhelfen. Das war alles sehr eigenartig. Nachdenklich schlenderte ich dahin. Ich wußte, daß mein berufliches Leben sich verändert hatte.

## 4

Ein paar Monate später kam Sir Lew nach Amerika, um sich mit meinem Agenten zu treffen und einen Vertrag auszuhandeln. Und eines Abends stand er vor meiner Haustür in Kalifornien wie ein sonnenverbrannter Kobold. Nur ein Arm steckte in einem Ärmel seines Jacketts.

»Den anderen Arm hat Ihr Agent«, sagte er fröhlich.

Wir nahmen einen Drink, redeten und lachten viel, und Sir Lew erklärte, ich solle mit Sheldon Leonard zusammentreffen, dem Schauspieler, der in den vierziger Jahren so viele Runyon-Bösewichter gespielt und später großen Erfolg als Produzent von Fernsehshows wie »I Spy«, »The Dick Van Dyke Show« und anderen gehabt hatte.

»Er hat die größten Erfolge in der Branche«, versicherte Sir Lew. »Er ist der Beste. Der Sender wird ihm vertrauen bei einem so großen Budget wie dem Ihrer Serie.«

Er kündigte an, Sheldon werde in ein paar Tagen bei mir vorbeikommen. Es hörte sich an wie eine gute Idee.

Sheldon Leonard ließ sich in meinem Patio vorsichtig auf dem Sessel nieder. Es war ein weißer Korbsessel mit blaugrünen Polstern; das Korbgeflecht krachte bei der geringsten Bewegung, ein Geräusch, bei dem Sheldon unmerklich zusammenzuckte. Er trug einen englischen Anzug aus Kammgarntweed in Dunkelgrau, makellos geschnitten, die Hosenbeine exakt vier Zentimeter über seinen untadelig polierten Bally-Schuhen. Sein Hemd war leuchtend orange, und ein orangefarbenes Seidentuch lugte über den Rand seiner Brusttasche. Er lehnte sich in dem Korbsessel zurück, zuckte erneut zusammen, als er quietschte, und legte dann seine dezent manikürten Hände, komplett mit farblosem Nagellack, auf seine Knie, während er die Beine übereinanderschlug. Er legte die Hände so über die Bügelfalte, daß Luft zwischen seinen Handflächen und dem Stoff blieb. Nur die leichte Vorwölbung seines Halses über dem Hemdkragen beeinträchtigte den gewünschten Effekt völliger Perfektion. Ich sah ihm fasziniert zu.

Es war kein heißer Tag, doch während er über die Serie sprach, begannen sich vor Anspannung silberne Tröpfchen auf seiner Stirn zu bilden, und auf seiner Oberlippe standen Schweißperlen. Ich schob eine Dose Kleenex in seine Richtung. Er nahm sie zur Kenntnis, fuhr aber fort zu sprechen. Er stieß die Worte in kurzen Atemzügen hervor, und die Gesamtwirkung war, nun ja, Rokoko. Sheldon Leonard redete wie ein Wörterbuch oder ein Mann, der die Magna Charta aufsagt, und mir fiel ein, was George Schlatter, der Schöpfer von »Laugh-In«, einmal zu ihm gesagt hatte.

»Hör zu, Sheldon, ich weiß nicht, *wovon* du eigentlich redest. Wenn du mehr sagst als ›Mist‹ und ›Scheiße‹, kann ich dir nicht mehr folgen. Kannst du dich nicht ein bißchen einfacher ausdrükken, he?«

Ich verstand auch nicht alles, was Sheldon von sich gab, weil ich von seinem Anblick gefesselt war. Ich fragte mich, ob er das Seidentuch in seiner Brusttasche wusch oder reinigen ließ und ob der Schweiß es wohl verfärben würde, wenn er es benutzte. Ich fragte mich auch, ob er wohl Jockey-Shorts trüge, und hoffte zu seinem eigenen Besten, dem wäre nicht so. Am Ende seines Monologs über die Serie war sein Gesicht über und über schweißbedeckt. Doch unglaublicherweise tropften die Tröpfchen nicht. Sie standen einfach da. Langsam, fast elegant, hob Sheldon die rechte Hand zum Kopf, streckte den Zeigefinger aus, fuhr sich damit über die Stirn, schob den angesammelten Schweiß auf die linke Seite und schüttelte einen dünnen Regen Salzwasser in meinen Garten.

Wir kamen überein, uns drei Tage später in seinem Büro in den Desilu-Studios zu treffen. So hatte ich Zeit, das zu verarbeiten, was er von sich gegeben hatte. Ich begleitete ihn zu seinem Auto und blickte ihm nach, wie er auf der Straße verschwand. Verarbeiten, was er gesagt hatte? Was hatte er denn gesagt? O ja, ich sollte eine Fotografin namens Shirley Logan spielen, in einem Büro in London arbeiten, einen Freund haben, der gegen das Establishment eingestellt war, einen Chef, der nicht dagegen war, und der

Konflikt würde sich zwischen den beiden Männern ereignen, während ich als Schiedsrichter beobachtend zusah und den Frieden wahrte.

Ich ging ins Haus und machte mir einen Gin Tonic.

Drei Tage später traf ich wie verabredet Sheldon in seinem Büro bei Desilu. Das Gelände und die Gebäude, in denen früher die RKO-Filmgesellschaft gehaust hatte, sahen jetzt aus wie alle Fernsehgebäude: vorläufig, undurchdringlich, ohne die Solidität von Bauwerken, die der Herstellung von Filmen gewidmet sind. Es war, als wüßten sogar die Bauten, daß sie am nächsten Morgen abgesagt werden konnten.

Sheldons blonde Sekretärin Skippy führte mich in das Büro, in dem Zigarrenrauch hing und die Klimaanlage solchen Lärm machte, daß ich Sheldon kaum hören konnte. Diesmal trug er eine blaue Wildlederjacke mit passendem Hemd. Er bot mir einen Sessel an.

Ich fragte ihn, ob es ihm etwas ausmachen würde, keine Zigarre zu rauchen. Ich erklärte, das rühre vermutlich aus meiner Kindheit her, und erzählte von jenem Tag damals in Virginia, als ich zwölf war. Mein Vater, zu der Zeit Immobilienmakler, ließ mich ein Haus hüten, das er verkaufen sollte. Es kamen keine Besucher, und ich hatte nichts zu tun. Außer, daß Dad eine Schachtel Zigarren auf dem Fußboden hatte stehenlassen. Ich zündete mir eine an. Mir wurde schlecht. Da kam endlich ein Kunde, und ich zeigte ihm das Haus, erklärte alle Details über die Hypotheken, den ersten Kredit und so weiter. Er wollte das Haus kaufen, und ich sagte ihm, er solle mit Dad reden. Der Kunde sagte: »Ja, aber verkauft hast *du* das Haus.« Ja, sagte ich, und Daddy habe mir eine Provision versprochen, wenn ich meine Sache gut mache. Der Kunde lachte und ging fort, um Dad aufzusuchen, während ich mich von der Zigarre übergeben mußte. Drei Tage später kauften der Mann und seine Frau das Haus, aber mein Vater gab mir keine Provision.

»Was mich angeht, Sheldon«, meinte ich, nachdem ich ihm das erzählt hatte, »stehen Zigarren für Bockmist.«

Ich lachte, während ich das sagte, aber Sheldon machte sofort die Zigarre aus.

Und so fingen wir an. Sheldon erklärte, der erste Schritt sei, ein paar Autoren zuzuziehen und Ideen auszuknobeln. Das hörte sich für mich ganz gut und locker an, und ich schlug vor, sie sollten alle zu mir kommen; ich könnte kochen, und die Autoren würden mich kennenlernen, sehen, wie ich mich bewege, und hören, wie ich spreche.

»Ich würde im Fernsehen gern ich selbst sein«, gestand ich. »Mein wirkliches Ich, verstehen Sie, statt jemanden zu spielen, der ich in Filmen schon gewesen bin.«

Da mußte ich etwas Falsches gesagt haben. Sheldon rollte die kalte Zigarre zwischen seinen Zähnen hin und her und sah mich lange an.

»Sehen Sie diese ledergebundenen Drehbücher da oben?« fragte er. Da standen ganze Reihen, alle sauber beschriftet von »I Spy« bis zur »Dick Van Dyke Show«. »Meine Hits«, betonte er und verzog dabei die Lippen wie die Runyon-Figur, die er zu spielen pflegte. »Ich könnte die Sender kaufen und verkaufen. Ich habe mit meiner Sachkenntnis Millionen gemacht, und ich habe gelernt, die Fernsehleute so zu manipulieren, daß sie das tun, was für *sie* am besten ist. Das muß man können. Ich kann es.«

Der Gedanke, die Autoren zu mir einzuladen, hatte sich aufgelöst wie der Zigarrenrauch, und ich saß da und schaute ihn an. Er fragte mich, was ich von der Serie halte, die er neulich bei mir skizziert habe, und ich sagte ihm, mir liege eigentlich nichts daran, ein Mädchen zu spielen, dessen Freund so denkt, während ihr Chef anders denkt.

»Ich würde gern ein Mädchen spielen, das *selbst* denkt, Sheldon. Und dem es verdammt egal ist, wie die beiden Typen denken.«

»Egal?«

»Oh. *Ja.*«

Er registrierte das irgendwo und begann, im Büro auf und ab zu gehen. Er erklärte, die Figur »Shirley Logan« würde in London auch ein Waisenhaus führen, »voll mit Waisenkindern aus aller Welt, die Ihnen irgendwo über den Weg gelaufen sind«. Das würde mir Sympathien einbringen, »vor allem, wenn Sie eine dieser unabhängigen, tatkräftigen Frauen spielen wollen, die ihren eigenen Weg gehen. Im Fernsehen können Sie einfach nicht unabhängig sein. Sie müssen einen Preis bezahlen, und dieser Preis sind Kinder«.

Genau an dem Punkt hätte ich wissen sollen, daß wir in Schwierigkeiten steckten. Sheldon hatte eindeutig das Gefühl, unabhängige Frauen seien eine Bedrohung für die Fernsehzuschauer; ich räumte ein, daß Fernsehen das intimste Medium ist, daß Schauspieler im Fernsehen wie Hausgäste sind, aber eben das war der Grund, warum ich eine Frau spielen wollte, die mir selbst so ähnlich war wie nur möglich. Ich wollte im Fernsehen ich selbst sein; ich hatte lange darüber nachgedacht, woraus dieses Selbst bestand, und hatte endlich den Mut, es zu zeigen.

»Wenn ich etwas spiele, was ich nicht glaube«, wandte ich ein, »wie kann ich dann erwarten, daß die da draußen es glauben?«

Sheldon hatte keine Gelegenheit zu einer Antwort. Ed Vane, Chef des Abendprogramms der American Broadcasting Company, kam mit einer Mappe herein, auf der »Shirley MacLaine-Umfragen« stand. Er begann zu erklären, die Markt- und Publikumsforscher von ABC hätten festgestellt, daß die Befragten mich in bezug auf humanitäre Einstellung hoch einschätzten.

»Auf was?«

»Humanitäre Einstellung«, wiederholte Vane zuversichtlich. »Die Hauptreaktionen, die getestet wurden, zeigen eine starke Ansprechbarkeit durch Ihre Eigenschaft, anderen zu helfen. Auch Ihr Verletzlichkeitsquotient war extrem hoch.«

All das stand in der Untersuchung, wie Vane erklärte. Zum Teil sei sie tatsächlich mit Metallkonduktoren geführt worden, an die man menschliche Wesen anschloß, »und zwar an spezifischen Pulsregionen des Körpers, um die emotionalen Reaktionen der Zuschauer festzustellen«. Die Getesteten waren dagegen, daß ich in der Serie verheiratet sei, und fast alle wollten, wie Vane behauptete, ich solle romantische Abenteuer erleben.

Sheldon blickte aus dem Fenster und hörte zu. Als Vane geendet hatte, drehte Sheldon sich um und fragte uns, ob wir Kaffee möchten. Vane verneinte, entschuldigte sich, er müsse uns wegen eines anderen Termins verlassen.

»Ich habe immer Probleme mit diesen Experten für mechanische Bewertung«, begann Sheldon, nachdem Vane gegangen war. »Schon die Natur einer Befragung, die von den Leuten erfahren will, was am meisten nach ihrem Geschmack ist, ist trügerisch.«

Er sprach eine Weile über die technischen Probleme der Dreharbeiten für eine Serie aus vierundzwanzig Episoden, wenn zwölf der Episoden in fremden Ländern spielten, etwas, das Sir Lew mir versprochen hatte. Sheldon hielt es für eine Verschwendung von Zeit und Energie, für eine Fernsehserie in ferne Winkel der Welt zu reisen; man denke nur an die Sprachprobleme, die Zollabfertigung, die logistischen Schwierigkeiten.

»Die Zuschauer sehen Menschen«, sagte er, »nicht fremde Länder.«

Ich wußte, was er meinte, und bis zu einem gewissen Punkt gab ich ihm recht. Aber ich hatte so eine Idee, das Geheimnis *dieser* Fernsehserie würde eine Integration von Schauspielern und Drehort sein, so daß die fremden Plätze nicht bloß ein exotischer Hintergrund waren. Ich wollte mit leichtem Gepäck reisen, mit einem kleinen Team, und so direkt wie möglich auf die fremde Umgebung reagieren.

»Auf diese Weise«, erläuterte ich, »wirken die Leute *und* die Plätze zu unseren Gunsten.«

Sheldon starrte mich an.

»Welche Art von Geschichten können wir machen?« fragte er.

Ich meinte, da gäbe es eine Menge Geschichten, Shirley Logan könne sogar in die gleichen Abenteuer verstrickt sein, in die ich verwickelt gewesen war. Ich hatte ein Buch über einige dieser Abenteuer geschrieben und Sheldon ein Exemplar geschickt. Ich fragte ihn, ob er Zeit gehabt habe, es zu lesen. Was halte er davon?

»Aufschlußreich«, brummte er. »Aufschlußreich.« Und rollte die kalte Zigarre im Mund hin und her.

»Sheldon«, fragte ich endlich, »reisen Sie gern?«

»Wenn es einen Grund gibt.«

»Ich meine nicht beruflich. Ich meine persönlich. Kommen Sie gern herum?«

»Ich bin sehr weitgereist«, antwortete er. »Das wissen Sie.«

»Aber – gefällt es Ihnen?«

»Ich bin nicht gern von meinen Enkelkindern getrennt. Ich habe ungefähr zwölf Millionen Dollar gemacht. Ich sehe keinen Sinn darin, es immer noch auf die harte Tour zu tun.«

Unser Gespräch verflachte, aber ich konnte anscheinend nicht viel dagegen tun. Wir begannen, über Shirley Logans Liebesleben zu sprechen. Ich meinte, es sei nicht nötig, sie an einen einzigen Freund in London zu fesseln, sie könne Freunde in aller Welt haben, und wenn sie von Zeit zu Zeit mit einem von ihnen ins Bett gehen wolle, dann sei das auch in Ordnung. Mit anderen Worten, die Reporterin und Fotografin in *dieser* Serie sollte eine freie Frau sein.

»Sie wollen also eine Nutte aus ihr machen«, sagte Sheldon.

»Eine freie Frau ist eine Nutte?« empörte ich mich. Das war wirklich die Höhe. Jetzt stand *ich* vom Stuhl auf.

»Diese Sache mit der Frauenbewegung«, meinte Sheldon. »Wissen Sie, das ist wirklich eine Bedrohung fürs Fernsehen.«

Schon wieder. Ich fragte mich, wie oft und in wie vielen Büros dieses Jahr dieselben Worte ausgesprochen worden waren und wie viele Männer berufliche Entscheidungen auf der Basis ihrer persönlichen Gefühle gegenüber Frauen trafen. Sheldon war vermutlich ein anständiger Mann, gewiß ein erfolgreicher, und wenn es mit der Serie klappte, war das der Anfang einer beruflichen Beziehung, die fünf Jahre dauern würde. Aber jetzt kannten wir einander besser und standen uns und der Zukunft wahrscheinlich skeptisch gegenüber. Ich war eine Frau, die wußte, was sie im Fernsehen machen wollte, oder, genauer, was sie nicht machen wollte. Keiner von uns konnte mit Sicherheit wissen, wer recht hatte. Ich ging hinaus auf das merkwürdig provisorisch wirkende Gelände, und irgendwo in der Nähe des Tors drehte sich mir der Magen um.

## 5

»Shirley's World«, wie die Serie hieß, wurde für mich eine ähnliche Erfahrung, wie es Vietnam für Kennedy, Johnson und Nixon gewesen sein muß. Anfangs streckt man einen großen Zeh ins Wasser, und ehe man sich versieht, steckt man bis zum Hals in einer Jauchegrube. Später kann man nie wirklich den Moment bestimmen, wann man hätte aussteigen können oder sollen. Die Erfahrung mit dem Fernsehen war verheerend und aufschlußreich, aber für mich persönlich war sie deshalb noch viel wichtiger, weil sie mir klarmachte, wie unentschieden und unsicher meine eigenen Wertvorstellungen waren.

Ganz zu Anfang, als die ersten Drehbücher eingetroffen waren, hatte ich meinen Agenten angerufen, um mich zu beschweren. Ich sagte ihm, so gehe das nicht, die Scripts seien fürchterlich. Ich sollte ein neugieriges, irritierendes, strohköpfiges kleines Dummerchen spielen, das durch die Welt geht und Leute belästigt. Und die Leute, die Shirley Logan belästigte, standen auf der menschlichen Stufenleiter schlimmerweise noch tiefer als sie selbst. Die Italiener begrapschten sie, die Araber stahlen, die Chinesen waren dumm und käuflich, die Japaner heimlichtuerische Mr. Motos mit vorstehenden Zähnen, die Iren waren Trunkenbolde, die Spanier faule Lügner. Ich erklärte meinem Agenten, ich wolle aus der Sache raus. Eine lange Pause folgte.

»Shirl«, sagte er schließlich, »eins muß ich Ihnen sagen. Von dieser Serie hängt mehr ab, als Ihnen offenbar klar ist. In diesem Augenblick sind auf Ihr Gesicht, vorsichtig geschätzt, zwanzig Millionen Dollar gesetzt, Werbung und Sendezeit inbegriffen.«

Das war eine beeindruckende Zahl, und ich versuchte, die Fassung zu bewahren. Ich fragte ihn, ob es möglich sei, das Startdatum der Serie von September auf Januar zu verschieben oder auch bis in die nächste Saison, damit wir mehr Zeit hätten, gute Drehbücher vorzubereiten. Er verneinte, das sei unmöglich.

»Man kann die Startdaten nicht herumschieben wie beim Film«, belehrte mich mein Agent. »Und außerdem sind diese Fernsehleute andere Typen. Sie haben keinen Mut. Sie machen sich in die Hosen – alle. Ich kenne *keine* Ausnahme. Sie können über eine Verschiebung nicht einmal *reden,* weil sie feste Sendetermine haben, die sie einhalten müssen.«

Ich sagte ihm, Sheldon Leonard mache mir Sorgen, und die Drehbücher schienen meine Befürchtungen zu bestätigen, aber mein Agent holte mich wieder auf den Boden der Tatsachen zurück. Sheldon war derjenige, der die Produktion leitete; sie zahlten mir die höchste Gage in der Fernsehgeschichte, weil sie *ihm* vertrauten. Ich müßte der Sache positiver gegenüberstehen. Die Drehbücher waren nur erste Entwürfe. Das sei bei jeder Serie üblich. Wenn der dritte und vierte Entwurf vorliege, würde alles so sein, wie ich es haben wollte. »Gedulden Sie sich«, vertröstete er.

Ich ging nach New York, machte zwei von Sir Lew finanzierte Filme und wartete auf den zweiten und dritten Drehbuchentwurf. Sie waren nicht besser. Einige waren sogar noch schlechter.

Im März 1971 flog ich nach England. Vielleicht, so dachte ich, kriegen wir die Sache hin, wenn sie erst einmal in Gang ist. Aber ich glaubte nicht wirklich daran. Was die »Jauchegrube« betrifft, so stand ich bereits bis zu den Knien drin.

Das Haus, in dem ich wohnte, hatte Sir Lew gemietet. Es war groß und geräumig und sehr englisch, voll mit Antiquitäten und in einem ausgedehnten, ruhigen Grundstück in Windsor Park gelegen. Es war eine halbe Stunde von den Pinewood-Studios und fünfundvierzig Minuten von London entfernt. Rund um die Uhr stand mir ein Rolls-Royce mit Chauffeur zur Verfügung, außerdem ein Butler, ein Koch und ein Gärtner, und Sir Lew hatte einen Mietvertrag über fünf Jahre abgeschlossen, weil, wie er sich ausdrückte, »Ihre Serie mindestens so lange laufen wird.« Sir Lew hatte sich selbst übertroffen.

Im Studio stand eine frisch renovierte und ausgestattete Garderobe zur Verfügung, komplett mit Schlafzimmer und Bad, und eine Miniküche. Alles schien erstklassig zu sein, das Team eingeschlossen. Ich wünschte nur, die Drehbücher wären von derselben

Qualität wie alles andere.

Filmteams sind gewitzte und hellsichtige Leute. Sie können ein erfolgreiches, gut konzipiertes Projekt riechen, und sie irren sich selten. Sie haben allerdings auch eine gute Nase für Schwierigkeiten.

Dieser verfeinerte Geruchssinn beruht auf Eigeninteresse und Selbstschutz; der Erfolg einer Serie bestimmt darüber, ob das Team Arbeit hat oder nicht. Und »Shirley's World« war ein Versuch, in großem Maßstab Erfolg zu haben. Wenn wir es schafften, würden viele hundert britische Arbeiter Jobs haben, und A.T.V. und Sir Lew Grade würden in der Welt des amerikanischen Fernsehens festen Fuß fassen. In den ersten Wochen redeten alle darüber, wieviel Geld für jede Episode ausgegeben wurde, und Sheldon gab einige Interviews, in denen er prahlte, dies sei die teuerste Serie der Fernsehgeschichte, und deshalb werde sie erfolgreich sein. Aufgrund dieser Reden und der potentiellen Dauer von fünf Jahren gaben viele Mitglieder des Teams ihre Arbeit beim Film auf, um sich der Serie anzuschließen.

Sie waren fabelhaft tüchtig, einfallsreich, fix, humorvoll. Ungefähr zwei Wochen lang.

Dann sprach sich allmählich die Sache mit den Drehbüchern herum. Sie trafen jetzt ein, damit jede Abteilung sich auf die zukünftigen Episoden vorbereitete. Und ich konnte die atmosphärische Veränderung fühlen, ja, beinahe riechen. Wenn ein Amerikaner etwas geschmacklos oder einfach mittelmäßig findet, dann reagiert er gewöhnlich sehr direkt darauf. Ein Engländer benimmt sich anders. Er ist weniger bereit, seine Gefühle in Worte zu fassen, und versucht um jeden Preis irgendwie den Schein zu wahren.

Ich konnte spüren, wie rings um mich die Erosion begann, während Sheldon fern und wie ein Monolith an der Spitze der Produktion stand. Die Szenenbildner waren unglücklich, weil sie Dekorationen für Drehbücher bauen mußten, die noch nicht fertig waren. Die Kostümbildner und Friseure hatten die Drehbücher gelesen, und es fiel ihnen schwer, kreativ zu sein, da ihre eigene Einstellung nicht positiv war. Die Schauspieler hatten es am schwersten, denn von ihnen wurde verlangt, Dinge auszusprechen, die sie wohl niemals gesagt hätten, wenn sie nicht sehr gut dafür bezahlt worden wären. Irgendwann gab ABC bekannt, die Reaktion der Sponsoren auf das Potential meiner Serie sei stärker als die auf jede andere für diese Saison geplante. Die Sponsoren schienen die einzigen Beteiligten zu sein, die die Drehbücher nicht gelesen hatten.

Im April, als wir uns auf unsere erste Reise zu Außenaufnahmen in Hongkong vorbereiteten, ging einigen von uns langsam, Tag um Tag, allmählich auf, daß wir uns eine Katastrophe eingebrockt hatten.

# 6

Für mich war Hongkong immer einer der schönsten Orte der Welt gewesen. Ich liebte seinen Geruch, den Geruch des Meeres und exotischen Essens, der die Luft erfüllte, begleitet vom Singsang der kantonesischen Stimmen und dem Klappern der Eßstäbchen. Ich liebte die saubere Wäsche, die auf allen Balkons auf Bambusstäben hing, und die Rikschamänner, die an jeder Kreuzung lautstark ihre Dienste anboten, während die Besitzer von Hunderten von Juwelierläden die Passanten lockten, sich steuerfrei Perlen oder einzeln gefertigte Schmuckstücke zu gönnen. Früher war Hongkong ein Einkaufsparadies, ein Ort, an dem man sein Erspartes loswerden konnte. Ich liebte das Getriebe und das Gefühl, daß man immer etwas umsonst bekam. Die Kantonesen verstanden die Psychologie des Geldes, und wie sie bei Menschen jeder Nationalität funktionierte. Sie kannten die deutsche, die russische, die japanische Einstellung. Das war lebensnotwendig, denn Hongkong war ein internationaler Hafen; Handel war sein einziger Daseinszweck.

Ich zog auf der Straße immer meine Jacke aus, um zu spüren, wie die würzige Feuchte meine Haut berührte. In Hongkong konnte man sich niemals richtig trocken fühlen, und ich bewunderte die Seidenpyjamas der Bauersfrauen. In meinen westlichen Hosen mit Bluse und passender Jacke fühlte ich mich linkisch und erhitzt. Ich lernte, Stoffe zu schätzen, die sich im leisesten Luftzug bauschen, und oft wünschte ich mir, mit dem Millionengewimmel und der heiteren chinesischen Landschaft zu verschmelzen, diesen Teil der Welt in mich aufzusaugen, den ich so sehr liebte.

Sheldon war uns um eine Woche vorausgereist und hatte sich glücklich auf der Rennbahn Hongkongs eingerichtet, als wir eintrafen, begleitet von einer Crew aus fünfunddreißig Leuten, darunter Kulissenschieber, Kameraleute, Friseure, Elektriker, Assistenten, Fahrer, Kostümbildner und Logistikexperten. Es sah aus wie die Invasion von Okinawa. Sheldon fand, die chinesischen und japanischen Episoden seien großartig, und empfahl, ich solle die Außenaufnahmen als Neuanfang betrachten.

Ich fühlte mich erhoben, bis ich die Drehbücher las. Sie waren schlimmer als alles Vorhergegangene. Meine Demütigung wurde noch dadurch vergrößert, daß viele der Presseleute Hongkongs sie ebenfalls gelesen hatten. Bei einer Pressekonferenz fragten sie, ob ich mit den Büchern für die Serie einverstanden gewesen sei. Sie wirkten ungläubig, und ihr Ton war eindeutig abwertend. Es fiel mir schwer, darauf zu antworten. Wie sollte ich erklären, daß ich die ganze Sache haßte, aber auf die vierten Entwürfe wartete, weil ich meinen Vertrag einhalten mußte.

Es hatte tatsächlich keinen Sinn mehr, über die Drehbücher noch zu streiten. Sheldon lächelte nur nachsichtig, ich solle mir keine Sorgen machen. Dann verließ er uns und reiste nach Japan voraus. Die Situation war hoffnungslos. Ich versuchte, nach einem Weg zu suchen, diese Sache einfach durchzustehen – ich wollte nur noch daran denken, *wo* ich war, und nicht mehr daran, *was* ich da machte.

Ich wollte mich nur auf Hongkong konzentrieren, einen Ort, den ich liebte wie keinen anderen auf der Welt. Und dann erkannte ich, wie blind die Serie mich gemacht hatte. Die Serie war ja schon schlecht, aber das war nichts im Vergleich zu dem, was Hongkong widerfahren war.

Zum erstenmal fiel mir das an einem Nachmittag auf, als ich an Deck der Hongkong-Star-Fähre stand. Ganz plötzlich fühlte ich mich wie in einer Falle gefangen. Die prickelnde Meeresluft hing voller Schmutz. Auf den Bergstraßen der Repulse Bay ratterte ein Lastwagen und stieß schwarzen Rauch aus, und ich fühlte, wie sich mein Magen anspannte. Der Verkehrslärm der Autos, die Stoßstange an Stoßstange fuhren, übertönte den alten, eindringlichen Ton der Nebelhörner im Hafen. Ich blickte hinüber zu den jadegrünen Hügeln, die einst bis an das Wasser des friedlichen Hafens gereicht hatten und wie sie auf alten chinesischen Bildrollen dargestellt waren, aber der Blick war durch Wolkenkratzer versperrt. Früher hatten gewundene Felspfade diese Hügel erklommen, auf denen Liebende bergauf wandelten, um die luftigen Höhen zu erreichen und die Zukunft zu planen. Auch sie waren verschwun-

den. Bagger hatten die Felsen beseitigt und mit ihnen die Lieben-
den.

Tagsüber konnte ich auf der Straße kaum atmen und sehnte den
Abend herbei, wenn Lärm und Luftverschmutzung nachließen.
Wir drehten unsere albernen Szenen auf diesen Straßen, und wenn
ich nachts allein im Bett lag, dachte ich über die vielen tausend Babys nach, die jeden Monat in Familien geboren wurden, die bereits
zu sechst in einem Raum lebten. Vielleicht war das der springende
Punkt. Vielleicht gab es einfach zu viele von uns auf dieser Erde,
und infolgedessen war die Mittelmäßigkeit unser Los. Früher waren die Juwelen und Taschen und perlenbestickten Stoffe Hongkongs fein gearbeitet, von Hand mit der ganzen Liebe von Hand-
werkern hergestellt gewesen. Jetzt sahen die Produkte schäbig aus
und waren schlampig gearbeitet; es gab immer weniger Handwer-
ker, und sie gingen in den Forderungen rapide wachsender Kun-
denzahlen unter. Dasselbe geschah im Fernsehen. Offenbar erwartete man von uns, der größtmöglichen Anzahl von Leuten zu
gefallen, und das bedeutete, den kleinsten gemeinsamen Nenner
zu finden.

Vielleicht ließ sich Mittelmäßigkeit tatsächlich besser verkaufen
als Qualität. Vielleicht hatte Sheldon recht mit der Serie, und die
Verkäufer von Hongkong hatten recht mit ihren Waren. Beide waren mehr an Zahlen interessiert – großen Zahlen – als an Qualität.
Ich stand aus dem Bett auf, ging zum Fenster des Hotelzimmers
und blickte über die Lichter der erstickenden Stadt hinweg auf den
großen, schwarzen Landstreifen, der sich geheimnisvoll und still
auf der anderen Seite erstreckte. Da draußen lag die Volksrepublik
China. Ich fragte mich, wer um diese Nachtstunde noch wach sein
und was er über uns denken mochte.

Nach drei Wochen Aufenthalt in Hongkong reisten wir weiter
nach Japan. Die japanischen Episoden in den Drehbüchern waren
noch schlimmer als die chinesischen. Alle Orientalen liefen mit
vorstehenden Zähnen herum und sprachen Pidgin-Englisch, und
ich war entweder Charlie Chan im Rock oder Fräulein Einsames

Herz. Inzwischen verließ Sheldon Japan und kehrte nach England zurück; wieder verschwand er, damit er nicht über die Drehbücher zu diskutieren brauchte. Ehe er abreiste, gab er ein Interview, in dem er erklärte, er wolle nicht, daß meine Serie eine »women's lib«-Serie würde, und mir sagte er, ich solle meine Show nicht als Podium dafür benutzen. Ich versicherte ihm, ich könne mir bessere Mittel und Wege vorstellen, andere zu beeinflussen. Während die Serie immer schlechter wurde, bemühten die englischen Produktionsleute sich darum, schon vor der Rückkehr nach London die besten Büros und die schicksten Möbel zu ergattern. Vermutlich wollten sie herausholen, was ging, solange es noch ging.

Doch all das erschien mir trivial, als ich die Veränderungen bemerkte, die auch in Japan stattgefunden hatten. Ich war nur zwei Jahre nicht dort gewesen, aber in dieser kurzen Zeit schien sich die Nation naturliebender Buddhisten der Technologie ausgeliefert zu haben. Parks, die einst in voller Blumenpracht gestanden hatten, waren Fabriken gewichen. Die ländliche Gegend war buchstäblich verschwunden, und die Landschaft von Yokohama bis Tokio hatte man in ein einziges riesiges rauchendes Industriegebiet umgewandelt.

Während wir von Drehort zu Drehort zogen und unsere dummen Geschichten aufnahmen, sah und hörte und roch ich alle Symbole des neuen Japan: dröhnende Hupen, dichten Rauch, Menschenmassen, entweihte Tempel, verstopfte Verkehrswege, braune, verschmutzte Luft, verwirrte Schulkinder und die unvermeidliche Gereiztheit. Irgendwie war das das Schlimmste von allem. Schreckliches muß geschehen, damit Japaner ihre Gelassenheit einbüßen, und nun schienen sie sie bei jedem Kontakt zu verlieren.

Sie waren auch bewußt grob, nicht nur zueinander, sondern auch zu Fremden, etwas, was früher unerhört gewesen wäre. Eines Nachmittags ging ich in den Schönheitssalon des New Otani-Hotels, um um die Benutzung eines Shamponierbeckens zu bitten. Ich war seit Jahren immer wieder Gast in diesem Hotel gewesen, und ich kannte Herrn Otani, den Eigentümer. Zwei Kundinnen waren im Salon, fünf unbenutzte Shamponierbecken standen da.

»Unmöglich«, versetzte die Besitzerin.

Ich sagte ihr, ich wäre ihr sehr dankbar, es würde nicht lange dauern, aber ich würde eine Szene im Freien drehen und hätte meinen eigenen Friseur für die Haarwäsche und mein eigenes Shampoo bei mir. Wenn ich zum Haarewaschen die Hoteldusche benutzen müßte, würde mein Make-up zerlaufen.

»Nein«, entschied sie ohne Erklärung.

Ich fragte, ob ich telefonieren dürfe, doch sie antwortete nicht. Also nahm ich den Hörer ab und bat die Telefonistin, mich mit Herrn Otani zu verbinden.

»Vielleicht weiß Herr Otani, wo man ein Becken bekommen könnte«, sagte ich zu der Besitzerin. »Ich möchte ihm nur berichten, daß es hier keine gibt.«

»Das wird nichts nützen«, entgegnete sie streng. »Ich bin Frau Otani.«

Ich legte den Hörer auf und ging. Etwas Schreckliches war da im Gange, und ich wußte nicht einmal, welche Fragen ich stellen sollte, die vielleicht zu den Antworten führen würden.

Unser Haus im Shibuya-Bezirk Tokios sah unverändert aus, behaglich in den Garten geschmiegt, den Steve Parker, mein Mann, mit eigenen Händen angelegt hatte. Doch die Bambusblätter hingen schlaff in der braunen Luft. Die Karpfen im Fischteich starben, da Ruß das Wasser erstickte. Wir mußten mehr Wasser durch den Wasserfall fließen lassen, um den Lärm des Straßenverkehrs zu übertönen.

Ich rief einige westliche Freunde an, die seit Kriegsende in Japan gelebt hatten. »Wir gehen fort, Shirley«, erklärten sie. »Es ist alles außer Kontrolle geraten. Selbst wenn die Japaner jetzt auf der Stelle versuchten, die Entwicklung aufzuhalten, hätten sie noch zehn Jahre lang Industrieverträge zu erfüllen. Du weißt, was das bedeutet. Es ist verloren. Vorbei. Wir gehen weg.«

An einem drehfreien Tag nahm ich ein Auto und versuchte, das ländliche Gebiet zu finden. Es knackte in meinen Ohren, und es wurde kühler, doch ansonsten hätte ich nicht bemerkt, daß ich mich in den Bergen befand. Alles war industrialisierte Autobahn: keine Gipfel, keine sanften Hügel. Als ich den Ferienort Iwahara in den Bergen erreichte, fand ich mich inmitten einer Menschenmenge wieder, die ebenfalls nach einem Weg suchte, Tokio zu entkommen. Eine Menschenwelle nach der anderen fiel in eine Gegend ein, die vor zwölf Jahren vollkommen abgeschieden gewesen war. Selbst die Bäume schienen unter den Menschenmassen zu schrumpfen, die das Gras zu Tode trampelten, Souvenirs nachjagten und kauften und Milcheis leckten.

In den Tempeln starrten riesige Buddhastatuen auf den Menschen nieder, der seine eigene Umwelt verunstaltete.

Ich verließ Iwahara und fuhr weiter und höher in die Berge hinauf in der Hoffnung, fern der Stadt und der Verehrung des Bruttosozialprodukts noch einen Rest der alten Kultur unversehrt zu finden.

Bei einem malerischen japanischen Gasthaus bat mich eine Mama-san in herkömmlichem Kimono herein und verbeugte sich zum traditionellen Willkommensgruß. Am späten Nachmittag lud sie mich ein, mich ihnen zu der Zeremonie des grünen Tees anzuschließen. Vor Jahren hatte ich die Teezeremonie zu erlernen versucht, aber ohne Erfolg. Es war so kompliziert, das Ritual erforderte so genaue und komplizierte Handgriffe, daß ich, sobald ich einen lernte, den vorigen vergessen hatte. Die Zeremonie bestand im wesentlichen daraus, daß die grüne Teetasse soundso viele Male in eine Richtung gedreht werden und die Finger dabei leicht und präzise um den Rand der Tasse herum liegen mußten. Schon allein das Einlöffeln des grünen Teepulvers war für einen westlichen Menschen fast unmöglich zu beherrschen. Man benutzt einen schmalen, gebogenen Löffel aus glattpoliertem Holz und muß ohne Wölbung am unteren Ende des Löffels die genau richtige Teemenge entnehmen, denn sonst verschüttet man das Teepulver, und für einen Japaner gilt es als ungehobelt und grob, etwas zu verschütten.

Ich kniete vor der Mama-san auf der gewebten Tatami-Matte nieder, während sie sich auf die Zeremonie vorbereitete. Hinter dem *shoji*-Schirm plätscherte leise ein Wasserfall. Einen Augenblick lang fühlte ich mich um hundert Jahre zurückversetzt.

Mit ruhigen, festgelegten Bewegungen begann sie, die Tasse zu fassen und im Gegenuhrzeigersinn zu drehen. Ihre Augen waren niedergeschlagen, wie es die Zeremonie verlangt. Ihre Füße, in makellose *tabi* (japanische Socken) gehüllt, waren unter dem Rand ihres Kimonos aus beige-weißem Brokat halb übereinandergeschoben, wie es sich gehörte. Neben ihr stand ein niedriges Schränkchen, in dem sich alle Zutaten für die Zeremonie befanden. Ich saß bezaubert dabei. Mit einer sanften, rituellen Bewegung öffnete sie das Schränkchen – und nahm einen Liptons-Aufgußbeutel aus einer Dose, legte ihn in die Tasse und goß kochend heißes Wasser aus einer Plastikkanne darüber! In diesem Augenblick schob der *sensi* (Lehrer und Herr) des Gasthauses den *shoji*-Schirm zurück, der uns trennte. Er lag in einem Sessel vor einem Fernsehapparat.

Still schlürfte ich den Tee. Nach einer Weile bedankte ich mich, entschuldigte mich und ging zum Auto zurück.

Ein letztes Bild nahm ich aus Japan mit. Auf dem Weg zu einem Drehort sah ich eines Morgens im dämmernden Licht des Sonnenaufgangs einen Verkehrspolizisten. Er stand über eine niedrige Felsmauer gebeugt und hielt eine kleine Topfpflanze in den Händen. Zärtlich streichelte er die Blätter der roten Blume. Seine Augen blickten stolz, während er dem Blumentopf einen leisen Klaps gab, sich aufrichtete und auf seinen eigenen kleinen Privatgarten hinunterschaute. Dann griff er hinter die niedrige Felsmauer und zog eine Gasmaske heraus. Die Blume zitterte im Morgenverkehr, als wir an ihm vorbeifuhren; er zog sich die Gasmaske übers Gesicht und ging zur Arbeit.

## 7

Die Außenaufnahmen waren beendet, und wir kehrten nach London in einen schönen englischen Sommer mit hellem Sonnenlicht und dem Geruch von frisch geschnittenem Gras zurück. Doch über den Pinewood-Studios brauten sich Wolken zusammen, und sie wurden immer dunkler und düsterer. Sheldon war von England aus nach Amerika zurückgekehrt, wieder einmal verschwunden, und er ließ keinen Zweifel daran, daß er dort bleiben würde. Er verkehrte über Tonbandkassetten mit uns. Da wir jetzt ohne Produktionsleiter waren, beschwerte ich mich bei Lew Grade, und mir wurde versprochen, wir würden bald einen bekommen. Ich stieg in den Wagen, wurde durch die hübsche Landschaft zum Studio gefahren und fragte jeden Morgen bei meiner Ankunft, ob wir jetzt einen Produktionsleiter hätten. Die Wochen zogen sich hin, doch nichts geschah.

Rundum konnte ich spüren, wie die Stimmung sich verschlechterte. Alle Abteilungen fielen auseinander. Einige der Filmtechniker, die sich uns angeschlossen hatten, als die Serie eine vielversprechende Idee gewesen war, gingen zum Film zurück. Ich ließ mir vorführen, was wir in Asien gedreht hatten; es war unschneidbar. Schlimmer noch, ich wirkte auf dem Bildschirm deprimiert; meine Leistung war von der Atmosphäre angesteckt worden. Das ist das Schlimmste, was einem Schauspieler passieren kann.

Ohne Produktionsleiter fiel das Gewicht der Verantwortung auf mich. Ich konnte das Getuschel ringsum spüren; jeder suchte nach einem Schuldigen. Ein Machtkampf brach unter denjenigen aus, die dachten, die Serie könnte fünf Jahre laufen, ganz gleich, wie schlecht sie sei. Ein Regisseur begann, Möbel für Sheldons leerstehendes Büro zu bestellen und sich aufzuführen, als sei er Sheldons Stellvertreter. Hohe Tiere von ABC trafen in England ein, hörten sich die Geschichten an, lauschten meinen Beschwerden und sahen sich den Film an.

»Wir sind bloß froh, daß er nicht unscharf ist«, sagte einer von ihnen. Wir alle lachten trostlos.

Noch immer kein Produktionsleiter. Ich wartete eine weitere Woche.

Eines Morgens schließlich packte ich meine Koffer, fuhr zum Flughafen, ging an Bord einer Maschine nach Amerika und ließ die Serie hinter mir. Sir Lew erlitt beinahe einen Herzinfarkt. Bisher hatte er meine Warnungen und Einwände nicht ernst genommen und mir gesagt, mein »Ruhm und Status« würden alle Qualitätsprobleme überwinden. Aber das hier war etwas anderes. Er rief sogar den britischen Zoll an, um herauszufinden, in welcher Stimmung ich war, als ich London verließ.

Ich schloß mich in meine New Yorker Wohnung ein, las viel, sah ein bißchen fern und schlief morgens lange. Alle paar Minuten klingelte das Telefon, aber ich nahm nicht ab. Bei meinem Agenten hinterließ ich, ich würde mit niemandem sprechen, solange ich keinen Produktionsleiter hätte. Es dauerte zweieinhalb Tage.

Der Mann war Ron Rubin, ein fünfunddreißigjähriger Mann, einsachtzig groß, mit Bart und Schnurrbart. Als ich ihn zum erstenmal sah, trug er ein kariertes Hemd und legte einen Ausdruck schieren Unglaubens an den Tag. Im Vorjahr hatte er eine ABC-Serie mit dem Titel »Room 222« produziert. Er war seit zehn Jahren im Geschäft. Doch als wir uns die Hand gaben, begannen sich seine dichten, schwarzen Augenbrauen zusammenzuziehen. Er kam gerade aus dem Projektionsraum von ABC, nachdem er über Nacht aus Kalifornien eingeflogen war.

»Ich kann ebensogut direkt zur Sache kommen«, begann er, »weil ich viel zu müde bin, um etwas anderes zu tun. Diese Filme sind schrecklich. Ich weiß nicht, worum es sich bei dieser Shirley Logan überhaupt dreht, und die Stories sind lachhaft.« Er hielt einen Moment inne. »Was wollen Sie jetzt von mir?«

Ich wollte, daß er die Serie rettete. Ich wollte, daß er die Figur zum Leben erweckte. Ich wollte, daß er gute Autoren für die Drehbücher verpflichtete und gute Regisseure, um sie zu inszenieren. Ich wollte, daß er eine Serie produzierte, in der eine wirkliche Frau in einer wirklichen Welt lebte und dabei ein bißchen Spaß und Abenteuer erlebte. Kurz gesagt, ich wollte, daß er die sprichwörtliche Seidenbörse aus einem Schweineohr machte.

Was er tat, war folgendes. Er flog sofort nach England, ich in einem anderen Flugzeug ebenfalls, und dann begann er mit der Arbeit. Er verwarf die Drehbücher für sechsundzwanzig geplante Episoden, eine Investition von über zweihunderttausend Dollar, und dann warf er die drei schauerlichen Hongkong-Episoden heraus. Sir Lew verzog zum erstenmal eine Miene. Ich war noch nicht sicher, was bei alldem herauskommen würde, aber immerhin bewegte sich etwas. Der übelste Schund war entfernt; blieb abzuwarten, ob man ihn durch etwas Gutes würde ersetzen können.

Inzwischen hatte man Sheldon mitgeteilt, für ihn sei die Serie zu Ende. Er sah das nicht so, und selbstverständlich hatte er einen Vertrag. Diplomatisch ließ er sich für einige Ruhetage in ein Krankenhaus in Los Angeles einweisen und gab Nachricht, er könne eine Weile nicht nach England kommen.

Nun begann sich der Zeitdruck bemerkbar zu machen. Bis zu den nächsten Außenaufnahmen, wahrscheinlich in Spanien, blieben noch zwei Wochen, und wir hatten kein einziges brauchbares Drehbuch. Schlimmer noch, das Sendedatum des 15. September rückte immer näher und war kein mythischer Tag in ferner Zukunft mehr. Der erste Regieassistent kündigte. Die Abteilungen für Kostüme, Requisite, Szenenbild und Frisuren standen still. Alle warteten auf die neuen Drehbücher der neuen Autoren.

Und das bedeutete, daß sie auf Ron Rubin warteten, den Mann, von dem jeder das Wunder erhoffte. Doch er hatte Probleme. Rund um London war die Serie in einen so schlechten Ruf gekommen, daß es schwierig war, gute Autoren oder Regisseure aufzutreiben. Rubin blieb in seinem Büro. Nie kam er herunter in die Studios, um sich dem Team als neuer Produktionsleiter vorzustellen; vielleicht wußte er etwas, was ich nicht wußte. Die englischen Haie um ihn herum intrigierten und versuchten seine Gunst zu gewinnen. Er sagte mir, jeden Nachmittag gegen drei Uhr laufe er blau an, weil sein Büro keine Fenster habe. Ich fragte mich, wieso er nicht purpurrot anlief.

Eines Nachmittags kurz vor dem »Blauwerden« kam Rubin zu

einem langen Gespräch in meine Garderobe. Nach drei Wochen in England war er schwer deprimiert. Er wußte nicht, wie er mit den Lügen und der Demoralisierung fertig werden sollte. Er sagte, andauernd ertappe er sich dabei, wie er sich »arrangiere« und zuließe, daß sich Dialogzeilen und sinnlose Handlungsstränge in die Drehbücher einschlichen, weil er die Mittelmäßigkeit der Leute, die mit ihm arbeiteten, nicht überwinden könne. Es war ein Zermürbungskrieg, und sie kriegten ihn klein.

Ich versuchte, Ron Rubin zu trösten, ihm wieder Mut zu machen, ihn zu besänftigen und ihm zu sagen, so schlecht, wie er denke, stünden die Dinge gar nicht. Kurz, ich sagte ihm all das, was er eigentlich *mir* hätte sagen müssen. Eine Woche später gab er auf und flog zurück nach Amerika. An dem Tag wußte ich, daß die Serie endgültig gelaufen war.

Am 15. September wurde die erste Folge in Amerika gesendet, während wir in Pinewood arbeiteten. Sheldon Leonard machte einen kurzen Höflichkeitsbesuch in London, um bei uns zu sein, wenn wir die Neuigkeiten erfuhren. Ich tat gerade in einer langweiligen Szene mein Bestes, als ich ihn ins Studio kommen sah. Als die Szene vorbei war, ging ich zu ihm, um ihn zu begrüßen. Er atmete tief, seine Mundwinkel zitterten.

»Nun, Kind, machen Sie sich keine Sorgen mehr«, tröstete er. »Sie sind in dieser Saison das einzige Pferd im Rennen.«

Ich wußte nicht, was ich sagen sollte. Die anderen Pferde machten mir keine Sorgen. Es war das Rennen selbst. In dieser Nacht schlief ich nicht. Aber ich rief auch nicht in Amerika an.

Dann, am nächsten Morgen, rief mich mein Publicity-Mann aus New York mit einer Kritik aus einer kanadischen Zeitung an. Es war das erste Urteil über die Sendung, und es schlug ein wie eine Bombe. »Sensationell… frisch… originell.« Ich stand in der Garderobe und blickte hinaus auf das Studiogelände. Ich konnte nicht glauben, was ich gehört hatte. Vielleicht hatte ich mich geirrt. Vielleicht waren die Demoralisierungen und der Kummer und die Selbstzweifel meine Schuld; vielleicht war nichts davon nötig gewesen; vielleicht hatten Sheldon und die Leute von ABC und Lew Grade die ganze Zeit recht gehabt. In dieser Nacht schlief ich mit der aberwitzigen Hoffnung ein, ich hätte mich so getäuscht, wie eine Schauspielerin sich nur täuschen kann.

Das Team war am nächsten Morgen früh versammelt und erwartete Sheldon, der die ersten harten Fakten über die amerikanische Reaktion auf die erste Folge der Serie mitbringen würde. »Was haben Sie gehört?« wurde ich gefragt. Noch nichts. Nichts Genaues. Wir gingen nach draußen, um im hellen Sonnenlicht zu drehen, und dann erschien Sheldon mit seiner vertrauten Tweed-Eleganz. Ich wollte die Nachrichten, gut oder schlecht, zur selben Zeit hören wie alle anderen, und wir umringten Sheldon und suchten in seinem Gesicht nach lesbaren Zeichen. Er atmete tief ein.

»Meine Damen und Herren«, begann er, »es sieht so aus, als hätten wir den Hit der Saison.« Es war, als stieße unsere ganze Gruppe gleichzeitig den Atem aus. »Ich habe meine Quellen befragt«, fuhr er fort, »meine eigenen, privaten Nielsen-Quoten, und wir haben die Opposition besiegt. Die Sendung wurde abwechselnd als charmant, lustig, entzückend, frische Brise und Triumph beschrieben.« Er lächelte. »Ich möchte Ihnen danken für Ihre Geduld, Ihre harte Arbeit, Ihr Talent... Und... meinen Glückwunsch.«

Mein Korsett zwängte mir den Magen ein, und ich dachte, ich würde auf der Stelle sterben. Mein Gott, wir hatten es geschafft! Es hatte geklappt. Wir hatten es geschafft, verdammt. Das Team brach in Applaus aus, und dann gingen wir alle wieder an die Arbeit. Zum erstenmal seit Beginn der Serie war ich den ganzen Tag lustig.

Bebend vor Erregung und mit dem Gefühl, wenn dem Publikum die erste Folge gefallen hatte, würde es die Episoden, die auf guten Drehbüchern beruhten, förmlich lieben, rannte ich am Abend auf die Garderobe zu. Es war an der Zeit, mit allen anzustoßen, Freunde anzurufen, zu lachen und vergnügt zu sein. Ich ging hinein, um mich umzuziehen.

Meine Sekretärin führte gerade ein Ferngespräch mit meinem

Publicity-Mann in New York. Ihr Gesicht war kreidebleich, und sie sprach flüsternd. Besorgt blickte sie auf und winkte mich ans Telefon.

»Shirl«, meinte sie, »mir ist lieber, wenn Joe es Ihnen sagt.«

Ich fühlte, wie Panik mich überfiel.

»Was meinen Sie?«

»Fragen Sie besser ihn.«

Ich nahm den Hörer und fragte Joe, was los sei.

»Wir haben gerade die abendlichen Einschaltquoten in New York bekommen«, berichtete er. »Ich verstehe das nicht. Selbst wenn den Zuschauern die erste Folge nicht gefallen sollte, müßte man doch annehmen, daß die Leute den Fernseher einschalten, um *Sie* zu sehen, vor allem nach der ungeheuren Werbekampagne.«

»Wieso, was bedeutet das, Joe?« fragte ich. »Sheldon sagt, es habe eingeschlagen wie eine Bombe. Stimmt das denn nicht? Seine Leute haben gesagt, es sei die beste Fernsehsendung in den letzten fünf Jahren gewesen.«

»Machen Sie Witze? *Seine* Leute? Mit wem, zum Teufel, hat er denn geredet? Shirl, die Einschaltquoten sind verheerend, und die Kritiken sind noch schlimmer. Ich mag sie Ihnen gar nicht vorlesen.«

Der Boden unter meinen Füßen wankte. Wir redeten noch ein wenig darüber, wie die anderen Sendungen liefen (Anthony Quinn und Henry Fonda waren am gleichen Abend wie ich in ABC, und sie wurden ebenfalls verrissen). Ich sagte Joe, ich würde ihn zurückrufen. Dann wählte ich Sheldons Nummer in seinem Hotel.

»Mr. Leonard ist heute nachmittag abgereist, Miss«, erklärte die Stimme der Telefonistin. »Er hat keine Adresse hinterlassen. Tut mir leid.«

Mir tat es auch leid. Ich ging in die Garderobe, schloß die Tür und legte mich aufs Bett. Ich starrte an die Decke. Nach einer Weile schlief ich ein.

Ich verließ London an einem kalten Herbsttag. Die Kastanienbäume im Garten standen in leuchtendem Orange. Nasse Wolken, schwer von Regen, zogen majestätisch darüber hin. Wochenlang hatte ich das traurige kleine Leben von Shirley Logan gelebt, hatte aufgehört, die Natur zu sehen, und auf einmal wünschte ich mir, ich könnte einen ganzen englischen Winter lang bleiben, den Wechsel der Jahreszeiten an Blättern, Bäumen und nassem Gras miterleben. Doch ich reiste nach Hause.

»Vielleicht wirkt das Heute so schön, weil das Gestern scheußlich war«, sagte mein Fahrer Reg und sah mich im Rückspiegel an. »Im Leben geht es genauso.«

Vielleicht. Als ich über den Ozean flog, fragte ich mich, was die Leute im Filmgeschäft nun von mir denken und wie meine Freunde über mich reden würden. Würden sie hinter diskret vorgehaltener Hand über meine Demütigung und mein schlechtes Urteilsvermögen flüstern? Eine Woche lang verkroch ich mich in meiner Wohnung in New York und sah niemanden. Ich ließ mich auch nicht sehen. Dann, eines Nachmittags, ging ich um die Ecke in den Lebensmittelladen in meiner Nachbarschaft.

»Oh, wie geht's, Miss MacLaine«, grüßte der Kaufmann. »Lange nicht gesehen. Waren wohl fort, was?«

»Ja, bin ganz schön rumgekommen.«

»Ach, jaaa«, sagte er. »Diese Fernsehserie, nicht? Ich höre, sie ist nicht so gut wie Ihr Buch. Das Buch hat mir gefallen.«

Ich fragte ihn, was er im einzelnen über die Sendung denke, ob die fremden Länder attraktiv seien, ob es *gut aussehe*.

»Um die Wahrheit zu sagen«, meinte er, »ich habe die Sendung nie gesehen. Mr. Whitney, der Schriftsteller, der um die Ecke wohnt, erzählte es mir. Aber er hat auch nur eine Folge gesehen. Wissen Sie, für mich ist alles, was Sie machen, in Ordnung. Übrigens, wie wär's mit diesen Beeren? Eben eingetroffen…«

Ich kaufte drei Pfund Beeren, und beim Hinausgehen beugte ich mich zu ihm herüber und gab ihm einen Kuß. Dann erinnerte ich mich an etwas, was mein Agent einmal gesagt hatte: »Das einzig Gute an einem Desaster, Kind, ist, daß keiner es sieht.«

## 8

New York ist *die* Stadt, um eine Enttäuschung, einen Verlust oder ein gebrochenes Herz zu überwinden. Manche Menschen finden es grausam und einsam. Für mich war es wie eine Transfusion, hauptsächlich deshalb, weil es real war. In New York kann man der Dinge sicher sein, die geschehen – ob sie gut oder schlecht sind. Man kann sie weder verbergen noch verbrämen, und in den Wochen nach meiner Rückkehr nach Amerika stürzte ich mich kopfüber in die Stadt, als sei ich nie zuvor dort gewesen.

Es war kurz vor Weihnachten. Ich zechte mit meinen Freunden, trödelte um Shubert Alley herum, schaute mir in der Madison Avenue und Lexington Avenue Schaufenster an, bis mir die Füße weh taten. Irgendwann ging ich ins »Serendipity«, um einen geeisten Mokka zu trinken; ich plünderte die Hemdenabteilung im »Bloomingdale's«; ich ging ins Village und zurück, bis ich bei Sonnenuntergang Beekman Place erreichte und den Geruch des East River einatmete. Später schaute ich bei »Elaine's« bei der Achtundachtzigsten Straße und Second Avenue vorbei, nur um zu sehen, wer da war.

Ich blieb nächtelang auf den Beinen und hörte meinen Journalistenfreunden zu, die mir alle Insiderneuigkeiten berichteten, die nicht gedruckt werden konnten. Ich ging zu jeder langweiligen intellektuellen Cocktailparty in der Stadt und lüftete später meinen Kopf aus, indem ich New Yorker Taxifahrern über jedes Thema von Bürgermeister Lindsay bis zu den Raumschiffen lauschte. Ich durchstreifte den Marktplatz bei mir an der Ecke, die City, in der ein Samenkorn Glück hat, wenn es aufgeht, und hörte Gesprächen über saftige, rote, reife Tomaten und schwer erhältliche Artischocken zu, und ich liebte das Nachbarschaftsgefühl, das in der riesigen, dreckigen, menschlichen Acht-Millionen-Stadt noch immer möglich war.

Die Stadt galt zwar als verheerende Katastrophe, doch ihre rohe Energie gab mir meine Vitalität zurück. Ich wollte alles, den Ölgeruch im Bus, der quer durch die Stadt fährt, die Menschenmassen, die sich aus den Untergrundbahnen drängen, die himmelhohen Gebäude, die das himmelhohe Selbstmonument des New Yorkers waren. Ich wollte jeden gedünsteten Maine-Hummer essen, dessen ich habhaft werden konnte, und auch jedes Steak. Ich wollte stundenlang in meiner Wohnung sitzen, alle Nachrichtensendungen sehen und Zimtrollen aus dem Automaten essen. Nirgends auf der Welt wurden die Nachrichten so gut präsentiert. Nirgends auf der Welt konnte man eine Zimtrolle aus einem Loch in der Wand verzehren.

New York war das Kommunikationszentrum, und das hatte mehr Gründe als das Rockefeller Center. Es war eine Stadt, in der es unmöglich war, nicht in Kontakt zu kommen. Wenn man um die Ecke ging, um ein Brot zu kaufen, bestand die größte Wahrscheinlichkeit, mindestens zwei Menschen zu treffen und mit ihnen zu *reden*. New York war die einzige mir bekannte Stadt auf der Welt, in der man um neun Uhr früh verzweifelt einsam sein konnte, die Straße überquerte, um bei »Gristede's« ein Hörnchen zu kaufen, und sich sieben Stunden später beim Irish Coffee im »J. P. Clarke's« mit all den Freunden wiederfand, die man unterwegs kennengelernt hatte.

Doch kurz nach diesen ersten, schwindelerregenden Wochen zu Hause begann ich, Amerika wieder zu fühlen. In die nächtlichen Gespräche im »Elaine's« schlichen sich, nachdem man sich darüber ausgelassen hatte, wer mit wem schlief – und warum – düstere Themen ein: Rassenprobleme, Kent, der wachsende Konservatismus des Obersten Gerichtshofs, die Regierungsangriffe auf die Pressefreiheit, Kriminalität, Frauenbewegung und das düsterste von allen: Vietnam. Ich entdeckte, daß die Rückkehr nach Amerika ähnlich war wie die Heimkehr zu einem lieben, aber kranken Freund. Irgend etwas Schreckliches war im Gange.

Neue Filmdrehbücher wurden mir vorgelegt. Aber sie drehten sich um nichts Reales. Sie schienen nichts mit der Welt zu tun zu haben, wie sie wirklich existierte. Es war, als ob die kreativen Leute nicht wüßten, was sie schaffen sollten, und die Geldleute wollten nichts, was auch nur entfernt kontrovers war. Den kreativen Autoren wurde gesagt, Filme über den Krieg seien nicht finanzierbar, Filme über unabhängige Frauen stießen das männliche Publikum ab, und Filme mit sozialer Thematik seien nicht das, was die Zuschauer sehen wollten. Blieben Sex und Gewalt, und wenn man beides zusammenmixte, um so besser. Das Problem war, daß es nicht allzu viele Möglichkeiten gab, Gewalt zu zeigen und dennoch mit der Wirklichkeit in den Sieben-Uhr-Nachrichten zu konkurrieren; und Sex in Filmen war in eine Kontroverse verstrickt, die bis zum Obersten Gerichtshof gehen würde. Wir saßen also in der Falle. Ich konnte die Schwierigkeiten, die wir bei Film und Fernsehen hatten, nicht länger von den Problemen des Landes trennen. Beides hing zusammen. Solange unsere Wertvorstellungen in der Gesellschaft sich nicht zum Besseren veränderten, würden auch unsere Filme und Fernsehsendungen nicht besser werden.

Ich faßte einen Entschluß. Da eine Präsidentenwahl bevorstand, wollte ich dazu beitragen, die Dinge zu verändern, und das konnte man am besten durch politisches Engagement. Ich *wollte* mich nicht in die Politik einmischen, aber ich hatte das Gefühl, ich *müsse* es tun. Ich wollte mich für einen Kandidaten einsetzen, der sich nicht scheute, sich der Wahrheit dessen zu stellen, was aus uns geworden war – auch, wenn es schmerzhaft war.

# 9

Im August 1970 hatte ich in meinem Haus in Kalifornien eine Dinner Party für George McGovern gegeben. Damals war McGovern den meisten Gästen nur ein undeutlicher Begriff, ein Mann, der bei einer Fernsehdebatte vor der kalifornischen Vorversammlung zur Wahl eines Kandidaten beim Demokratischen Nationalkonvent 1968 einen guten Eindruck gemacht hatte, seither aber nur eine marginale politische Gestalt geblieben war. Ich war bei diesem Konvent als McGovern-Delegierte gewesen und entschied, ein Dinner sei die beste Möglichkeit, einige reiche und einflußreiche Leute näher mit ihm bekanntzumachen. Denn George McGovern bewarb sich 1970 bereits um die Präsidentschaft.

Nach dem Dinner stand McGovern auf, um das Wort zu ergreifen. Er trug einen korrekten blauweiß gestreiften Anzug, der eigenartig faltenfrei war. Mit der gleichmäßig-monotonen Stimme, die uns später so vertraut werden sollte, beantwortete er alle Fragen, von der Rolle Amerikas in der Weltpolitik bis zur Legalisierung von Marihuana. McGovern war ein anständiger, aufrichtiger, guter Mann. Doch die meisten der Gäste waren wenig beeindruckt.

»Der Mann ist besser als Seconal«, hörte ich einen Gast sagen. Auch die späteren Berichte über ihn waren nicht positiv. Kein Charisma, kein Pfeffer, keine Leidenschaft, langweilig, kann keine Stimmen fangen, ein Verlierer. Eine typisch kalifornische Reaktion, bei der die Betonung auf McGoverns mangelnder Fähigkeit, sich zu verkaufen, lag. Niemand erwähnte das, wofür er eintrat; sie kritisierten nur, *wie* er es tat.

McGovern verfügte über eine kleine verschworene Mannschaft; er bereitete Positionspapiere vor und hatte seine Kandidatur bereits offiziell angekündigt. Von allen Männern, die sich um das Recht bemühten, in diesem Jahr mit Richard Nixon zusammenzutreffen, fiel er mir als der anständigste, der flexibelste auf, als der Mann, dem es tatsächlich ernst damit sein könnte, die Wertvorstellungen unseres Landes zu verändern.

Also rief ich eines Nachmittags im Februar 1972 in McGoverns Hauptquartier in Washington an und erklärte, ich sei bereit, alles zu tun, um seine Kandidatur zu unterstützen. Sie riefen zurück und forderten mich auf, das nächste Flugzeug nach New Hampshire zu nehmen. Die Tage in New Hampshire gehörten zu den anregendsten meines Lebens; ironischerweise sollten wir sie später als die »dunklen Tage der Kampagne« bezeichnen. In den Anfangswochen, ehe die Presse aufmerksam wurde, war McGoverns Hauptquartier das Zimmer, in dem er in der Howard Johnson Motor Lodge in Manchester schlief. Man konnte dort seinen Enkel mit einem Schnuller im Mund herumkrabbeln sehen; seine Frau Eleanor ging aus und ein, mit ihrem eigenen Terminplan für die Kampagne beschäftigt. Außendienstler trafen ein, um sich Rat zu holen, und das Pressezimmer bevölkerten Filmstars (Dennis Weaver, Marlo Thomas, Leonard Nimoy und der Sportler Ray Schoenke) und potentielle Spender, die McGovern in Augenschein nahmen wie buchende Agenten. Fast jeder, der in der Kampagne für McGovern mitwirkte, war bekannter als er selbst.

Ich hatte nie zuvor zum Troß einer Kampagne gehört. Delegierte bei einem Parteikonvent zu sein, ist eine völlig andere Erfahrung. Meine Tage begannen um sechs Uhr früh mit Krapfen und Saft aus einem Automaten in der Lobby von Howard Johnson's. Von dort aus besuchte ich bis zu zwanzig Häuser täglich, wo ich mit Schokoladenkeksen und Kuchen gefüttert wurde, nachdem ich über die Notwendigkeit einer Veränderung in Amerika gesprochen hatte. Aus irgendeinem Grunde waren abends Kokosnußkuchen der große Favorit in diesen Häusern. Es war die härteste Schlacht, die meine Taille je ausgefochten hat. Am Ende der Kampagne hatte ich fünfundzwanzig Pfund zugenommen.

Zuerst war ich verlegen, ein Filmstar zu sein. Ich wußte, warum ich mich einsetzte: Ich wollte auf den Kandidaten aufmerksam machen und mithelfen, die Massen anzuziehen. Es war mir unangenehm, wenn Leute mir Fragen über Hollywood stellten und wissen wollten, warum ich dies tue. Nicht ich bewarb mich; McGovern war der Kandidat. Doch bald begannen die Menschen die schlichte Tatsache zu respektieren, daß ich mir für all das die Zeit nahm. Anfänglichen Diskussionen über *Irma La Douce* und *Das Apartment* und Fragen »Wie ist Warren Beatty wirklich?« folgten dann aber bald Gespräche über den Militärhaushalt, Vietnam und Integrität der Regierung. Die Menschen, die ich in New Hampshire und allen anderen Staaten kennenlernte, in denen ich für die Kampagne arbeitete, waren von Haus aus fair; ich war eine Berühmtheit, gewiß, aber ich war auch Amerikanerin, und sie respektierten das. Bis die Presse mich so ernst nahm, wie es die kleinen Leute taten, dauerte es etwas länger. Aber das war nicht nur *mein* Problem. Weitaus mehr litt auch George McGovern unter denselben Schwierigkeiten.

Nach wenigen Tagen der Kampagne begann ich zu begreifen, daß die beiden wichtigsten Leute, außer McGovern selbst, Gary Hart und Frank Mankiewicz – ein merkwürdiges Paar – waren. Hart, ein großer, schlanker junger Mann von vierunddreißig Jahren mit modisch langem Haar, versorgte die wachsende Armee von jungen Mitarbeitern, die von Sandwiches mit Erdnußbutter lebten und die Basis eines möglichen Erfolgs McGoverns sein würden.

»Mann, ich bin bloß ein Junge vom Land«, pflegte er zu sagen und wie Gary Cooper mit den Stiefeln aufzustampfen. »Nach der Vorwahl hier bin ich mit meiner Aufgabe für den Senator wohl fertig. Er wird eine überraschend hohe Stimmenzahl bekommen, und dann kommen die Eierköpfe und übernehmen die Sache. Damit werde ich nicht fertig. Ich gehe dann wieder zurück nach Colorado.«

Doch ich wußte, daß der Junge vom Land auf Dauer dabeibleiben würde. Er interessierte sich für Militärgeschichte und bewunderte Napoleon, und die Art und Weise, wie er die Helfer organisierte, hatte etwas Militärisches. Nein, er würde nie aufgeben. 1970 und 1971 war er für McGovern durchs Land gereist, hatte eine neue Welt versprochen, eine Welt, die frei sein würde von politischen Tagelöhnern und in der unser latenter Idealismus sich zu wirklicher Macht entfalten würde. Und sie hatten ihm zugehört;

ein Teil von McGoverns Erfolg rührte daher, wie diese jungen Leute die Vorversammlungen der einzelnen Staaten übernahmen, Parteikonvente führten und auf einer neuen Art bestanden, die Delegierten für den Konvent von 1972 auszuwählen. Gary war ein gewitzter Cowboy. Es gab Augenblicke spätabends, da wollte man zu ihm laufen und ihn vor all den ruchlosen Manipulatoren beschützen, die, wie er sagte, die Welt bevölkerten. Nicht viele Leute erkannten, daß er selbst auf stärkere Weise manipulierte als alle anderen.

Frank Mankiewicz war ganz anders und doch eigenartig ähnlich. Sein Verstand war eine brillante Mischung aus raffiniertem Witz, weisem Humor und verwirrender Weitschweifigkeit. Er hatte eine außergewöhnliche Gabe, schwierige Gedanken auszudrücken. Aber er konnte auch schneidend, selbstzerstörerisch und unsensibel sein. In vielen Wesenspunkten war er der Sohn seines Vaters.

Herman J. Mankiewicz war ein hervorragender Filmautor gewesen *(Citizen Kane, It's a Wonderful World)*, ein zwanghafter Spieler und Trinker, ein Mann mit scharfem Verstand und einer beängstigenden Neigung zu Unfällen. Pauline Kael beschrieb ihn in *The Citizen Kane Book* als »einen Riesen von Mann, der sein eigenes Talent verschleuderte, einen Mann, der in dem Rennen, sich an Hollywood auszuverkaufen, auf vorderstem Platz lag«. Noch heute, Jahre nach seinem Tod, ist Herman Mankiewicz als Legende in Hollywood lebendig.

Als ich Frank Mankiewicz in den frühen Stadien der Kampagne bei der Arbeit beobachtete, fiel mir eine Unterhaltung ein, die ich in England mit dem jungen Tom Mankiewicz geführt hatte. Tom war der Sohn von Hermans Bruder, dem ausgezeichneten Regisseur Joseph Mankiewicz, und arbeitete an einer eigenen Laufbahn als Filmautor. Ich erwähnte Tom gegenüber, daß ich mit dem Gedanken spielte, mich für George McGovern einzusetzen.

»Sei vorsichtig, Shirley«, warnte er. »Frank ist ein wundervoller Bursche, aber er wird sich vermutlich selbst zerstören. Alle Mankiewiczs tun das. Ich vermutlich auch irgendwann. Gerade, wenn die Sache gut läuft, scheißt er darauf – du wirst sehen. So hat er es mit seiner Rechtsanwaltspraxis gemacht; das hat er mit dem Peace Corps gemacht. Als seine Zeitungskolumne eben anfing, Erfolg zu haben, war es wieder dasselbe. Vermutlich wird er es auch mit George so machen.«

Während ich ihm zuhörte, spürte ich einen kalten Schauder, aber bald vergaß ich unser Gespräch wieder.

Wir verloren die Vorwahlen in New Hampshire, errangen jedoch zu jedermanns Überraschung einen starken zweiten Platz hinter Edmund Muskie. Muskie hätte eigentlich mit großem Vorsprung gewinnen müssen. Statt dessen war er vor den Leuten vom *Manchester Union-Leader* zusammengebrochen und hatte geweint, weil diese Zeitung abschätzige Bemerkungen über seine Frau gemacht und einen Brief abgedruckt hatte, in dem unterstellt wurde, Muskie habe eine rassistische Einstellung gegenüber »Canucks«, Französisch-Kanadiern. (Der Brief war, wie das Land nach der Wahl erfuhr, von der Abteilung für »schmutzige Tricks« aus Nixons nächster Umgebung geschrieben worden.)

Aber Muskie war tödlich verwundet und sollte sich von den Vorfällen in New Hampshire nicht mehr erholen. Plötzlich war George McGovern ein ernsthafter Kandidat.

## 10

Meine politische Erziehung aus erster Hand war in vollem Gange. Nach New Hampshire folgten Palmen und Coppertone in Florida, schmutziger Schnee und Fabriken in Wisconsin, Wüste und Indianer in New Mexico, Berge und Luftverschmutzung in Utah, sanfte Weiden und Wind in South Dakota, Tacos und Bier in Texas, vorstädtische Öde in New Jersey und Aufenthalte in Michigan, Maryland, Vermont, Washington und an vielen anderen Orten, an die ich mich jetzt nur noch undeutlich erinnern kann. Manchmal wußte ich nicht einmal, wo ich gerade war. In den Staaten, in denen Vorwahlen stattfanden, war auch der Apparat der McGovern-Kampagne präsent, voller Lärm, Jugend, Hoffnung, Aktion und Presseleuten. In den Staaten, in denen keine Vorwahlen waren, verlief die Kampagne ruhiger. Aber ich lernte. Daher schienen die Erschöpfung, das gräßliche Essen und das ab und zu auftretende Gefühl der Isolation die Sache wert zu sein.

Als erstes lernte ich, daß Politik eine Form des Theaters ist. In Florida engagierten sich Filmstars wie Lorne Greene aus »Bonanza«, der mit Hubert Humphrey im offenen Wagen fuhr, während Carroll O'Connor Fernsehspots für John Lindsay drehte und Red Skelton für Richard Nixon Witze erzählte. Auch die Kandidaten gaben sich theatralisch. George Wallace machte seine Versammlungen zu Erweckungsbewegungen, die direkt aus *Elmer Gantry* zu kommen schienen. John Lindsay sprang in der Badehose von den Florida Keys in den Ozean, um seine »Besorgnis« über die Umweltverschmutzung zu zeigen, und sah aus, als wolle er »Sean Hunt« wieder zum Leben erwecken. Wir wußten nicht genau, welcher theatralische Stil McGovern eigen war; vermutlich war es das Fehlen von Stil überhaupt.

Ich lernte auch, daß eine der wichtigsten Angelegenheiten bei jeder Kampagne das Sammeln von Spendengeldern war, und bei McGovern flossen sie spärlich. Abend für Abend besuchte ich Spenden-Cocktailparties, wo ich als Starattraktion nicht nur charmant zu sein hatte, sondern mich auch so gut über Leben und Treiben von George McGovern informiert zeigen mußte, daß sich die Betuchten im Publikum dazu hinreißen ließen, pro Drink einen Tausender zu spendieren. Manchmal klappte das tatsächlich.

Gewöhnlich versprach ich, mit jedem, der fünftausend Dollar für die Kampagne spenden würde, nach Acapulco zu gehen, und erklärte, mit dieser Summe könnten wir zwei Wochen lang die Erdnußbutter für McGoverns junge Armee kaufen. Ich hoffte, Gloria Steinem würde davon nichts erfahren. Bei anderen Gelegenheiten bildeten Pierre Salinger und ich ein Team; er spielte auf einem Klavier aus dem Gemeindehaus, und ich sang Parodien und tanzte. Pierre und ich reisten durch das ganze Land, gewöhnlich in Flugzeugen, die aus irgendeinem alten John-Wayne-Film übriggeblieben zu sein schienen, und eines Abends war ich so müde, daß ich an eine Säule vor irgendeiner Vordertür gelehnt erschöpft einschlief.

Aber entscheidend waren die Menschen, und während ich mich unter ihnen bewegte, erfuhr ich, daß Amerika ein Kaleidoskop ist.

Im Nordosten Philadelphias zum Beispiel begrüßte mich an der Haustür eine verbrauchte Mutter von vier Kindern, deren dunkel orangefarbener Lippenstift und Lockenwickler die Phantasie zu signalisieren schienen, ihr Leben könne sich bald verändern. Sie hielt eine Schachtel mit Getreideflocken in der Hand, und ihr Hochzeitsfoto stand auf dem Fernsehapparat, der im Hintergrund plärrte. An der Wand hing eine Darstellung von Jesus Christus. Die Wohnung roch nach Babys; ihre vier Kinder saßen da und starrten auf den Fernseher, wo eine Spielshow lief. Ihre Kleider lagen auf dem Fußboden verstreut.

»Hi, Honey«, sagte sie. »Kommen Sie rein, wenn Sie wollen. Wir sind so arm, daß es egal ist, was in den Wahlen passiert. Die Reichen machen sowieso, was sie wollen, darum wählen wir hier nicht. Aber setzen Sie sich trotzdem.«

Sie glaubte nicht, daß der Kandidat Chisholm ein guter Präsident werden würde, weil er »nicht Manns genug ist für den Job«. Sie wußte nicht, ob Chisholm Falke oder Taube war, »aber irgendwo hab' ich gelesen, daß Falken Babys fressen, also wäre ich wohl lieber Taube. Ich mag die Kommunisten nicht«.

Sie wisse nichts über Politik und sei bloß froh, daß ihr Mann einen Job bei Nabisco habe. Gegen die Frauenbefreiung habe sie nichts, »solange sie nicht zu weit gehen«. Als ich ging, fragte sie mich, ob ich glaube, zu wählen könne wirklich etwas bewirken.

In Michigan hörte ich, wie ein junger Mann *für* George Wallace eintrat, und zwar gegenüber einem *alten* Mann, der Wallace für gefährlich hielt. Eine Gruppe von College-Studenten, vor denen ich in Illinois sprach, unterhielt sich zynisch untereinander und zeigte durch ihre Grobheit, daß sie der Meinung war, innerhalb des Systems könne ohnehin nichts geschehen, aber eine andere Gruppe in Colorado ging vor Begeisterung in die Luft, als ich dieselben Themen ansprach.

In Massachusetts lernte ich ein Ehepaar kennen, das an McGoverns Kampagne in einem gelben Rolls-Royce und mit Champagner im Eiskübel mitwirkte. In New York besuchte ich Läden, die McGoverns Plakate ausstellten, in den elendesten Slums. Die Akzente veränderten sich, der Stil war unterschiedlich, die Bräuche und die kulturellen Gewohnheiten wechselten von Staat zu Staat. Ich stellte fest, daß es da draußen ein Dutzend, vielleicht zwanzig verschiedene Amerikas gab.

Ich aß bei einfachen Menschen im ganzen Land zu Abend, und manchmal bezeichneten sie sich selbst als »die Randolphs« oder »die Johnsons«. Die Frauen hatten selten Vornamen; sie waren die Handlanger ihrer Ehemänner. Die Familien der Mittelklasse bildeten einen wichtigen Teil der Wählerschaft McGoverns; oft wirkten sie jedoch ziemlich rigide und reagierten mit statusbewußten Ängsten, wenn sie ihre Kinder überwachten, die zwar zu sehen, aber nicht zu hören waren (zumindest nicht in der Gegenwart Fremder). In diesen Wohnzimmern würde die Zukunft Amerikas entschieden.

Manchmal war ich mit McGovern unterwegs, wenn er an Fabriktoren Hände schüttelte, Teller voll Lasagne und Spaghetti verzehrte, in High Schools, deren ältere Schüler zur Abstimmung wählbar waren, Stunden in Bürgerrechtskunde abhielt, sich mit

Gewerkschaftsführern traf, in Kirchen sprach, meilenweit durch eisigen Regen und Schnee ritt, in kleinen Bars Fotos signierte und immer wieder betonte, Amerika brauche einen Wandel.

Mir unterliefen einige wirkliche Fehler. Einmal sprach ich in Pittsburgh vor einer Mittagstafel für schwarze Frauen, auf die eine Modenschau folgte. Die Frauen saßen an langen Tischen und hatten Plastikteller mit gebratenem Hühnchen und Plastikbecher mit Apfelsaft vor sich. Während ich redete, betrachtete ich ihre Hüte, die mit leise nickenden künstlichen Früchten und Blumen geschmückt waren. Ich entwickelte meine Thesen, wie die Dinge sich bessern würden. Sie, die schwarzen Frauen, repräsentierten einen Sektor Amerikas, der immer unterprivilegiert gewesen sei. Wir brächen in eine Zeit auf, in der jeder einzelne erkennen würde, daß Amerika sich zu lange zu sehr um die falschen Dinge gekümmert habe. Als ich geendet hatte, war die Reaktion höfliche Stille. Ich verstand das nicht.

»So was können Sie diesen Frauen nicht erzählen«, sagte ein junger Schwarzer hinterher zu mir. »Sie können ihnen nicht erzählen, sie besäßen nicht viel. Sie sind stolz, und viele von ihnen wünschen sich die Sachen – genau die Sachen –, die Sie für nutzlos halten.«

Es war dasselbe Land, in dem ein Mann in Green Bay, Wisconsin, zu mir sagte: »Wenn Sie in Green Bay leben und schwarz sind, dann hätten Sie es als Packmaschine besser.«

In der Zwischenzeit lernte ich einen großen Teil der amerikanischen Presse kennen. Zumindest den Teil der amerikanischen Presse, der mit politischen Kandidaten reist. Ich liebte die Zeiten, wenn ich von der Arbeit draußen zurückkam ins Zentrum der Aktion in den Vorwahl-Staaten. Nächtelang saß ich mit den Journalisten zusammen, lauschte ihren ätzenden Witzen und hörte sie mit einem halben Liter Whisky im Leib zugeben, daß auch sie nicht wußten, was, zum Teufel, in Amerika eigentlich vorging.

Sie spürten, daß McGoverns wachsender Erfolg ein Anzeichen dafür war, daß sich möglicherweise in Amerika eine stille Revolution vollzog. Aber sie wußten auch, daß die Dinge sich in Amerika schnell verändern, und sie hatten gelernt, dem, was heute stimmte, zu mißtrauen, weil es vielleicht morgen schon nicht mehr richtig war. Sie achteten Genauigkeit, respektierten harte Tatsachen, und ironischerweise schien eben das ihre Genauigkeit insgesamt einzuschränken.

Theodor White fand es »süß«, daß irgend jemand glauben konnte, McGovern würde die Nominierung gewinnen, eine Einstellung, die er nach der Vorwahl in Wisconsin änderte. Doug Kiker von CBS erzählte mir, 1968 habe George Wallace ihn gebeten, sein Mitkandidat zu sein. Ich wußte nicht, ob ich ihm glauben sollte oder nicht. Der Grat zwischen Wahrheit und Fiktion wurde immer schmaler.

»Als anerkannter Zyniker«, pflegte John Chancellor von NBC zu sagen, »finde ich Sie entzückend. Wie wär's mit einem Martini?«

In allen Bars der großen Hotels in den Vorwahl-Staaten pflegten die Neuankömmlinge, müde und erschöpft von der Reise, sich zu Gin und Trost einzufinden und den anderen zu erzählen, was sie aufgeschnappt hatten. Vorsichtig versuchten sie, »Insider-Informationen« über die McGovern-Kampagne aus mir herauszuholen, und registrierten persönliche Leckerbissen, die Wochen später in irgendeinem obskuren Absatz einer Story wieder auftauchten. Jeden Abend sah man ein ausgewähltes Mitglied von McGoverns Mannschaft mit einem ausgewählten Mitglied der Presse zu Abend essen, und es war schwer zu entscheiden, wer da wen benutzte.

Ich bewunderte allmählich die Skepsis der Presseleute, ihren Argwohn, da ich erkannte, daß ihr Job letztendlich darin bestand, der Öffentlichkeit so viel von der Wahrheit zu berichten, wie sie nur in die Finger kriegen konnten. Natürlich waren sie eingeengt durch den verfügbaren Raum in ihren Zeitungen oder die Sendezeit in ihren Nachrichtensendungen. Wenn sie mit der Arbeit fertig waren, waren sie nicht besser als all die Leute, die ich in den üppigen Tagen in Hollywood kennengelernt hatte. Aber sie waren ehrliche Männer.

Viele von ihnen wollten am liebsten anonym bleiben. In vielen Fällen mischten sie sich nicht nur unter das Fußvolk, sie *waren* es, verschwanden in Aufzügen, Restaurants und Gängen, als seien sie Touristen. Man konnte die Fernsehreporter immer von den Radio- und Zeitungsreportern unterscheiden. Die Fernsehleute achteten auf ihr Gewicht, aßen viel Salat, verzichteten auf Kartoffeln, kleideten sich sorgfältig und waren sich ständig des eigenen Gesichtsausdrucks und der Art bewußt, wie sie bei einem Gespräch wirkten. Die anderen Reporter lebten für Worte. Sie konnten sich an den genauen Wortlaut erinnern, mit dem McGovern etwas formuliert hatte, oder sie zwangen mich, präziser zu sein, wenn ich zu einem meiner rhetorischen Höhenflüge ansetzte. Sie erinnerten sich an die ersten Absätze von Artikeln, die 1926 geschrieben worden waren, und schienen wandelnde Informationsakten zu sein.

Im Pressekorps herrschte eine allgemein akzeptierte Hierarchie, wenn das auch keiner von ihnen eingestanden hätte. Der Mann von der *New York Times* war der Star, gefolgt von dem der *Washington Post*. Der Wettbewerb war hart, und die Politiker – selbst McGoverns bunt zusammengewürfelte Schar von Amateuren und alten Hasen – wußten, wie man mit der Presse umgeht. Alle hatten das Gefühl, sich nahe am Zentrum der Aktion halten zu müssen; erst später erfuhren wir, wo das wirkliche Aktionszentrum gewesen war. Mit der Aufdeckung und den Folgen eines Einbruchs in die Watergate Räume in Washington hatten zwei Polizeireporter, Woodward und Bernstein, die heißeste Story des Jahrzehnts.

Der größte Medienstar von allen war vermutlich Walter Cronkite. Wenn er eine Bar betrat, erstarb gewöhnlich jedes Gespräch. Er war der Dekan, der Mann, den die Umfragen als die Person bezeichnet hatten, die »in Amerika das meiste Vertrauen genießt«. Persönlich war er ein warmherziger, ausgeglichener, ruhiger und ungewöhnlich bescheidener Mensch. Meine stärkste Erinnerung an ihn ist allerdings ein Abend in Florida, als er in die »Four Ambassadors« kam, im Vorbeigehen grüßend den Profilen an der Bar zunickte und dann einen großen Damenhut erblickte, der allein auf dem Tresen lag.

»Oh, mein Gott«, sagte er. »Bella Abzug ist vom Stuhl gefallen.«

Wir gewannen Wisconsin, und mit diesem ersten Sieg schien sich alles zu ändern. In der Hotelhalle sprachen die Menschen im Flüsterton, als erwarteten sie die Ankunft des Papstes. Die Leute vom Geheimdienst mit ihren Sprechfunkgeräten und Bürstenhaarschnitten machten sich jetzt breit. Es war unmöglich geworden, einfach in McGoverns Zimmer zu gehen, seinen Enkel herumkrabbeln zu sehen und über Politik zu reden, und die Veränderung der Atmosphäre war nicht gut für McGovern. Er war ohnehin schon ein allzu verschlossener und zurückhaltender Mann, und eine Mauer aus Geheimdienstleuten machte ihn nicht zugänglicher. Er brauchte Rat und Kritik auf direktem Wege und nicht durch Memoranden und überfüllte Versammlungen.

Am nächsten Morgen nahm Theodore H. White in der Kaffeebar meinen Arm und sagte: »Tja, Kindchen, *jetzt* ist das Rennen eine große Story.« Er hatte recht, wenn auch einige von uns meinten, er habe lange gebraucht, um das zu merken.

Ich zog danach weiter, nach Pennsylvania und Massachusetts, hörte Amerika nach besten Kräften zu und fühlte mich zunehmend einsam. Jede Nacht schlief ich in einem anderen Hotelzimmer, traf nur Fremde, hatte nie Zeit, mich mit Menschen anzufreunden oder wirklich etwas über diejenigen zu erfahren, denen ich begegnete; es waren Tausende, aber ich lernte niemanden von ihnen kennen.

Einmal spät abends, ich saß am Hotelfenster und schaute nach draußen auf eine Stadt hinunter, da merkte ich plötzlich, daß ich mich nicht erinnern konnte, welche Stadt das war. Ich fragte mich, warum ich all das tat. Ich hatte drei Filme abgelehnt, was ich mir nach dem Debakel der Fernsehserie eigentlich gar nicht leisten konnte. Aber ich hatte mir selbst eine Verpflichtung auferlegt, und meine Reise durch Amerika hatte sie nur vertieft. Überall, wohin ich kam, waren Amerikaner wütend oder argwöhnisch oder ängstlich oder gewalttätig oder arm oder einfach stumpf. Man konnte sich schwer vorstellen, wie man sie zum Lachen bringen konnte, und je mehr ich über sie erfuhr, desto mehr fühlte ich meinen eigenen Sinn für Humor schwinden. Meine Freunde, meine Arbeit, mein »Potential zum Geldverdienen« – eigentlich mein Leben –, all das kochte auf Sparflamme. Der persönliche Preis, den ich zahlte, war sehr hoch. Aber es schien ohnehin keine bedeutsamen Filme zu geben, die ich hätte machen können, weil es nicht viel gab, bei dem man ein gutes Gefühl hätte haben können.

Doch die Kampagne machte auch Spaß, wirklichen Spaß. Mehr denn je konnte ich allerdings spüren, daß es zu spät sein würde, wenn nicht bald ein Wandel in den Empfindungen Amerikas für sich selbst und seine Führer eintrat. Zu spät für Filme. Zu spät für Spaß. Zu spät für fast alles Menschliche.

## 11

Damals war mir das nicht klar, aber für mich war Wisconsin der Höhepunkt von McGoverns Bewerbung um die Präsidentschaft. Das lag nicht nur an den Fehlern, die er später machte. Es lag vor allem daran, daß ich, je tiefer ich in die »große« Politik eindrang, desto mehr merkte, wie bösartig die Kämpfe hinter den Kulissen werden konnten in dem Wunsch, die Dinge »besser zu machen«.

Ich hielt Reden, sammelte Spenden, informierte, hörte zu, überzeugte, lachte und lernte, und so zog ich weiter nach Kalifornien. Ich warb auf Grillparties und Kaffeekränzchen, in Kirchen, High Schools, Bowlinghallen, Biersälen und Colleges. Manche Menschen schienen Anteil zu nehmen – andere glaubten nicht mehr, daß irgend etwas oder irgend jemand noch einen Unterschied bewirken konnte für das, was in ihrem Leben daneben gegangen war. Die College-Gelände wirkten bunt und hell, wenn die Studenten sich im Gras lagerten, während McGovern sprach. Manchmal konnte er sie zu Leidenschaft aufstacheln, doch meist war ihnen nicht anzumerken, *was* sie eigentlich dachten. Die Mexiko-Amerikaner hängten *piñatas* in die Bäume, um uns zu begrüßen, und die Schwarzen waren warmherzig und freundlich, da sie sich an McGoverns Stimmabgabe im Senat erinnerten, aber niemand war wirklich tief motiviert.

Wir waren in Kalifornien, und McGovern war nicht Bobbie Kennedy. Niemand wußte das besser als McGovern selbst. Kalifornien war die »Schlangengrube« – die große Schlangengrube, außerdem der unberechenbarste Staat in der Union. Unter dem Druck einer so bedeutsamen Vorwahl lehnte ich mich zurück und beobachtete. Ich konnte eine Verschiebung innerhalb der Werbemannschaft spüren. Ich war politisch nicht raffiniert genug, um zu wissen, was da im einzelnen vor sich ging – nach Jahren in Hollywood wußte ich nur, daß Machtkämpfe großen Stils im Gange waren. Ich dachte, McGovern würde unangefochten an der Spitze stehen und seine Truppe führen. Doch das tat er nicht. Er schien unfähig, sich klar darüber auszusprechen, was er tolerieren würde und was nicht. Oft saß ich in der Kaffeebar des Wilshire Hyatt House, redete mit Mankiewicz und Hart und mußte feststellen, daß McGovern ihnen etwas ganz anderes gesagt hatte als mir. Ich fragte mich, ob er das mit Absicht tat. Er pflegte zwar seinen Ärger und seine Mißbilligung zu äußern, wandte sich aber niemals direkt an die betreffende Person. Offenkundig glaubte er an eine demokratisch geführte Kampagne, aber allmählich begann ich mich zu fragen, ob das daran lag, daß er nicht imstande war, ein entscheidungsfreudiger Führer zu sein. Er sagte, er wolle eine offene Kampagne, doch sie wurde immer verschlossener. Am Ende des Tages neigte er dazu, sich mit Mitgliedern seiner Mannschaft oder einem Stapel Memoranden zurückzuziehen. Er war schon immer ein zurückhaltender Mann gewesen und grübelte lieber allein in seinem Hotelzimmer, als den Leuten zu gestatten, frei ein und aus zu gehen. Er benutzte nicht gern das Telefon, ob es sich darum handelte, um Spenden zu bitten oder sich einfach nach dem Befinden der Helfer zu erkundigen. Es schien ihm zu widerstreben, seine eigentlichen Gefühle zu zeigen, und oft dachte ich an das, was Bill Dougherty, stellvertretender Gouverneur von South Dakota und der Mann, der McGovern am besten kannte, über ihn gesagt hatte. »In George McGovern steckt etwas von einem undurchschaubaren Chinesen. Man weiß nie wirklich, was er denkt.«

Oft sann ich darüber nach, warum ich eigentlich überhaupt für McGovern eintrat. Ich hatte das Gefühl, ihn recht gut zu kennen – gut genug, um hart für ihn zu arbeiten –, doch nun gab es Dinge, die anfingen, mir Kopfzerbrechen zu bereiten. Er fühlte sich unter den ethnischen Minderheiten Amerikas nicht wohl, weil ihm ihre unterschiedlichen Kulturen entweder bedrohlich oder befremdlich erschienen. So bestand er in einem jüdischen Delikatessengeschäft beispielsweise gegen den Rat der Kellnerin darauf, Milch mit gehackter Hühnerleber zu bestellen. Nie wußte er, wie er sich gegenüber Mexikanern oder Puertoricanern oder Italienern oder rebellischen irischen Intellektuellen verhalten sollte. Er schien sich unbehaglich zu fühlen unter Menschen, die offen oder aggressiv waren.

Was mir am meisten zu schaffen machte, war sein Unbehagen gegenüber Frauen. Und was *ihm* am meisten zu schaffen machte, war die Einstellung der Frauen zur Abtreibung.

Unmittelbar nach der Vorwahl von Massachusetts hatte ich mit ihm eine unbefriedigende Diskussion über Abtreibung geführt. Ich hatte nicht verstehen können, welche Stellung er in unserem privaten Gespräch bezog, und noch viel weniger verstand ich, was er öffentlich äußerte. Er sah keinen Widerspruch darin, in einem Atemzug zu sagen, die Abtreibung sei eine Frage staatlichen Rechts, doch eine Frau und ihr Arzt sollten selbst die Entscheidung treffen dürfen. Dann kündigte er an, er würde sich der anhängigen Entscheidung des Obersten Gerichtshofs anschließen. Wenn diese Entscheidung negativ wäre, meinte er, dann würde er diese Brücke überqueren, wenn er sie erreichte. Ich machte ihm klar, wie es viele der Anführerinnen der Frauenbewegung auch getan hatten, die fortschrittlichen Frauen Amerikas, seine Wählerschaft, erwarteten von ihm, daß er ihr Recht verteidige, die Kontrolle über ihren eigenen Körper auszuüben. McGovern stimmte dem nicht zu. Er selbst glaubte – oder er stand unter dem Einfluß von Leuten, die das glaubten –, daß nach etwa zehn Wochen eine Frau kein Recht mehr hatte zu entscheiden, ob sie eine Schwangerschaft abbrechen wollte oder nicht. Ich war bestürzt. Ich versuchte, ihn davon zu überzeugen, daß man entweder für das Recht einer Frau sein kann, selbst zu entscheiden, oder dagegen. Es ging nicht darum, *wann* oder wie lange sie dieses Recht hatte. Als er auf die zahlreichen Katholiken hinwies, die er vielleicht nicht *politisch*, aber *persönlich* kränken könnte, wußte ich, daß die Abtreibung für ihn ein zu brisantes Thema war, um sich eindeutig festzulegen. Er war selbst nicht sicher, wie er dazu stand. Ich war besorgt, was geschehen würde, wenn die Öffentlichkeit seine Unentschlossenheit merkte.

Also traf ich eine Entscheidung, mit der ich von da an würde leben müssen. Es war besser für McGovern, dieses Thema *überhaupt* nicht anzuschneiden – vor allem nicht angesichts der Angriffe, die von Richard Nixon zu erwarten waren. Ich wartete auf die Entwicklung eines Programm- oder Positionspapiers. Nichts geschah. In den Vorwahl-Staaten des Mittelwestens hatten Humphrey und Jackson McGoverns Inkonsequenz gegenüber der Abtreibung aufgegriffen (ebenso wie gegenüber Marihuana, das seiner Meinung nach entkriminalisiert, aber nicht legalisiert werden sollte). Weil McGovern sich selbst nicht darüber im klaren war, konnte er nicht entschieden auf ihre Anschuldigungen reagieren. Also wurde er schließlich als radikal in einer Sache abgestempelt, an die er nicht glaubte. Die Frauenbewegung wußte allmählich überhaupt nicht mehr, was nun McGoverns wirkliche Überzeugung war, und das Thema Abtreibung blieb ein heißes Eisen.

Keine der anderen Frauen in der Werbemannschaft schien betroffen. Sie hatten mehr mit Delegiertenstärke, Logistik und Spendensammeln zu tun. Blieb nur ich. Also bat ich um eine Unterredung mit McGovern, und er ersuchte mich, mich um »das Problem« zu kümmern. Das bedeutete, daß ich als Delegierte aus Kalifornien, die im Programmkomitee mitarbeitete, versuchen sollte, die Abtreibung aus den Diskussionen *herauszuhalten*.

In den nächsten Wochen kämpfte ich also gegen etwas, an das ich stark glaubte, weil das Wichtigste war, daß McGovern gewählt wurde.

Ich begann ernstlich daran zu zweifeln, ob es sich lohnte, so hart für die Verbesserung einer Gesellschaft zu arbeiten, wenn das der Preis war. Irgendwie gerieten Mittel und Ziel durcheinander. Ich war nicht sicher, ob beides gerechtfertigt war.

Auch die politische Skrupellosigkeit war schockierend. Ich erinnere mich noch an McGoverns Gesichtsausdruck, als er, nachdem er die Vorwahl in Kalifornien gewonnen hatte, bei der der Gewinner alle Stimmen bekam, willkürlich von seinem alten Freund Hubert Humphrey herausgefordert wurde. Nicht die Herausforderung selbst traf McGovern tief. Es waren »der Haß und die Vehemenz in Huberts Augen«, wie er es ausdrückte.

Mich verwirrte ein System, das so zerstörerische Akte politischen Wettbewerbs duldete. Es gab keine Möglichkeit, wie

Humphrey seine Herausforderung, der Gewinner solle alle Stimmen bekommen, für sich selbst nutzen konnte. Er wollte nur McGovern stoppen, und die Willkür dieses skrupellosen Trotzes war erstaunlich.

Aber dann fällt mir ein, wie ich allein in meinem Hotelzimmer saß und die Wimperntusche mir über die Wangen rann, als McGovern nach seinem Sieg in Kalifornien vom Podium stieg. Es war der 5. Juni, und ich fragte mich, ob er eine Gruppe privater Ratgeber hinter sich hatte. Ich fragte mich, wo Dutton, Mankiewicz und Salinger steckten. Jedenfalls war ich einfach dankbar, daß McGovern trotz aller Schwächen seiner Kampagne Kalifornien lebendig überstanden hatte.

## 12

Nach allem, was geschehen ist, ist es eigenartig, sich heute an die Woche des Parteikonvents in Miami zu erinnern. Es war mein zweiter Konvent als Delegierte, und nach dem Debakel von Chicago schien dies das Jahr zu sein, in dem die Hoffnung tatsächlich eine Chance haben könnte. Auch wenn einige der Mitstreiter der Kampagne bereits erkannt hatten, daß unser Ritter auf dem Schimmel schließlich auch nur ein Mensch war, hatten wir das gute Gefühl, er werde die Demokratie tatsächlich praktizieren. Dank seiner Reformvorhaben waren die Delegierten repräsentativer als bei jedem früheren Konvent.

Heute wirkt das wie Ironie, aber damals glaubten wir wirklich, wir könnten durch einen demokratischen Prozeß ein friedliches Ende des Vietnamkrieges erzwingen, den Trend zu immer höheren Militärausgaben umkehren, die Städte allmählich erneuern und ganz allgemein die Frage in Angriff nehmen, wie Amerika eigentlich sein sollte. Ich weiß noch, daß ich sehr oft das Gefühl empfand, dies sei unsere letzte Chance. Ich weiß nicht, warum ich so davon überzeugt war, aber ich hatte das starke Gefühl, daß ohne McGovern (so unwahrscheinlich seine Wahl auch schien) alles zu spät wäre.

Miami war wie ein heißer Lufthauch, ein schimmernder Ort voller rosa und weißer Architektur, türkisfarbener Swimmingpools und Palmen. Es wirkte mehr wie eine magische Bühne und nicht wie eine wirkliche Stadt. In jener Woche bewegte ich mich durch eine Welt von Hotels, großen Barockpalästen, voll mit Gepäck, Pagen, Delegierten, Telegrammen, Streitereien, wütenden Schwarzen, wütenden Frauen, wütenden und oft arroganten Jungen und den Kandidaten selbst.

In der Sonnenglut waren wir vom Morgen bis zum Nachmittag auf Trab, hielten Mitternachtstreffen und Vorversammlungen in der Dämmerung ab, nahmen abends Drinks und tagsüber das Mittagessen mit Menschen ein, deren Stimmen oft wichtiger waren als die der Berühmtheiten, die sie zu beeinflussen suchten. Es entbrannten Kämpfe um Beglaubigungen, insbesondere in meiner Delegation aus Kalifornien, denn die Humphrey-Leute versuchten, McGoverns Sieg dadurch zunichte zu machen, daß sie behaupteten, das Konzept, der Gewinner solle alle Stimmen bekommen, verstoße gegen die Bestimmungen des Konvents. Humphreys Leute hatten mit diesen Regeln die ganze Vorwahl durchgestanden und wollten sie jetzt nur verändern, weil für sie das Spiel aus war. Die Auseinandersetzungen waren langwierig und kompliziert; aber jeder wußte, daß Humphrey keine wirkliche Chance hatte, die Nominierung für sich zu entscheiden. Ihm ging es nur darum, zu verhindern, daß McGovern sie gewann. Das war die Selbstzerstörung der Demokraten. Heute scheint es unerheblich, aber in den hektischen Tagen damals, in denen manche Sprecher Homosexuelle als Kinderverderber anschwärzten und Jesse Jackson Bürgermeister Daley wie ein siegreicher Held öffentlich rügte (nur, um sich später in der Kampagne an die Nixon-Leute zu verkaufen), schien es, als würde Amerika tatsächlich mit dem stehen oder fallen, was in der großen, mit rotem Teppich ausgelegten Konventhalle in diesem theatralischen Disneyland von einer Stadt geschah.

Am dritten Tag des Konvents um vier Uhr früh stand Abschnitt 7 über Rechte, Macht und soziale Gerechtigkeit zur Debatte, und ich spürte die »Schmetterlinge« in meinem Magen. Nun würde der Kampf um die Abtreibung beginnen. Bei den Anhörungen des Programmkomitees ein paar Wochen zuvor war es mir gelungen, die Abtreibung aus der Mehrheitsentscheidung herauszuhalten. Obwohl sie für die Frauen ein entscheidendes Thema war, hatte ich gefordert, McGovern solle nicht gezwungen werden, sich auf eine Frage einzulassen, bei der ihm die Nixon-Kräfte übel mitspielen könnten. Ich wollte die Frauen zu einem Kompromiß bewegen; erst sollte McGovern gewählt werden und dann, aus einer Position der Stärke heraus und weil er ihnen etwas schuldig war, die Abtreibungsgesetze ändern.

Doch bald saß ich zwischen allen Stühlen. Die Führer der Frauenbewegung konnten nie sicher sein, ob ich nun für die Frauen arbeitete oder für McGovern. Die McGovern-Leute hatten dasselbe Problem. Später sollte Gloria Steinem schreiben, ich sei ein Fall von »Kampagnitis«, weil ich für den Kompromiß eintrat.

Wie auch immer, ich trank hinter der Bühne fünf Gläser Orangensaft und bestieg dann das Podium. Zehntausend Gesichter starrten mich an. In meiner Rede forderte ich alle Anwesenden auf, in der Frage der Abtreibung ihrem eigenen Gewissen gemäß abzustimmen. Ich sagte, jede Frau habe das Recht, über ihren eigenen Körper zu bestimmen, eines Tages würde der Kampf gewonnen sein, doch im Augenblick hielte ich es für besser, das Thema aus der Arena des Kampfes um die Präsidentschaft herauszuhalten. Sonst würden Nixon und seine Leute dem Kandidaten *und* der Sache Schaden zufügen.

Verwirrte Stimmen wurden laut. Die Delegierten hatten das Recht, verwirrt zu sein. Als ich zur kalifornischen Delegation zurückkehrte, um die Abstimmung abzuwarten, rief mich Walter Cronkite aus seiner Glaskabine an und fragte, wie ich abstimmen würde. Ich sagte, da ich die Delegierten aufgefordert hätte, nach ihrem Gewissen zu entscheiden, würde ich dasselbe tun, und mein Gewissen sage mir, *für* einen Abtreibungsartikel zu stimmen, obwohl ich vorgeschlagen hatte, die Delegierten sollten im Interesse des Wahlsieges *dagegen* stimmen. Walter schien vollkommen verwirrt.

Dann berichtete Willie Brown, Mitglied der gesetzgebenden Körperschaft von Kalifornien und Leiter unserer Delegation, die Humphrey-Wallace-Kräfte schlössen sich zusammen, um *für* die Abtreibung zu stimmen und so McGovern in Bedrängnis zu bringen. »Diese Hurensöhne«, schrie Willie. »Wir haben eine legitime Gewissenswahl vorgeschlagen, aber wenn sie so spielen wollen, dann werden wir alle 271 Stimmen Kaliforniens dagegen abgeben!«

Als die Frauen das hörten, gingen sie wütend auf Willie los, aber er hatte keine Gelegenheit zu antworten. Pierre Salinger stürmte herein und berichtete, North Carolina werde mit großer Mehrheit für die Abtreibung stimmen. Wir saßen in der Klemme. »Jetzt müssen wir etwas tun.« Also ging von McGoverns Kontrollzentrum die Parole aus: beeinflussen, sich winden, argumentieren; alles tun, um die Abtreibung aus dem Programm herauszuhalten. Bestürzt stand ich neben dem roten Telefon.

Ich sah Bella Abzugs imposante Gestalt von Delegation zu Delegation gehen und um »Ja«-Abstimmung bitten, »weil sie sowieso verliert«. Ich sah Gloria Steinem heftig mit Joe Duffey streiten, einem der Redeschreiber McGoverns, weil dieser jemandem erlaubt hatte, über die Rechte des Fötus zu reden, was Joe bestritt. Die Verwirrung war allgemein, nahezu hysterisch, und dann bemerkte jemand, die Abstimmung über die Abtreibung sei im Begriff zu verlieren. Salingers Information war falsch. North Carolina würde McGovern nicht mit der Abtreibung in Bedrängnis bringen. Tatsächlich hatte die Vorversammlung der Frauen, geführt von einer energischen Dame aus Greensboro namens Martha McKay, die Männer der Delegation überzeugt, nach ihrem Gewissen abzustimmen, wie ich es auch getan hatte.

Der Minderheitsartikel – der McGovern gezwungen hätte, die Abtreibung als Programmpunkt in seine Kampagne aufzunehmen – unterlag. Um zwanzig nach sechs morgens vertagten wir uns. Die Presseleute waren zum größten Teil verschwunden, die Galerien leer. In den Glaskabinen über den Delegierten erzählten die Fernsehtechniker jedem, der noch wach oder gerade aufgestanden war, sie bewunderten unsere Geduld, unsere Disziplin und unseren Fleiß.

Ich ging zurück ins Hotel, und George McGovern rief mich an. Er dankte mir für das, was ich getan hatte. Er sagte, er wisse, was meine Handlungsweise im Hinblick auf meine Prinzipien bedeutet habe, und verstehe, wie schwer es mir gefallen sein müsse, politische Notwendigkeit über persönliche Überzeugung zu stellen. Dann fragte er mich, ob ich eine Gruppe von Frauen zusammenstellen könne, um landesweit für ihn zu werben, denn er könne ohne die Stimmen der Frauen nicht gewählt werden. Ich sagte zu. Danach ging ich hinunter ans Meer und schwamm.

Zwei Tage später um zwei Uhr morgens nahm George McGovern die Nominierung durch die Demokratische Partei an. Edward Kennedy hatte eine zündende Rede gehalten, stand jetzt neben McGovern und lächelte für die Kameras und die Fernsehzuschauer. Rechts neben McGovern, ebenfalls lächelnd und in der Hitze der Scheinwerfer schwitzend, stand der Mann, der als McGoverns Vizepräsident vorgesehen war, Senator Tom Eagleton aus Missouri. Er machte den Eindruck, als sei er ein netter Mann.

## 13

Ich ging nach Hamptons, um mich von den Anstrengungen des Konvents auszuruhen, das Meer in mich aufzunehmen und den Anfang zu machen, die Frauengruppe in einer von Männern dominierten Kampagne zu planen. Ich wanderte am Strand entlang, lauschte dem Rauschen der Wellen und dachte viel nach. Dann, eines Morgens, klingelte das Telefon. Es war Jimmy Breslin.

»Scheiße, alles vorbei«, sagte er.

»Was ist vorbei, Jimmy? Ich dachte, es sei schon lange vorbei.«

»Nein«, entgegnete er. »Diesmal ist es verdammt wahr.«

»Was meinst du?«

»Schockbehandlung.«

»Wovon redest du?«

»Der verdammte Bastard hatte Schockbehandlung.« Seine Stimme wurde lauter.

»Wer hatte Schockbehandlung?«

»Eagleton. Der verdammte Vizepräsident muß unter Verschluß gehalten werden, wenn er reist. Wenn in der Stadt der Strom ausfällt, dann wissen wir, daß unser Freund gerade seine Behandlung kriegt. Alles gelaufen, verdammt. Wiedersehen.«

Er legte auf. Ich stellte das Radio an. Es stimmte. Eagleton und McGovern hatten eine Pressekonferenz einberufen, um Eagletons Krankengeschichte zu erörtern, nachdem eine Zeitung berichtet hatte, Eagleton sei wegen Depressionen mindestens dreimal stationär behandelt worden und habe Elektroschocks erhalten. Ich rief Gary Hart in Washington an.

»Gary«, fragte ich, »was bedeutet das alles, was man über Eagleton hört?«

»Was alles?« fragte er faul.

»Die Schockbehandlung.«

»Ach, das.«

Er schien nicht beunruhigt. Wenn ich heute darüber nachdenke, ist mir klar, daß diese Beiläufigkeit entscheidend war für den Ausgang der Kampagne. Ich erklärte Gary, Eagleton müsse schwer gestört gewesen sein, wenn er Elektroschocks gebraucht habe. Aber darum ging es nicht. Wichtig war, daß Eagleton McGovern belogen hatte, und schon allein aus diesem Grund sollte er vor die Tür gesetzt werden.

Gary meinte beruhigend, das werde »sich flachtreten«, und ich solle mir keine solchen Sorgen machen. Ich legte auf. Ich rief Fred Dutton in South Dakota an. Auch er war unbesorgt.

»Weißt du, New York ist nicht das Zentrum der Welt«, sagte er. »Hier bei uns steht es auf der achten Seite der *Denver Post,* und da wird es auch bleiben.«

Das war's. Was dann geschah, ist bekannt. Die Nation verfolgte, wie McGovern erklärte, er stehe tausendprozentig hinter Eagleton, und dann sechs Tage mit dem Versuch zubrachte, ihn loszuwerden. McGoverns Inkonsequenz wurde offenkundig, ebenso seine unübersehbare Schwäche, wenn er unter Druck stand. Ich wußte, daß McGoverns Anständigkeit mit der politischen Zweckmäßigkeit im Streit lag, und was immer auch geschah, seine Glaubwürdigkeit mußte darunter leiden, und damit war die Wahl gelaufen.

Bei irgendeiner Gelegenheit sprach ich über die Möglichkeit, Cissy Farenthold aus Texas an Eagletons Stelle zu setzen. Sie hatte beim Konvent nach Eagleton die zweithöchste Stimmenzahl auf sich vereinigt, und sie war eine starke, unverbrauchte Kandidatin, die vielleicht viele Frauen trotz des angeschlagenen Kandidaten für McGovern einnehmen könnte. Ich erwähnte das einem jungen Mann gegenüber, der für McGovern Spenden sammelte. Er hieß Bill Rosendahl, und anscheinend telefonierte er mit McGovern. McGovern war wütend und verlangte, ich solle ihn anrufen. Während wir miteinander sprachen, konnte ich im Hintergrund die vertrauten Geräusche hören.

»Ich verstehe, daß Sie aufgebracht sind«, sagte ich.

Seine Stimme klang kalt und entschieden. »Ich bin nicht aufgebracht. Ich bin außer mir. Was fällt Ihnen ein, so etwas ohne meine Anweisungen zu tun?«

Ich erklärte ihm, ich würde ja keine Kampagne für Cissy auf die

Beine stellen, sondern die Idee lediglich mit Leuten erörtern, die alles taten, daß McGovern Nixon schlagen konnte. Er selbst, McGovern, habe auf verschiedene Weise verlauten lassen, er lasse Eagleton fallen und wünsche entsprechende Vorschläge. Cissy Farenthold sei mein Vorschlag. Er hörte ruhig zu, während ich meine Gründe für die Annahme darlegte, daß diese Kandidatur erfolgreich sein würde. Als ich geendet hatte, entschuldigte er sich. Er beruhigte mich, ich solle mir keine Sorgen machen; er werde den Job nicht Hubert Humphrey oder irgendeinem anderen müden Politiker überlassen – aber vor allem nicht Humphrey.

»Ich gebe Ihnen mein Wort, daß ich ihn nicht fragen werde«, versprach er. »Tatsächlich hat man mir eine Million Dollar geboten, falls ich ihn nehme, aber ich habe abgelehnt. Machen Sie sich also über ihn keine Sorgen.«

Dann kam er auf Eagleton zu sprechen.

»Er ist wirklich ein Bastard. Sie machen sich keine Vorstellung. Ich glaube, es hätte eine Chance bestanden, daß er sich von selbst zurückzieht. Aber nachdem ihn Jack Anderson beschuldigt hat, betrunken Auto gefahren zu sein, steckt er noch tiefer drin. Er ist wirklich ein Hurensohn, und es macht mich wütend, auch nur über ihn zu reden.«

Zwei Tage später war Eagleton gegangen, und McGovern bot Hubert Humphrey die Vizepräsidentschaft an.

Der Rest der Kampagne war nur noch ein Rückzugsgefecht. Die Kandidatur war hoffnungslos angeschlagen. Sargent Shriver nahm schließlich Eagletons Platz ein, und McGovern bereitete sich vor, gegen Nixon anzutreten. Er machte eine Menge kleiner Fehler, und obwohl alle zusammen nicht zu vergleichen waren mit einem einzigen Tag im Kriminalregister von Nixons Administration, ließen sie McGovern doch als schwachen, unsicheren Mann erscheinen, der irgendwie ohne Rückhalt war. Da Nixon nicht öffentlich kämpfte, sondern sich in die Sicherheit der Präsidentschaft hüllte, konnten die Reporter ihn nicht beobachten und kritisieren. McGovern war der einzige öffentliche Kandidat.

Langsam begannen die Mitstreiter der Kampagne den Rücken

zu kehren. Die Berufspolitiker der Demokraten wollten sich aus der Präsidentschaftskampagne absetzen und taten alles, was sie vermochten, um einen Nixon-Erdrutsch zu überleben. Einige der Prominenten und Filmstars, die McGovern gestützt hatten, waren auf einmal sehr damit beschäftigt, Filme zu drehen oder einfach nur prominent zu sein. Ich reiste weiter durchs Land, doch die Arbeit war mühsam geworden, da ich McGovern immer verteidigen mußte, statt ihn als notwendige Alternative zu Nixon zu feiern. Die Tatsache, daß McGoverns Demütigungen *öffentlich* stattgefunden hatten, machte ihn vielen Menschen suspekt. Es wurde deutlich, daß die Wählerschaft eigentlich keine »offene« Politik wollte, wenn »offen« bedeutete, daß man seine Fehler vor allen Leuten bloßstellte.

Ich reiste in zwanzig weitere Staaten. Das amerikanische Gewissen schien dumpf. Den Wählern war es einfach egal, daß nicht McGovern Kambodscha bombardiert, keine Geschäfte mit ITT gemacht und keinen für die einheimischen Farmer verheerenden Weizenhandel mit den Sowjets abgeschlossen hatte, an dem alle seine Freunde verdienten. Es war nicht McGovern, der Spendengelder für den Wahlkampf in Mexiko »wusch«, sich Gelder aneignete, Einspruch gegen Tagespflegestätten einlegte oder Milchpreisunterstützungen anhob, wenn er dafür Wahlspenden bekam. Und McGovern schickte auch keine Einbrecher aus, um die Gegenpartei abzuhören und Unterlagen zu stehlen. Nach einem langen Wahlkampftag sah ich in den Fernsehnachrichten einen verwundeten McGovern, wie er versuchte, weiter zu kämpfen, und manchmal saß ich einfach da und weinte.

In der Wahlnacht waren wir alle in einer kleinen Suite im Holiday Inn in Sioux Falls, South Dakota, versammelt. Im Raum herrschte Stille, manche flüsterten enttäuscht, als die ersten Zahlen eintrafen und die Niederlage sichtbar wurde. Die Stimmung war gedrückt. Irgendwie erinnerte mich alles an die Atmosphäre in den kleinen Wohnzimmern in New Hampshire, in denen all das begonnen hatte.

Dann kam McGovern herein. Er überragte die meisten im Raum. Er wurde von einem einsamen Geheimdienstmann begleitet. In Amerika wird auf Verlierer kein Attentat verübt, also hatte McGovern nichts zu befürchten. Die Anspannung und Erschöpfung der letzten Wochen waren vorüber, und nun sah McGovern aus wie ein Mann, der sich anmutig im Wind beugt. Vermutlich hatte es etwas damit zu tun, daß er wieder in South Dakota war. Er war zu Hause, und in der Niederlage bewies er Würde.

Seine Haut war leicht gebräunt von den unzähligen Versammlungen im Freien, und als ich ihn ansah, drückte sein Gesicht Zweifel aus, als wisse er nicht, ob er sanft oder zornig sein solle. Langsam ging er durch den Raum, schüttelte Hände, dankte allen, sprach von gewonnenen Erfahrungen, harter Arbeit, der Notwendigkeit, den Glauben nicht zu verlieren, und fragte die Mitstreiter nach ihrem Leben, ihrer Familie, ihrer Zukunft.

Vor mir blieb er stehen. Ich sah in seine Augen. Er hielt meinem Blick stand, legte die Arme um mich – dann zog er sie zurück und streckte die Hand aus. Sein Händedruck war kräftig und fest. »Danke, Kumpel«, sagte er. »Sie waren von Anfang an dabei, und Sie sind am Ende dabei.« Ich atmete tief ein.

Ich wollte ihm sagen, wie sehr ich ihn bewunderte, wieviel er uns allen bedeutete, wie unwichtig die Fehler eigentlich waren, wenn man sie mit den Verbrechen der Machtinhaber verglich, und wie wichtig es war, daß für ein paar kurze Augenblicke wieder Anständigkeit in der Welt zu sein schien.

Doch ich kam nie dazu, etwas davon auszusprechen. Eleanor McGovern zog mich an sich und schluchzte. »Wir werden nie wieder so etwas machen«, sagte sie. Ich tätschelte ihren Rücken und erinnerte mich an einen Freund, dessen Ehe daran gescheitert war, daß seine Frau ihm jeden Abend, wenn er voller Kummer und Sorgen und Probleme zu ihr gekommen war, den Rücken getätschelt hatte. »Dieses verdammte mitleidige Tätscheln«, sagte er. »Wozu soll das eigentlich gut sein? Alles, was ich wollte, war ein Stück Fleisch mit Kartoffeln.«

Und dann, ebenso leise, wie er gekommen war, war McGovern

verschwunden. Es war zu Ende.

Als ich am nächsten Morgen aufwachte, lief im Fernsehen eine Show, in der Frauen um Waffeleisen und Reisen nach Bermuda wetteiferten. Ich ging nach unten, wo McGovern durch die letzte Gruppe von Anhängern schritt, Hände schüttelte und sich verabschiedete, und ich folgte ihm, als er zu einem Cadillac ging und sich neben seine Frau setzte, die einen Arm voll roter Rosen trug. Leichter Regen fiel; das Auto fuhr langsam an, wurde allmählich schneller und kam außer Sicht. Ich blickte zu den Sturmwolken auf und sah das Transparent am Gebäude des Holiday Inn. Am Vorabend hatte es gelautet: »Willkommen zu Hause, Senator.« Jetzt war der Willkommensgruß entfernt und durch eine andere Botschaft ersetzt worden: »Es ist vorbei.«

## 14

Zwei Monate später ging ich nach Washington, um die zweite Amtseinführung von Richard Milhous Nixon mitzuerleben. Ich war noch nie bei einer Amtseinführung zugegen gewesen, aber diesmal wollte ich dabeisein: ich wollte sehen, was nach einem Jahr wie 1972 geschieht, die Gesichter der Männer sehen, die Amerika für weitere vier Jahre regieren würden. Ich kaufte eine Eintrittskarte und saß mit Tausenden von treuen Anhängern der Republikaner auf hölzernen Tribünen gegenüber dem Weißen Haus. Meine Füße waren eisig und meine Stimmung noch kälter, während die Zeremonie – organisiert von einem Mann namens Jeb Stuart Magruder – vor mir abrollte. Es war ein farbenprächtiges militärisches Schauspiel mit Marschkapellen und Männern in Uniformen, die aus dem Kaiserreich Österreich-Ungarn zu stammen schienen. Es war wie die Halbzeitdarbietung beim Super Bowl, aber mit echten Waffen. Nixon saß hinter dem kugelsicheren Glas seiner Tribüne auf der anderen Straßenseite, und alle seine Vertrauten umgaben ihn. Die großangelegte Vertuschungsaktion war bereits in vollem Gange, aber das wußten wir damals nicht.

Als ich genug gesehen hatte, verließ ich meinen Platz. Die Marschkapellen schmetterten noch immer Lieder von Patriotismus und Krieg. Ich ging in eine Telefonzelle und rief meine Eltern an, die auf der anderen Seite des Flusses in Arlington wohnten. »Wo bist du, Shirl?« fragte mein Vater. »Wir haben im Fernsehen beim Washington Monument nach dir Ausschau gehalten. Da protestierte eine Gruppe Hippies und machte sich zum Narren. Wir waren erleichtert, daß du nicht unter ihnen warst, und dann sahen wir diesen gelben Lautsprecherwagen um die Ecke kommen mit jemandem, der eine verdammt schrille, dämliche Rede hielt. Und wir dachten, um Gottes willen, das könnte sie sein. Aber du warst es nicht.« Er schien erleichtert. »Was ist los?«

Ich sagte ihm, ich hätte die Parade gesehen und direkt auf der anderen Straßenecke Richard Nixon gegenüber gesessen. Am anderen Ende der Leitung verblüfftes Schweigen.

»So, so«, sagte mein Vater, »bist du also endlich zur Besinnung gekommen.«

Ich mietete einen Wagen und fuhr hinüber, um meine Eltern zu besuchen. Sie waren aus einem Teil Arlingtons in einen anderen gezogen, seit ich sie zuletzt gesehen hatte, wie so viele Amerikaner, denen es wirtschaftlich besser ging. Sie lebten jetzt nicht mehr in einem *Haus,* sondern hatten ein *Heim* in einem ruhigen, gepflegten Viertel, wo Chevrolet Impalas in den Einfahrten standen. Das Haus war nicht sehr verschieden von dem alten, in dem mein Bruder Warren und ich aufgewachsen waren, außer, daß es jetzt einige Bäume mehr, ein zusätzliches Schlafzimmer, mehr Platz zwischen den Häusern und natürlich Zäune um die Grundstücke gab. Während ich vorfuhr, sah ich einen Zeitungsjungen auf dem Fahrrad vorbeifahren; er schien einer alten Ausgabe der *Saturday Evening Post* entstiegen, und ich fragte mich, wie wohl seine Schwestern sein mochten und ob seine älteren Brüder oder sein Vater in Vietnam gedient hätten. So vieles war untergegangen, was einmal als dauerhaft erschienen war.

Der Rasen des Vorgartens war an diesem Wintertag bräunlichgelb, und ich erinnerte mich, daß Dad mir am Telefon gesagt hatte, es gebe ein neues chemisches Mittel, das den Rasen ständig grün halte, wie wir es im Film machten. Der Garten sah kahl aus, und ich erinnerte mich auch, daß Dad mir gesagt hatte, Mutter arbeite zuviel darin.

»Was kann man gegen die Frauen machen?« hatte er protestierend gefragt. »Meine Mutter war genauso. Tatsächlich wird deine Mutter im Alter meiner Mutter immer ähnlicher. Keine ließ sich sagen, was gut für sie war.«

Mutter kam an die Tür in gestreiften Hosen, karierter Bluse und ärmelloser Weste. Sie trug einen Bandreif im Haar, das zu einem kurzen Pferdeschwanz frisiert war.

»Oh, Shirl«, rief sie, »wir freuen uns so, dich zu sehen. Wir sind so glücklich, daß du heute keine Dummheiten gemacht hast.«

»Kann ich bitte ins Badezimmer gehen?« fragte ich, halb im Ernst und halb, weil ich das Thema wechseln wollte.

*Mein* Badezimmer, wie sie es nannten, weil es neben *Meinem* Schlafzimmer lag, war rosa. Rosa für Mädchen. Das Toilettenpapier war rosa, die Badematte, der Duschvorhang, die Handtücher, das Kleenex – alles rosa. Alles paßte zusammen, wie die Dinge in den Werbeanzeigen immer aufeinander abgestimmt sind. Die Regale waren sauber aufgeräumt, und die rosa Vorhänge hingen ordentlich vor cremefarbenen Jalousetten. Es war einfach entzückend.

Mein Schlafzimmer sah fast genauso aus wie das Schlafzimmer, in dem ich aufgewachsen war. Es war tatsächlich dasselbe Bett, weich und daunentief. Der Frisiertisch war derselbe, vor dem ich abends immer mein Haar gebürstet und mich gefragt hatte, ob ich je hübsch genug sein würde, um einem Mann ein Leben lang zu gefallen, wie meine Mutter und alle anderen es versuchten.

Die Bilder – Segelschiffe, Blumen und eine schöne, königliche Frau – hatte meine Mutter selbst gemalt. Sie hatte einmal Kunst studiert und liebte die Schönheit so sehr, daß sie sie manchmal zum Weinen brachte.

Ich öffnete die Schiebetüren des Schranks. Darin hingen Mutters Kleider, sauber nebeneinander, und ich erkannte die Kleider und Schuhe, die ich ihr aus Hongkong geschickt hatte. Sie hütete die Dinge, die ich ihr von meinen Reisen mitbrachte, wie ihren Augapfel; sie waren in gewisser Weise ein Teil von mir und gaben ihr die Gewißheit, daß ich nicht für immer fort war.

Sie lächelte mir zu, als ich mich umdrehte.

»Ist es so, wie du es in Erinnerung hattest?« fragte sie. Ich erzählte ihr, ich hätte in diesem letzten Jahr so viel erlebt, daß ich meinte, der Kreis habe sich geschlossen.

»Das geht mir ähnlich«, antwortete sie. »Dein Daddy ist gestern siebzig geworden, und ich stehe selbst kurz davor, und da haben wir vermutlich nicht mehr viel Zeit. Sieh dich um, Shirley, und sag mir, was du haben möchtest, wenn wir einmal nicht mehr sind. Ich fürchte, ich könnte euch verlassen, ehe du wieder herkommst.«

Sie war nie der Mensch gewesen, der fähig war, der Realität ins Auge zu sehen, und sie so sprechen zu hören, wirkte irgendwie schockierend auf mich.

»Morgen«, sagte sie, »wirst du unsere weißen Tauben sehen. Sie kommen oft, und sie sind immer zusammen. Sie verlassen einander nie. Sie sind schön.«

Zusammen gingen wir ins Wohnzimmer.

»He, Äffchen«, sagte Dad und kam mit ausgestreckten Armen auf mich zu. Er sah adretter und schlanker aus, als ich ihn in Erinnerung hatte, und trug eine karierte Sportjacke. Er bot mir seine Wange zum Kuß, berührte mich aber nicht mit den Lippen. Er schien irgendwie kleiner, und ich fragte mich, ob ein Mensch im Alter tatsächlich schrumpft.

»Hübsch siehst du aus – laß dich anschauen«, rief er aus und trat einen Schritt zurück, um mich wie ein Mannequin zu bewundern. »Ja – richtig hübsch. Nun sieh dir das mal an!« Er faßte an den Taillengurt seiner Hose und zog ihn von seinem Körper.

»Mein Gott«, staunte ich, »du bist ja richtig mager geworden.« Ich erinnerte mich, wie sehr er früher kalte Milch mit Vanille und ein dickes Stück Schokoladentorte vor dem Schlafengehen liebte.

»Komm, setzen wir uns«, forderte uns Mutter auf. »Erzähl, was es Neues gibt.«

Ich durchquerte das Wohnzimmer, in dem all die vertrauten Dinge standen; alte Sessel mit roten Polstern und antike Kristallaschenbecher, ebenso unbenutzt wie der Kamin. Dieser Raum war nicht ihr *Wohn*zimmer; er war ein kleines Museum, in dem sie die Sammlung eines ganzen Lebens ausstellen konnten.

Das »Sonnenzimmer« war der Raum, in dem sie lebten. Er bestand ganz aus Fenstern, enthielt Rattanmöbel, und geblümte Kissen lagen überall. Eine große Bananenpflanze stand hinter Dads Lieblingsschaukelstuhl, Mutters Pflanzen schmückten alle Fensterbänke.

»Die Pflanzen gedeihen viel besser, wenn ich mit ihnen rede«, sagte sie. »Sie brauchen Liebe und Zuneigung wie alle lebenden Wesen – sind sie nicht schön?«

Sie waren wirklich schön. Gesund und glänzend, waren sie offenbar zu ihren »Kindern« geworden.

»Ich kann spüren, wenn sie deprimiert sind oder ihnen etwas fehlt«, fuhr Mutter fort, »und wenn ich in beruhigendem Ton mit ihnen gesprochen habe, geht es ihnen gleich besser.«

»Ich wünschte, deine Mutter wäre bei mir auch so feinfühlig«, warf Dad ein.

Ein langes Schweigen folgte. Dann stand Mutter auf und ging in die Küche.

»Na, was hast du so gemacht?« fragte ich Dad.

»Ich war Geschworener«, berichtete er. »Zum erstenmal. Bist du schon mal dazu aufgefordert worden?«

Ich schüttelte verneinend den Kopf.

»Tja, es ist richtig angenehm, mit diesen Leuten zu arbeiten. Sehr ordentliche, wohlerzogene, vernünftige Leute.«

Er stand aus seinem Sessel auf. »Laß mich dir etwas zeigen, solange deine Mutter nicht da ist. Sie will nicht, daß jemand davon weiß.«

Er führte mich in das große hintere Schlafzimmer, öffnete eine Schublade und zeigte mir stolz vier gut geschnittene Hosen und zwei karierte Sportjacketts.

»Aus dem Ausverkauf. Die Hosen waren von fast vierzig auf zwanzig Dollar heruntergesetzt und die Jacken von dreißig. Wir mußten sie einfach kaufen, weil es ein gutes Geschäft war. Ich muß ordentlich aussehen, weißt du, wenn ich zum Gericht gehe. Alle sind so gut gekleidet. Aber deine Mutter erzählt allen, wir hätten sie bei Garfinkels gekauft, weißt du, und sie hat sofort die Etiketten herausgetrennt, damit niemand sieht, daß sie von der Stange sind.« Er hielt sich die Sachen vor und bewunderte sich.

»Wir haben so schöne Sachen, Äffchen, all die Dinge, die du uns aus aller Welt geschickt hast. Wir haben großes Glück.«

Er sah sich im Zimmer um. »Du sollst entscheiden, was du haben möchtest, wenn wir tot sind. Ich weiß, wie scheußlich diese Streitereien sein können, wenn das nicht im Testament festgelegt ist.«

Ich dachte an meine Mutter draußen in der Küche; ihre Kocherei war immer irgendwie nebenbei gewesen, als protestiere sie innerlich stillschweigend dagegen, daß sie kochen mußte. Und ich dachte, wenn es irgend etwas gäbe, was ich haben wollte, dann wäre es das blaugelbe Keksglas. Dieses Glas war immer gefüllt mit Keksen, von denen ich wußte, daß Mutter sie *gern* gebacken hatte, selbst wenn ich nie genau wußte, was sie für die übrige Kocherei empfand.

»Daddy«, sagte ich, »ich will deine Gefühle nicht verletzen, aber so viel liegt mir nicht daran.«

»Ahh – jetzt nicht, aber dir wird daran liegen. Wenn die Zeit kommt.«

»Na, ich glaube nicht. Aber wenn du wirklich willst, daß ich mir etwas aussuche, dann nehme ich das Keksglas aus der Küche. Oder den Frisiertisch in meinem Schlafzimmer. Mir ging so vieles durch den Kopf, wenn ich jeden Abend davor saß.«

»Du meinst den Spiegel, der auf den Tisch montiert ist?«

»Ja.«

»Aber der ist nur zwei Dollar fünfundneunzig wert. Ich weiß noch, wie wir losgingen und ihn kauften, als du in das Alter kamst.«

»Nun ja, für mich ist er wichtig.«

»Gut. Was immer du willst.«

Er führte mich durchs Haus und sprach über jeden Tisch, jeden Stuhl, jedes Bild und jede Vase. Er beschrieb Leben und Herkunft jedes Gegenstandes mit geradezu religiöser Inbrunst und achtete die Arbeit und Liebe und Mühe, die mit der Herstellung jedes einzelnen Objekts verbunden waren. Ich führte ihn zurück ins Wohnzimmer und fragte ihn, wie er sich als Geschworener fühle.

»Nun, mir gefällt die Verantwortung ganz und gar nicht, entscheiden zu müssen, für wie lange jemand ins Gefängnis geschickt wird.«

»Drehen sich die meisten Fälle um Drogen?«

»Ja, um Drogen«, sagte er. »Und mir tun diese armen Nigger drüben in Niggertown leid.«

Ich meinte, vielleicht wäre es besser, wenn sie nicht wegen Drogen ins Gefängnis kämen, weil die meisten der Händler selbst süchtig seien und nur ihren eigenen Bedarf zu finanzieren suchten. Dads Antwort überraschte mich.

»Tja, darüber habe ich viel nachgedacht«, gestand er. »Vielleicht sollte das alles legal sein. Ich weiß noch, daß während der Prohibition die Burschen, die an das Zeug herankamen, große Tiere wurden, und die, die nicht rankamen, waren Niemande. Man trank also, um besser zu sein als alle anderen. Dadurch war man beliebt. Ich hätte wahrscheinlich später nicht so viel getrunken, wenn ich nicht damals gedacht hätte, es sei etwas so Besonderes. Weißt du, bevor sie dich als Geschworenen vereidigen, fragen sie dich, ob du irgendwelche Vorurteile bezüglich der Legalisierung von Marihuana hast. Scheiße – das fiel mir schwer. Wie kann jemand nicht darüber nachdenken?«

Er zündete seine Pfeife an und stopfte mit peinlich genauer Sorgfalt den Tabak in den Pfeifenkopf.

»Ich verstehe nicht«, sagte er unvermittelt, »wie du mich dafür tadeln kannst, daß ich dir und Warren schöne Dinge hinterlassen will. Ich will nur sichergehen, daß für euch gesorgt ist.«

Ich wollte ihn nicht verletzen, und so erzählte ich ihm von einem Mann, den ich kürzlich in Texas kennengelernt hatte.

Er hatte sein ganzes Leben lang hart gearbeitet, in der Fabrik Überstunden gemacht, wann immer er konnte, und ich hatte ihn gefragt, was er machen würde, wenn er erführe, daß er nur noch sechs Monate zu leben hätte, und seine Familie ihn bitten würde, die Arbeit aufzugeben und bei seinen Angehörigen zu Hause zu bleiben. Er sagte, er würde nicht zu Hause bleiben. Seine Verantwortung als Vater und Haushaltsvorstand erfordere, daß er seiner Familie so viel Geld hinterlasse, wie er in der ihm verbliebenen Zeit nur verdienen könne. Er sagte, nichts sei wichtiger, als für sie zu sorgen, selbst wenn *sie* lieber *ihn* wollten als das Geld. »Ich habe nicht mit ihm diskutiert, Daddy«, endete ich, »weil das seine Überzeugung war. – Aber was mich betrifft, ich glaube, daß ihm die falsche Sache am Herzen lag.«

»Also, Kinder«, rief Mutter. »Das Abendessen steht auf dem Tisch.«

Der Tisch war mit Familienerbstücken gedeckt: Kristallgläser, die meine Mutter von ihrer Mutter geerbt hatte, Platzdeckchen aus Spitze – Symbole der Vornehmheit –, Silber, das ich gern geputzt hatte, damit es »ewig hielt«, und Porzellan, das für besondere Anlässe vorbehalten war. Mutter war so stolz auf die Familientradition, die ihr Tisch repräsentierte. Die Gemüse wurden in Porzellanschüsseln serviert, und heiße Brötchen lagen in einem Korb, der mit Spitzendeckchen für jedes Brötchen ausgekleidet war. Ich sagte es ihr, ihr Tisch sehe wunderschön aus.

»Weißt du, ich habe mich oft gefragt«, gestand Mutter, während sie uns Rindfleischscheiben mit Karotten und Kartoffeln reichte, »warum wir nicht schon vor Jahren umgezogen sind, damals, als wir uns gern vergrößert hätten. Ich weiß nicht, wovor wir Angst hatten. Aber wir hatten anscheinend vor vielen Dingen Angst. Vermutlich war es die Wirtschaftskrise. Die werde ich nie vergessen. Vermutlich hat uns die Angst davor, so etwas könnte noch einmal passieren, wie unter einer Käseglocke leben lassen.«

Dad vertiefte sich in sein Essen, wie er es meistens tat, wenn Mutter das Gespräch beherrschte. Selbst beim Essen kamen sie mir oft vor wie zwei Theaterstars, die miteinander um das Scheinwerferlicht wetteifern. Kein Wunder, daß Warren und ich Schauspieler geworden waren. Wir waren auf subtile Weise von zwei Menschen darauf trainiert worden, die sich mehr darum bemühten, Aufmerksamkeit zu erheischen, als sogar die Barrymores oder Redgraves. Es war unvermeidlich, daß ich schauspielerte, weil ich das früh gelernt hatte, nicht als Ausdrucksmittel, sondern als Mittel, mich bemerkbar zu machen und das zu erreichen, was ich wollte.

Mutter servierte die mit zerlassener Butter angerichteten Gemüse.

»Vielleicht habe ich nach diesem noch ein anderes Leben«, fuhr sie fort, »in dem ich die Dinge richtig machen kann – in dem ich nicht so ängstlich sein werde. Ich wünschte bloß, ich hätte mich nicht mein ganzes Leben lang so sehr danach gerichtet, was von mir erwartet wurde.«

Ich trank einen Schluck Eiswasser. Sie servierte zu den Mahlzeiten immer kristallklares Eiswasser.

»Vermutlich war ich nie in der Lage, mich den Realitäten zu stellen. Als ich jung war, habe ich mich anscheinend mehr dafür interessiert, Spaß zu haben und Tennis zu spielen. Warum hat mich niemand in die richtige Richtung geleitet? Warum ging das Leben um mich herum einfach an mir vorbei? Ich erinnere mich an den kleinen Howard Ulmer. Wir neckten ihn, weil er sich für nichts anderes interessierte als für Vögel – er wußte alles über sie, was sie fraßen, wie sie sich vermehrten... alle ihre Gewohnheiten. Aber er war jemand, der sich um etwas außer sich selbst kümmerte. Er *interessierte* sich für etwas. Ich weiß, daß ich mich auch für etwas hätte begeistern können, wenn mir jemand geholfen hätte. Nimm ein Brötchen, Shirl... ich habe sie extra aufgebacken.«

»Scotch«, warf Daddy ein (er nannte sie mit diesem Spitznamen, weil sie schottischer Abstammung war und außerdem sparsam mit jedem Dollar umging), »du weißt doch, daß Howard Ulmer nicht nur für schwul *gehalten* wurde. Er *war* schwul. Also, wovon redest du eigentlich?«

»Na, und wenn er schwul war? Ich finde eigentlich ohnehin nichts dabei.«

Wir beendeten das Abendessen mit heißem Kürbiskuchen, den Mutter selbst gebacken hatte. Kürbiskuchen war für sie ein festliches Symbol und außerdem überaus köstlich.

»Ach, Dad«, sagte ich, zögerte und beschloß dann, das Thema doch anzusprechen, »für wen hast du gestimmt?«

Er stand vom Tisch auf, zündete seine Pfeife wieder an, setzte sich in seinen Schaukelstuhl und sah mich an.

»Oh, nein«, rief ich aus, »*das* hast du nicht getan.«

»Nein, das habe ich nicht getan.« Mit einem verschmitzten Lächeln zog er an seiner Pfeife. »Aus Loyalität dir und Warren gegenüber und weil ihr so hart gearbeitet habt, habe ich für McGovern gestimmt. Aber ich tat es mit der absoluten Sicherheit, daß ich mir keine Sorgen zu machen brauchte, weil er ohnehin nicht gewinnen würde.«

Mutter durchquerte das Zimmer und schaltete den Fernsehapparat ein. Dann sah ich mich selbst. Es lief *Das Apartment*.

»Was ist das für ein Gefühl, wenn du dich selbst so siehst?« fragte Mutter. »Weißt du heute, wie du es besser hättest machen können? Siehst du dich selbst anders?«

Ich dachte nicht an den Film *Das Apartment*. Ich war nicht imstande dazu. Ich dachte an all das, was seither passiert war.

»Ich weiß nicht, Mutter«, antwortete ich. »Ich dachte daran, wie viele Leute vom Film dieses Jahr keine Scheu davor hatten, sich politisch zu engagieren. Ich dachte daran, wie ich mich fühlte, als der Kolumnist einer Filmzeitschrift mich als ›bescheuert‹ bezeichnete, weil ich mich öffentlich zur Politik äußerte.«

»Warum tust du nicht wieder das, was du am besten kannst«, meinte Dad, »und hörst auf, herumzupredigen?«

»Das will ich ja«, entgegnete ich. »Das will ich sogar schrecklich gern.«

Ich versuchte zu erklären, wie der Zustand des Landes die Autoren und Produzenten so verwirrt hatte, daß sie nicht mehr wußten, was für Filme sie machen sollten, und daß sie schon gar nicht wußten, was sie für eine Frau schreiben sollten. Ich war der Meinung, im Film würde auch erst dann wieder etwas Gutes auf die Beine gestellt, wenn das Land wieder in Ordnung wäre. Dad meinte, ich sei zu idealistisch, und Mutter fand, ich sei zynischer geworden, wahrscheinlich durch mein Herumlungern mit Zeitungsleuten. So redeten wir eine Weile, und dann wechselten wir den Kanal und sahen die Bälle zur Amtseinführung.

»Hail to the Chief«, erklang. Die Kamera war auf den Ballsaal gerichtet, wo mehrere tausend Republikaner so dicht gedrängt standen, daß sie sich nicht bewegen konnten, und aus mit dem Präsidentensiegel geschmückten Plastikbechern Champagner tranken. Frauen in Ballkleidern wurden von Männern umringt, die wie ausgestopfte Pinguine aussahen. Dann erschien plötzlich Nixon auf der Bühne des Ballsaals, gefolgt von Pat, seinen Töchtern und Mamie Eisenhower.

»Zu schade, daß du nicht hingegangen bist, Shirl. Das ist wirklich etwas, wo man dabeisein muß.«

Nixon stand am Mikrophon und ließ den Blick über den Saal gleiten, offenbar in überschwenglicher Stimmung. Das war das erstemal seit der Bombardierung Hanois zu Weihnachten, daß er sich der Öffentlichkeit präsentierte. Er schien um einen angemessenen Gesichtsausdruck bemüht zu sein, während seine Augen unter den Brauen hin und her wanderten. Elegant stand Pat neben ihm und erinnerte sich von Zeit zu Zeit daran, das Kinn hochzuhalten.

»Nun«, ergriff der Präsident der Vereinigten Staaten das Wort, »dies ist unser erster von – wie vielen Bällen heute abend?« Er begann sie laut an den Fingern abzuzählen. »Eins, zwei, drei. Wie viele, Pat – ich meine, Mrs. Nixon?«

Das Publikum wartete.

»Lustig«, fuhr er fort. »Ich kann nicht weiter als bis vier zählen!« Er wartete auf das Lachen, das etwas bemüht klang. »Vier, wissen Sie – die Zahl *Vier,* die ist wichtig für mich.«

Ich blickte zu Dad hinüber. Er zwinkerte mir zu und zog an seiner Pfeife.

»Nun, wie ich höre, hat man sich gefragt, ob ich heute abend tanzen würde oder nicht«, fuhr Nixon fort. »Tja, ich tue gern Dinge, die ich gut kann, und Tanzen gehört nicht dazu.« Wieder gezwungenes Lächeln. »Ich verstehe nicht viel von der Musik, die heute gespielt wird – die die Jungen mögen – hab' nichts dagegen, aber ich bin wohl, wie man so sagt, ein bißchen altmodisch. Also, wenn wir etwas Langsames haben könnten, dann will ich versuchen, das zu tun, was ich nicht gut kann.«

Er verschwand in einer Menge wippender Köpfe, und ich fragte Dad, warum er glaube, Nixon würde ein guter Präsident sein.

»Das ist ganz einfach. Weil er so viel mehr als McGovern über das weiß, was läuft. Mit anderen Worten, er hat Erfahrung. Da jeder, der Präsident werden will, *alles* tun würde, um es zu werden, können wir ebensogut den Mann nehmen, der das *alles* am besten kann.«

»Mit anderen Worten, den *besten* Lügner, den, der auf die *aus-*

*gekochteste* Art korrupt ist und so weiter?«

»Richtig.«

»Und du nennst mich zynisch?«

»Ich will dir eine kleine Geschichte erzählen, um meinen Standpunkt deutlich zu machen«, sagte er und setzte sich für eine seiner vertrauten Kanzelreden in Szene.

»Es war einmal ein kleines Vogelmädchen, das saß auf einem Ast. Es freute sich an dem schönen Tag und an dem Sonnenschein, als ein kleiner Vogeljunge geflogen kam und sich neben es setzte. Wie geht's dir heute? fragte der Vogeljunge. Oh, sehr gut, sehr gut. Bist du allein hier? fragte der Vogeljunge. Ja. Würdest du gern mit mir zu diesem großen Baum da drüben fliegen? fragte er. Oh, nein, das kann ich nicht, weil ich verheiratet bin. Tja, das ist wirklich ein schwieriges Problem, nicht? Betrügst du denn deinen Mann? Nein, das tue ich nicht. Dann warf das Vogelmädchen ihm einen Blick zu und sagte: Aber wenn du ihn betrügst, werde ich stillhalten.«

Ich sah Dad an. »Du meinst, Nixon läßt Betrügereien geschehen und hält dabei still?«

»Nein – ich meine, Nixon ist imstande, uns zu betrügen, aber er ist skrupellos genug, um zu behaupten, ein anderer habe es getan.«

Die Trompeten schmetterten »Hail to the Chief«.

Wieder erschien der Präsident, inzwischen in noch ausgelassenerer Stimmung.

»Hallo, alle miteinander«, rief er und hielt sofort seine fünf Finger hoch. »Auf wie vielen Bällen waren wir? Wollen mal sehen – eins, zwei, drei – komisch, ich kann nicht weiter zählen als bis vier.«

Er führte dieselbe Vier-Jahre-Nummer wieder auf, als sähe ihn nicht die ganze Nation über die Fernsehkameras.

Die Fernsehreporter wirkten etwas verblüfft. »Wir haben den Präsidenten noch nie in so gelöster Stimmung gesehen«, sagte einer von ihnen.

»Wen haben wir denn hier aus Kalifornien?« fragte Nixon. Hände flogen in die Luft, und die Leute aus seinem Heimatstaat jubelten ihm zu.

»Yeahh, gut – gut, Sie zu sehen! Nett, daß Sie gekommen sind, und auch Sie aus New York. Ich will Ihnen bloß sagen… (je länger er sprach, desto deutlicher erkannte ich, daß er dieselbe Manier an sich hatte wie Bob Hope)… ich möchte den Leuten aus New York für ihre Hilfe in einer für mich sehr schwierigen Zeit danken. Sie waren verständnisvoll und hilfsbereit, und Sie sollen wissen, daß ich das nicht vergessen werde. Wir haben in New York gute Ergebnisse erzielt, und dafür möchte ich Ihnen danken.« Dann dankte er Vertretern aus den Staaten entlang der Ostküste und endete mit: »Und wer ist aus Massachusetts da?«

Ein paar Hände hoben sich. »Wissen Sie«, sagte er, »wir haben Massachusetts vielleicht verloren, aber ich habe mir die Zahlen angesehen, und meine Prozente dort sind besser als 1968. Ich weiß, daß Sie es das nächste Mal auch besser machen werden.« Er begann wieder darüber zu reden, daß er nicht gut tanzen könne, es aber versuchen wolle.

Dad starrte auf den Fernsehapparat. Es schien ihn nicht zu stören, daß der Präsident der Vereinigten Staaten, der Führer der westlichen Welt und so weiter, noch immer Wahlkampf machte.

Nixon stieg wieder auf die Bühne, obwohl »Hail to the Chief«, die Musik zu seinem Auszug, schon gespielt worden war.

»Sie sollen wissen, meine Damen und Herren, daß ich soeben mit zehn hübschen, jungen Damen getanzt habe, von denen keine über siebzehn war. Wenn das ein Beispiel für die Zukunft der nächsten vier Jahre ist! Ich… eh… nun…« Er beendete den Satz nicht. Les Brown, der Orchesterdirigent, beugte sich zu ihm und sagte etwas. Er hatte ein Mikrophon an einem Draht um den Hals hängen.

»Was ist das, Les?« fragte der Präsident. »Ihre *Nabelschnur*? Dazu sind Sie aber zu alt, wissen Sie.«

Pat Nixon sah bestürzt aus. Der Reporter, der das Ereignis kommentierte, war sprachlos.

Dad hustete.

»Da hast du deinen Präsidenten, Dad«, sagte ich.

»Ich gehe zu Bett«, entschied Mutter. »Er macht mich krank. Ira, wie kannst du im Ernst meinen, er werde ein guter Präsident sein? Er ist nichts als ein Faschist, und du weißt das ganz genau.«

Dad grinste über Mutters Ausbruch.

»Und du bist auch nicht liberal«, warf Mutter Dad vor. »Du sagst zwar gern, du seist es, aber du bist es *nicht*! Ich habe die ganze liberale Liste gewählt, aber du hast nur für McGovern gestimmt. Und das aus lauter falschen Gründen! Gute Nacht.«

Sie stand auf, ging aus dem Zimmer und rief im Hinausgehen: »Und Agnew macht mich erst recht krank!«

»Deswegen lebe ich so gern mit deiner Mutter«, meinte Dad. »Würde sie gegen nichts auf der Welt eintauschen. Einfach, weil sie solche Szenen macht. Manchmal kann sie wirklich ein richtiger Hitzkopf sein.«

Lange saßen wir da, Dad und ich, während Nixon weitere Bälle besuchte, und niemand fragte ihn, wie er über die Krankenhäuser denke, die er in Hanoi hatte bombardieren lassen, und niemand fragte ihn nach Watergate. Nixon wirkte nervös bis zum Zerspringen, als ob es kein Ventil für seine innere Spannung gäbe, und ich fühlte mich, als schaue ich einem Autozusammenstoß zu. Dad begann über die Bekannten in der neuen Nachbarschaft zu reden und darüber, was sie von mir hielten.

»Andere Leute mögen beliebt sein«, sagte er, »aber dich liebt man, und die Nachbarn meinen, du hättest in dieser Nacktszene in *Verzweifelte Menschen* nicht deine Brüste zeigen sollen.«

Ich wollte auflachen; doch statt dessen redeten wir über Pornographie und Kino und Image. Ich war schließlich seine Tochter, und ich sollte seine Einstellung kennen. Als die Bälle zur Amtseinführung schließlich vorbei waren, unterhielten Dad und ich uns noch immer.

»Du hast dich sehr verändert durch diese Arbeit in der Politik«, stellte er fest.

»Ja, kann sein. Du hast dich auch verändert.«

»Man kann leichter mit dir reden.«

»Mit dir auch.«

»Man kann viel über praktischen Idealismus reden – vielleicht. Aber es ist vielleicht gar nicht so idealistisch, das zu wollen, was du willst.«

»Und was willst du, Dad?«

Er seufzte und überlegte einen Augenblick. »Wenn ich sterbe, möchte ich gern in dem Wissen sterben, daß ich etwas getan habe, um die Welt zu einem besseren Ort zu machen. Weißt du, vielleicht habe ich jemandem oder einer Sache geholfen…«

Ich gab ihm einen Gute-Nacht-Kuß und ging glücklich zu Bett. Irgendwie, auf irgendeine wichtige Art, hatten wir endlich einen wirklichen Kontakt zueinander gefunden. Lange Zeit hatte ich geglaubt, wir hätten entgegengesetzte Ansichten, und meine Wertvorstellungen hätten sich vielleicht aus Protest und als Widerlegung seiner Werte entwickelt. Vermutlich war das im wesentlichen und in der Praxis richtig, aber an diesem Abend waren wir für kurze Zeit einer Meinung gewesen.

Am nächsten Morgen regnete es. Unausgeschlafen, aber glücklich schlenderte Dad ins Sonnenzimmer. »Ich versuche zu entscheiden, ob ich lebendig bin oder nicht«, sagte er, »und wahrscheinlich ist die Antwort, daß das das einzig Wichtige ist.« Er setzte sich in seinen Schaukelstuhl und sah aus dem Fenster.

»Hast du unsere weißen Tauben gesehen?«

»Wo?«

»Oh, sie kommen dauernd. Sie trennen sich nie. Eine läßt die andere nicht aus den Augen. Sie brauchen einander. Sie sind schön. Paß nur auf, dann wirst du sie sehen.«

Eine Stunde später kamen die weißen Tauben. Sie flogen und kreisten und spielten im Regen und unter dem Vordach, gurrten, steckten die Köpfe zusammen und ließen sich nicht aus den Augen.

»Siehst du«, sagte Mutter. »Sie werden immer zusammen sein.« Schweigend sahen wir ihnen zu.

Nachdem ich meine Sachen gepackt hatte, brachten sie mich

zum Auto. Die Straße glänzte vor Nässe.

»Wirst du wiederkommen, wenn wir einundsiebzig werden?« fragte Mutter.

»Aber sicher«, versprach ich. »Doch denk dran, wenn ich dann komme, werde ich fast vierzig sein.«

Eine lange Pause entstand.

»Du hast ein ziemlich bewegtes Leben gehabt, nicht?« sagte Dad. »Und ein ziemlich bewegtes Jahr.«

»Ja, aber das ist noch gar nichts gegen das, was nächsten Monat kommt.«

»Was ist denn das?«

»Ich gehe nach China.«

Sein Mund blieb offenstehen. »Du besuchst die Kommunisten in China?«

»Ja.«

»Jesus Christus, und ich dachte, McGovern sei schon schlimm.«

»Ja.«

»Warum? Warum gehst du da hin?« Er wirkte gleichzeitig verängstigt und aufgeregt.

»Weil es da ist.«

»Oh. Derselbe Grund, warum du mit diesem Burschen im Himalaja herumgeklettert bist, ja?«

»So ungefähr.«

Es gab nichts mehr zu sagen. Mutter rief noch, sie freue sich für mich, und ich solle vorsichtig sein.

Zusammen standen sie in der Einfahrt, als ich losfuhr, und winkten mir zum Abschied nach. Ich dachte an die Tauben.

## 15

Seit meiner Kindheit hatte ich von China geträumt. Es war ein fremdes, weites Gebiet auf den Landkarten in den Geographiebüchern oder ein Ort, der vielleicht erreichbar wäre, wenn man im Garten nur tief genug graben könnte. Es war ein geheimnisvoller Platz, ein Symbol des Fernen und Unerreichbaren, ein Ort, an den nur wenige Privilegierte gereist waren. Als ich ein Teenager war, waren die Zeitungen auf einmal voll mit Nachrichten über China. Meine Eltern pflegten darüber zu reden, wir hätten China an die Kommunisten »verloren«; ich fragte dann, ob es uns denn gehört hätte, ehe wir es verloren hatten, und sie antworteten, das sei zu kompliziert, um es mir zu erklären.

Später, als ich heranwuchs und im Showbusineß vorankam, las ich im *Time*-Magazin Horrorgeschichten über Menschen, die in einem gesichtslosen Land namens Rotchina zu Ameisen degradiert würden. Das wirkliche China, so sagte man mir, sei Formosa, das für mich wie eine Insel vor der Küste wirkte, als ich eine Landkarte studierte. Man behauptete, eines Tages würden die Rotchinesen an der Pazifikküste landen, alle amerikanischen Supermärkte erobern und in die Privathäuser eindringen oder so ähnlich.

1953 las ich ein Buch mit dem Titel *The Sands of Karakorum* von James Ramsey Ullman über ein Paar aus dem Westen, das im Inneren Chinas verschwunden war, als es nach einem neuen Lebenssinn suchte. Ein Freund folgte ihren Spuren, drang ein in die Einsamkeit jenes unermeßlich weiten Landes. Das Buch vermittelte mir irgendwie das Gefühl, in China könne ich mich selbst finden. Später pflegte ich an der Kowloon-Brücke zu stehen und über die grünen Hügel zu starren; dabei versuchte ich mir vorzustellen, wie China wohl sein mochte.

Später einmal, hoch oben im Himalaja, erlebte ich den Sonnenaufgang und verspürte plötzlich den Drang, einen Sprung über den Mount Kachenjunga hinein nach China zu machen. Mehrmals hatte ich daran gedacht, mir in Hongkong einen gefälschten Paß zu besorgen, und einmal hatte ich das tatsächlich arrangiert, aber dann benutzte ich ihn nicht, weil ich Angst hatte, ich könne meinen echten Paß einbüßen. So besuchte ich China mit Hilfe von Büchern, reiste mit Edgar Snow, Pearl S. Buck, Felix Green und Ross Terrill, vor allem aber mit meiner Freundin Han Suyin.

Mehr und mehr wünschte ich mir, das wirkliche China kennenzulernen. Ich wollte China sehen, wie ich Japan und Afrika und Indien und alle Länder Europas besucht hatte. Ich wollte etwas über die Revolution erfahren, selbst sehen, was in den letzten zwanzig Jahren in einem Land mit mehr als achthundert Millionen Einwohnern geschehen war. In den Zeitungen hatte ich den Verlauf der Kulturrevolution verfolgt. Ich hatte japanischen Reportern zugehört, die mir erzählten, daß in China etwas wirklich Neues im Gange sei. Das Neue, so behaupteten sie, sei, daß China das erste Land der Moderne sei, das das menschliche Wesen wirklich revolutioniere. Ich wollte das sehen. Und dann, 1972, öffnete sich China.

Als im Oktober 1971 die Mitglieder der Ständigen Vertretung der Volksrepublik China bei den Vereinten Nationen in New York eintrafen, lud mich Prinzessin Ashraf Pahlavi von Persien zu einem Mittagessen ein, das zu Ehren der Delegation gegeben wurde. Die Politik des Schahs von Persien war nicht die Politik Mao Tse-tungs, um es gelinde auszudrücken, doch bei diesem Mittagessen sprachen wir nicht viel über Politik. Drei Stunden lang redeten wir über Menschen, ihre Fähigkeit zu Wandel und Wachstum, ihre persönliche Entwicklung und darüber, wie China damit umgehe. Und ehe das Mittagessen vorbei war, war ich eingeladen, China zu besuchen.

Der Mann, der die Einladung aussprach, war Tschiao Kuan Hua, der Außenminister. »Es ist sehr wichtig für das amerikanische Volk, China zu verstehen«, sagte er über einen Dolmetscher (obwohl er perfekt Englisch sprach). »Wir brauchen viele Verbesserungen. Es ist unmöglich für andere, das, was wir zu erreichen versuchen, in einer kurzen Zeitspanne zu sehen, denn wir haben vierzig Jahre Revolution gebraucht, um dahin zu kommen, wo wir heute stehen, und auf dem Weg haben wir versucht, uns selbst zu verstehen. Wir hoffen, Ihr Volk wird ebensoviel Geduld haben, wie wir für uns selbst aufgebracht haben.«

Er sog den Rauch einer chinesischen Zigarette namens Panda ein und hielt die Zigarette so elegant wie viele Asiaten. Seine Beine waren gekreuzt, und behutsam balancierte er eine Mokkatasse auf einem Knie. »Schauspieler und Schauspielerinnen und Schriftsteller«, erklärte er, »sind fähig, Menschenmassen *und* die öffentliche Meinung zu beeinflussen, weil sie das repräsentieren, was die Menschen sich wünschen. Und außerdem werden sie geliebt. Ich glaube, es wäre eine gute Idee, wenn Sie nach China kämen.«

Die Einladung wurde ausgedehnt und schließlich auf bestimmte Besuche erweitert. Ich sollte die erste amerikanische Frauendelegation nach China führen. Ich durfte mit zwölf Frauen anreisen, darunter auch ein Filmteam. Die einzige Einschränkung bestand darin, daß die Frauen »normal« sein sollten. Das Wort war schwer zu interpretieren, aber ich arbeitete mit wachsender Erregung daran, eine Gruppe »normaler« Frauen zusammenzustellen. Den Chinesen lag nichts an Prominenten mit Ausnahme meiner Person; sie verlangten auch keine ausgewählten Marxisten, keine Gruppe von Doktoren oder eine Radikalentruppe. Sie wollten »normale« amerikanische Frauen kennenlernen. Und im Laufe der nächsten Monate lud ich folgende Frauen ein:

*Unita Blackwell,* eine zweihundert Pfund schwere, schwarze und großherzige Frau, die aus Issaquena Counta, Mississippi, stammte. Ich hatte sie in den sechziger Jahren auf einer Fahrt zur Registrierung von Wählern kennengelernt. Sie lebte damals in einer Blechhütte ohne fließendes Wasser. Der ortsansässige Ku-Klux-Klan brannte Kreuze in ihren Rasen, weil ich sie in ihrem Haus aufgesucht hatte, aber Unita schien über solche Vorfälle erhaben. Nachdem ich sie eingeladen hatte, mit nach China zu reisen, und sie sich von der Überraschung erholt hatte, erzählte Unita mir, ihr gesellschaftliches Leben habe sich drastisch verändert. Sie werde jetzt in die Häuser der Weißen eingeladen, weil niemand glauben könne, daß Unita Blackwell tatsächlich nach China fliegen würde.

*Patricia Branson*, eine dreiundreißigjährige Angestellte der Texaco Oil Company in Port Arthur, Texas, war engagiertes Gewerkschaftsmitglied und konservative Demokratin und glaubte, als ich sie kennenlernte, George Wallace würde der Retter Amerikas sein. Pat war eine attraktive schwarzhaarige Frau, immer adrett gekleidet und mit sorgfältig aufgetragenem Make-up. Sie hatte viel Sinn für Humor, der oft selbstironisch war. Ihr Haus in einer Wohngegend der unteren Mittelklasse in Port Arthur war geschmackvoll eingerichtet. Sie haßte George McGovern, empfand den demokratischen Konvent als »ein Unglück« (wegen »Abtreibung und Schwulen und Mexikanern«) und war überzeugt, Henry Kissinger und Richard Nixon seien Kommunisten. Ich mochte sie sofort. Als ich sie fragte, ob sie mit nach China reisen wolle, fragte sie mich, ob die Regierung die Reise genehmigt habe, denn die Regierung wurde von Richard Nixon und Henry Kissinger, den Kommunisten, geführt.

*Rosa Martin*, eine weise, reife, zweiundfünfzigjährige Autorin und Soziologin von der University of Puerto Rico in San Juan, wurde mir von Freunden als großartige Forscherin empfohlen. Rosa war sanftmütig und introvertiert. Sie hatte sich sehr für die Rechte der Puertoricaner eingesetzt und wollte von den Chinesen lernen. »Ich interessiere mich für alles, was menschlich ist«, lautete ihr Leitsatz.

*Ninibah Crawford*, eine Navajo-Indianerin, war eine Schönheit mit Augen, glänzend wie feuchte, schwarze Oliven. Sie arbeitete im Büro für indianische Angelegenheiten in einem Reservat in Arizona. Sie war dreiunddreißig und lebte mit zwei Kindern aus einer geschiedenen Ehe in einem Wohnwagen. Sie verehrte die Natur, und einmal, während ich mit ihr durch eine tiefverschneite Winterlandschaft fuhr, um ihre Eltern zu besuchen, die in der traditionellen erdbedeckten Balkenhütte der Navajos wohnten, sprach sie mit Bitterkeit über die unmenschliche Behandlung der amerikanischen Indianer durch die Weißen. Sie freute sich wahnsinnig auf die Reise nach China und glaubte: »Die Natur wird dort noch schöner sein als bei uns.«

*Karine Boutilier,* ein zwölfjähriges Schulmädchen aus Racine, Wisconsin, arbeitete als Organisatorin eines Traubenboykotts der Gewerkschaft der Vereinigten Farmarbeiter, als ich sie während der McGovern-Kampagne kennenlernte. Am Telefon war sie ausgeglichen und diplomatisch und schien eine gute Wahl für die Reise zu sein. In den Monaten bis zur Abreise beantragte sie ihren ersten Paß, bat mich, ihren Eltern den Grund der Reise zu erklären, und ließ sich vom Direktor ihrer Schule für die entsprechende Zeit beurlauben.

*Phyllis Kronhausen,* eine alte Freundin, war Psychologin und Anthropologin. Phyllis war vierzig Jahre alt und auf einer Farm in Minnesota aufgewachsen. Sie interessierte sich für das umfassende Thema menschlicher Freiheit und war begierig zu sehen, wie im chinesischen Volk die zwischenmenschlichen Beziehungen abliefen. Vor allem war sie an der Einstellung zur Sexualität in China interessiert. Sie und ihr Mann, Dr. Eberhard Kronhausen, hatten eine Reihe von Büchern über erotische Kunst, sexuelle Phantasien, Pornographie und Gesetz und über die Institution der Ehe geschrieben. Phyllis war im Grunde eine weichherzige, liebevolle Person mit brillantem Verstand, aber sie konnte schneidend und hartnäckig sein, wenn sie Fragen stellte. Ich dachte, sie wäre auch hilfreich für den Fall, daß die anderen Mitglieder der Delegation, von denen viele noch nie ihre Heimatstadt verlassen hatten, eine Art Kulturschock in einem so fernen Land erlitten.

*Margaret Whitman* war die letzte, die ausgewählt wurde, aber keineswegs die unwichtigste. Gegen Ende des Auswahlprozesses kam ich zu dem Schluß, daß eine konservative republikanische Hausfrau zu der Gruppe gehören sollte, jemand, der wohlhabend war, Sport trieb, die Flagge verehrte, für den Kapitalismus eintrat und sich für die Kriegsgefangenen einsetzte. Margaret, aus Long Island kommend, stürmte in meine New Yorker Wohnung, als sei sie auf einer Parforcejagd. »Sie nehmen mich mit«, sagte sie entschlossen. »Mein Name ist Whitman, und ich bin genau die, die Sie suchen. Ich bin konservativ, bürgerlich, auf niemandes Hilfe angewiesen und gut über dreißig.« Ich mochte sie – schließlich *bestand* sie darauf.

Der Rest der Delegation bestand aus Filmemachern. Da ich eine weibliche Delegation anführte, dachte ich auch an ein weibliches Filmteam. Ich hatte Claudia Weills Dokumentarfilm *Joyce at 34* gesehen und wußte, daß sie als Kamerafrau an einem Film von Sandra Hochman beim Demokratischen Nationalkonvent mitgewirkt hatte, der *Year of the Woman* hieß. Claudia war jung, stark und gesund. Sie war daran gewöhnt, eine fünfunddreißig Pfund schwere Kamera zu tragen und damit umzugehen, und sie konnte die langen Drehtage bewältigen, die wir in China haben würden. Ich stellte mir vor, daß das Team tagsüber Aufnahmen von China machte und abends die Reaktionen der mitreisenden Frauen auf China filmte. Claudia verstand sich als Feministin, hatte *Fanshen* gelesen, William Hintons klassische Studie über die Auswirkung der Revolution auf ein chinesisches Dorf, und war voller Begeisterung für die Reise.

Im Laufe einiger Wochen interviewten Claudia und ich zahlreiche junge Frauen, die als Mitglieder des Vier-Frauen-Teams nach China reisen wollten. Claudia stellte alle technischen Fragen, ich die persönlichen.

Am Ende wählten wir Nancy Shreiber aus, vierundzwanzig, eine der besten Elektrotechnikerinnen New Yorks, die außerdem einen B. A. (akademischer Grad) in Psychologie erworben hatte; Cabell Glickler, dreißig, die einzige Frau in der Tontechnikergewerkschaft in New York; sie war bei NBC angestellt und interessierte sich sehr für Meditation, den Osten und Yoga; und Joan Weidman, eine große, schmale Frau von zweiundzwanzig Jahren, die das jüngste Mitglied des Teams war und eine Eclair-Kamera bediente. Claudia würde die erste Kamera führen, Joan die zweite, Nancy würde sich um die Beleuchtung kümmern und Cabell um den Ton.

Die Teammitglieder waren sämtlich Feministinnen, aber sie waren auch ausgeprägte Individuen. Claudia war sensibel und gehemmt bis zur Verlegenheit und machte sich etwas zu viel Sorgen darüber, sie sähe »zu jüdisch« aus. Nancy arbeitete in Blue jeans, hörte intensiv zu und sprach dann in maschinengewehrähnlichen Ausbrüchen. Cabell war angenehm, wirkte immer wie frisch geschrubbt und kicherte wie der Star eines Musicals. Sie hegte solche Befürchtungen um ihren Job bei NBC, daß sie deren Anfrage bezüglich der Reise, ihres Ziels und ihrer Billigung durch die Regierung der Vereinigten Staaten und unserer Pläne in China an mich weitergab. Joan Weidman war eine militante Feministin, die ungewöhnlich stark wirkte.

Wir lernten einander mit der Zeit genauer kennen, und dann, am 16. April 1973, verließen wir New York.

Als wir im Internationalen Flughafen von Los Angeles ankamen, wurden wir von einem Blitzlichtgewitter, laufenden Kameras und einer Flut von Reporterfragen erwartet. »Ich kneife mich dauernd selbst«, sagte Karen, »um sicher zu sein, daß ich nicht träume.« Rosa meinte: »Lernen ist menschlich sein. Ich möchte beides tun.« Pat Branson zwinkerte den Reportern zu: »Hi, Leute. Ich finde, die Art, wie ihr Demokraten George Wallace behandelt habt, ist einfach ein Jammer. Aber ich möchte nach China, um etwas über die Ölinteressen zu erfahren. Ich arbeite zu Hause in Texas in der Texaco-Fabrik, und ich hoffe, daß sie mein Gehalt nicht einbehalten, während ich weg bin.«

Hörte ich Pat diese Dinge wirklich sagen? Sprach sie wirklich von den »Ölinteressen« in China? Doch so war es.

»Ich bin schon so lange beschuldigt worden, Kommunistin zu sein«, erklärte Unita. »Darum will ich nach China, um zu sehen, wie so ein Kommunist eigentlich aussieht.«

Claudia und das Team verstauten die Fotolampen, die Kabelrollen, die metallenen Kamerakisten, die Scheinwerferstecker und fünf Kameras in dem TWA-Jet, der uns über den Pazifik bringen würde. Sie trugen Overalls, in denen sie aussahen wie Arbeiter von der Wasser- und Elektrizitätsgesellschaft. Pat Branson brachte zwei Koffer an Bord. Einer war voll mit Schlüsseln für die Stadt Port Arthur, kleinen Texas-Flaggen und Texaco-Sparschweinchen, der andere mit Make-up-Utensilien.

Wir nahmen unsere Plätze im Flugzeug ein, Joan, Nancy und Cabell gegen die Trennwand gedrückt mit ihren zweitausend Pfund Ausrüstung. Claudia hielt ihre Kamera auf dem Schoß, kaute an den Fingernägeln und war verloren in Konzentration oder Tagträumerei. Rosa las einen Roman. Karen wurde luftkrank und schlief dann ein. Pat schrieb Postkarten an ihren Mann und flirtete mit zwei Matrosen. Unita saß neben Pat und neckte sie, und Margaret sagte den Matrosen, sie sollten die Südstaaten-Schönen – ungeachtet der Rasse, der Farbe und des Glaubens – vergessen und es mit *ihr* versuchen, denn sie sei erfahrener als alle anderen zusammen.

Amerika verschwand hinter uns, während wir paradoxerweise nach Westen flogen, um in den Fernen Osten zu gelangen. Honolulu schenkte uns eine Stunde Paradies. Guam war ein militärisches Desaster. Und der Pazifik war unübersehbar groß. Wir hatten eine Reise angetreten, die über Tausende von Meilen führen würde, und wir würden an Orte kommen, die uns fremder waren, als wir uns hatten träumen lassen. Ich hoffte, diese Reise würde die beste aller Reisen werden: eine Reise in unser eigenes Inneres.

Es wurde tatsächlich eine Reise nach innen, das stimmt schon, aber nicht die, auf die ich gehofft hatte.

## 16

In Hongkong schienen die mitreisenden Frauen vom Fernen Osten geradezu überwältigt. Einen vollen Tag lang stürzten sie sich in die Märkte, atmeten die Gerüche des Orients ein und begrüßten die exotische Stadt mit derselben Erregung und Inbrunst, die ich fünfzehn Jahre zuvor empfunden hatte. Sie schienen die Umweltverschmutzung und den Lärm nicht zu bemerken, sie konnten die Veränderung zum Negativen nicht erkennen; sie wußten nicht, was Hongkong einmal gewesen war. Und am späten Nachmittag fragte ich mich, ob es Hongkong war, das sich verändert hatte, oder ich, oder vielleicht beides. Vielleicht hatte ich, als ich jünger war, in einer Art freischwebendem Kokon die Welt durchwandert, mich mehr um mich selbst und meine Abenteuer gekümmert als um das, was ich sah. Vielleicht war die Stadt schon immer laut, übervölkert und verschmutzt gewesen.

Die Frauen kauften Kleider, schwelgten in der Sinnlichkeit der Seiden und Brokate und berührten liebevoll die handgearbeiteten Gegenstände. Ich konnte mich selbst in ihnen sehen, den Teil von mir, der noch immer eine großäugige Amerikanerin war, den Teil, der dazu erzogen worden war, materiellen Besitztümern Wert beizumessen. Karen kaufte alle ihre Geschenke beim ersten Zwischenaufenthalt im Orient. Pat liebte die geschnitzten Buddhas. Sie sprach davon, wie sehr sie ihre Tochter vermisse, aber sie hatte keine Lust, den Rest des Tages mit Karens Beaufsichtigung zuzubringen. Auch Unita hatte Heimweh und ließ ihre Uhr auf Mississippi-Zeit gestellt. Allerdings genoß sie jede Minute des Heimwehs.

»Wenn ich hier bin, weil auf mich geschossen wurde, als ich wählen wollte«, sagte sie, »dann wäre ich bereit, es noch einmal zu machen.«

Claudia und das Filmteam begannen damit, die anderen zu filmen. Wie nicht anders zu erwarten, benahmen sie sich unnatürlich, sobald das rote Licht aufleuchtete. Es würde lange Zeit dauern, bis sie sich entspannten.

Wir aßen alle zusammen auf einer im Hafen liegenden Yacht namens *Wan Fu* zu Mittag. Man bediente uns von silbernen Warmhalteplatten, und wir tranken aus Kristallgläsern, während Dschunken mit von der Sonne ausgebleichter Wäsche an uns vorbeizogen und die Hügel sich in der Ferne erhoben wie bewohnte Treppen. Für mich war das nicht der erste Schritt nach China; nein, Hongkong war der letzte Außenposten des Westens, und die heruntergekommenen Werte des Westens umgaben uns auf allen Seiten: die mißtönende Aggressivität, die den Handelsplatz beherrschte, die von Gier und Geiz verzerrten Gesichter. Die kreischenden Menschenstimmen überboten sich im Kampf um ihr wirtschaftliches Überleben.

»Es ist ein Traum«, sagte Unita und unterbrach meine Träumerei. »Ich, von den Plantagen Mississippis – fahre ich *wirklich* durch das chinesische Meer?«

Wir alle lachten. Ich fühlte mich merkwürdig. Als wir an Land zurückkamen, zogen wir einzeln los; einige versuchten, auf dem Dock ein stilles Plätzchen zu finden, wo sie sich sonnen konnten; andere wollten die verwinkelten Uferstraßen erforschen. Die Frauen, mit denen ich zusammen war, hatten bereits ihre eigene, vertraute Welt verlassen. Morgen würde auch ich die mir vertraute Welt hinter mir lassen. Ich blickte hinüber zu Unita, die ein Tuch aus ihrer Tasche nahm und ihr Haar bedeckte. Ihre Perücke war davongeflogen. Ich lachte und lehnte mich mit geschlossenen Augen zurück. Am Morgen hatte ich irgendwie das Gefühl, an einen Ort heimzukehren, an dem ich noch nie gewesen war.

Der Bahnhof von Kowloon war ein wildes, hektisches Gewimmel von Reisenden, Reportern und Gepäckstücken. Das meiste davon schien *unser* Gepäck zu sein: Berge von Schachteln und Kisten, zweitausend Pfund Ausrüstung und fünfzehn Koffer. Die Vertreter des chinesischen Reisedienstes waren höflich und zurückhaltend, doch offensichtlich von unserem Troß überwältigt. Die aggressiven Journalisten Hongkongs, meist Chinesen, liefen hinter uns her, während wir Entschuldigungen riefen und ihnen vom Zug aus zuwinkten. Ich setzte mich auf einen Fensterplatz, und bald klopften viele Chinesen an die Scheibe und versuchten, Angehörigen auf dem Festland Botschaften zu übermitteln. In ihren Augen standen Kummer und Bedauern, wie man es immer bei Menschen im Exil beobachten kann.

Langsam setzte der Zug sich in Bewegung. Wir waren unterwegs. Wir würden durch Shumchun nach China kommen, ein paar Meilen jenseits von Kowloon, wo wir die Paß- und Zollkontrolle passieren sollten. Eineinhalb Stunden später erreichten wir die Grenze. Auf der britischen Seite schauten wir über die Eisenbahnbrücke. Dichtgedrängt gingen Ausländer über die Brücke; viele von ihnen kehrten von der kantonesischen Handelsmesse zurück, die zu dieser Zeit im Entstehen war. Plötzlich fanden wir uns in einem Wirbel von Westlern und Chinesen wieder, die unsere Kisten, Koffer, Kameras, Geschenke, Hüte und Pässe schoben, hoben und weitergaben. Chinesische Arbeiter schoben einen Koffer nach dem anderen auf elastische Bambusstangen und schleppten sie zum britischen Zollschalter. Mir war klar, daß wir nie in der Lage sein würden, unser Gepäck im Auge zu behalten. Wir mußten Vertrauen haben.

Die britischen Zollbeamten waren freundlich und tüchtig. Und dann, ganz plötzlich, waren wir abgefertigt. Zwanzig Schritte weiter war die Grenzbrücke. Claudia und Joan liefen voraus, um uns zu filmen, während wir die Brücke überquerten. Das war es: der Schritt nach vorn in die leeren Räume all dieser Schulzimmer, Landkarten, an den Ort, an dem der Neue Mensch geschaffen wurde, an dem jene Reisenden im Sand von Karakorum verschwanden, das Land des »Menschenschicksals« und der Königinwitwe, der Ming-Grabmäler und der Großen Mauer. Ein paar Minuten nach elf Uhr vormittags am 20. April betrat ich das geheimnisvolle Land, das mich während des größten Teils meines erwachsenen Lebens beschäftigt hatte.

Die Welt veränderte sich schlagartig. Im chinesischen Zollbereich auf der anderen Seite der Brücke inspizierten Rotarmisten mit roten Sternen auf den Mützen und zerknitterten grünen Uniformen unsere Pässe. Hinter ihnen stand auf einem Wandplakat in englischer Sprache: »Völker der Welt, vereinigt euch.«

Der hektische Betrieb Hongkongs war gewichen. Hier hatte die Atmosphäre etwas Ruhiges, fast Heiteres an sich. Menschen sprachen mit leiser Stimme, hohe, großblättrige Bäume beschatteten die Eisenbahngleise. Es herrschte ein Gefühl von Frieden und Sicherheit, und das übertrug sich sofort. Ich stellte fest, daß ich in ruhigerem Ton sprach, und so erging es auch den anderen Frauen.

Wir saßen in einem hellen, sonnendurchfluteten Raum mit schwerfälligem Mobiliar und weißen Bezügen auf den Stühlen. In einer Ecke standen auf einem Tisch eine Thermosflasche und Teetassen, und es lagen da Exemplare von *China Reconstructs* und *China Pictorial,* den beiden offiziellen englischsprachigen Zeitschriften der chinesischen Regierung. Wir lernten unsere beiden Reiseleiterinnen und Dolmetscherinnen kennen. Yeh Sing Ru hatte kurzgeschnittenes Haar, trug eine Brille und hatte eine geschäftsmäßige Art, die sie häufig durch ein schelmisches Lächeln milderte. Chang Chingerh war älter, vielleicht Mitte Vierzig, hatte große, braune Augen und graugesträhntes Haar, das sie in einem Knoten trug. Wir reichten uns alle die Hand und stellten uns vor, und dann füllten wir die Zollformulare aus, deklarierten Geld, Schmuckstücke, Tonbandgeräte, Filme und sogar Zeitschriften. Ich fragte Chang, wie ich die Filmausrüstung deklarieren sollte.

»Kein Problem, denke ich«, sagte sie. »Wieviel haben Sie?«

»Zweitausend Pfund verschiedener Ausrüstungsstücke.«

Ihr Gesicht wurde blaß. Einen Augenblick lang geriet ich in Panik; vielleicht hatten sie so viel an Ausrüstung nicht erwartet, vielleicht waren meine Briefe, in denen ich erklärt hatte, was wir mitbringen würden, nie angekommen oder in der roten Bürokratie untergegangen. Ich erinnerte mich an die eine, unglückliche Reise, die ich vor einem Jahrzehnt in die Sowjetunion unternommen hatte; eine feindselige Zolluntersuchung hatte alle vielleicht aufkeimenden Freundschaftsgefühle erstickt.

»Also kommen Sie«, forderte mich Chang achselzuckend auf.

Die Festigkeit ihrer Stimme entspannte mich. Ich folgte ihr in das Zollgebäude, wo ich von einem riesigen, idealisierten Portrait Mao Tse-tungs empfangen wurde. Sein langes Studentengewand flatterte im Seewind, den ich beinahe fühlen konnte. Er hatte jenen weisen, fast seligen Ausdruck, den man auch auf manchen Christusbildern findet. Ich bog, der tüchtigen Chang folgend, um eine Ecke, und wieder hatte ich ein Portrait Maos vor mir. Es stammte aus moderneren Zeiten und zeigte Mao in westlichem weißem Anzug, eine Zigarette rauchend und sein befreites Land überschauend. Aus irgendeinem Grund sah das Portrait aus wie eine jener Camel-Werbeanzeigen, die auf der Rückseite der *Saturday Evening Post* stehen. Direkt unter dem Bild, die Zigarette exakt haltend wie Mao, saß ein chinesischer Geschäftsmann aus Hongkong. Das Leben imitierte die Kunst, wie das im Westen auch so oft geschah.

Auf der anderen Seite des Raumes hing ein weiteres Portrait des Vorsitzenden, diesmal groß und als Nahaufnahme. Sein Muttermal war so groß wie meine Hand. Ein Plakat rief uns alle in schreiend weißen Blockbuchstaben auf: »Arbeitet hart für die andauernde Revolution, um noch größere Siege zu erringen.« Außer den Portraits Maos gab es noch Bilder von Karl Marx, Friedrich Engels und Joseph Stalin.

Während Chang für uns die Zollformulare ausfüllte, beobachtete ich die anderen Reisenden. Untadelig gekleidete Schwarze aus Mali unterhielten sich leise auf französisch. Eine Amerikanerin um die Sechzig erzählte mir, ihr Interesse an China sei in Kansas City erwacht, wo ein netter Chinese die Hemden ihres Mannes angefertigt habe! Reisende chinesische Bauern, auf den Fersen hockend, rauchten schweigend.

Es gab keine fliegenden Händler, kein hektisches Feilschen. Niemand kaufte, niemand verkaufte. Und deshalb konnte ich die Vögel in den Bäumen singen hören. Chang kam mit einigen Papieren in der Hand aus einem Büro.

»Ja«, sagte sie, »ich verstehe, was Sie meinen.«

Sie hatte einige Zollagenten zu Hilfe geholt, die nun die seltsamen Kisten betrachteten, während Claudia, Joan, Cabell und Nancy deren Inhalt erklärten. Das Team schien leicht verstört.

»Ich weiß nicht mehr«, stöhnte Claudia, »was in welcher Kiste ist. Wir haben gestern abend in Hongkong so viel umgepackt.«

Ich fragte sie, ob die gesamte Ausrüstung vorhanden sei.

»Ich weiß es nicht.«

»Haben Sie jedes dieser Gepäckstücke deklariert?« fragte einer der weiblichen Zolloffiziere.

»Ja.«

»O. K.«, sagte sie zu Chang. »Sie können weiterfahren.«

Yeh lächelte und sagte: »Sicher – kein Problem.«

Offenbar waren wir nicht die ersten Amerikaner, mit denen sie zu tun hatte.

Der Zug nach Kanton trug uns durch eine Landschaft von sanfter, dem Auge schmeichelnder Heiterkeit. Zum ersten Mal fiel mir auf, daß China ein Land der Abwesenheiten war; ein Westler würde es am Ende anhand dessen definieren, was *nicht* da war. Wir fuhren durch landwirtschaftliche Anbauflächen und sahen überall arbeitende Bauern. Es gab keine Werbetafeln, die ihre falschen Versprechungen lauthals verkündeten, keine Slums, nicht den Eindruck von Verfall und Entbehrung, den man gewöhnlich neben Eisenbahnstrecken findet. Heiter, sagte ich mir im stillen. Das ist das Wort. Heiter.

Der Zug war einfach schön. Jeder Sitz war mit einem weißen Spitzenüberzug bedeckt; es gab zusammenklappbare Tische aus dunklem Holz, sanft surrte eine Klimaanlage, und im Zuglautsprecher ertönte eine Arie aus der Pekinger Revolutionären Oper. Ich bemerkte einen kleinen Knopf neben meinem Tisch, drehte daran, und der Ton wurde leiser. Offenbar war nur ein Dissident erforderlich, um den Klang der revolutionären Musik zu dämpfen.

Die Frauen hoben ihr Handgepäck in die Gepäcknetze über unseren Köpfen (das schwere Gepäck wurde anderswo aufbewahrt) und lehnten sich zurück, um die Reisfelder und Schattenbäume zu betrachten, während wir tiefer nach China hinein fuhren. Ich erinnerte mich, solche Landschaften in Indien gesehen zu haben, aber es gab einen entscheidenden Unterschied; in China schien niemand zu rasten.

Auf der Fahrt nach Kanton planten wir unsere Unterbringung im Hotel. Ich hatte einen Rotationsplan vorgesehen, nach dem jede Frau in jeder Stadt mit einer anderen das Zimmer teilen sollte. Ich hoffte, so würden die Frauen einander näher kennenlernen und immer wieder neu aufeinander reagieren. Die Mitglieder des Filmteams würden nicht mit den anderen abwechseln, weil sie sagten, sie bräuchten abends engen Kontakt miteinander, um die zahlreichen technischen Details zu besprechen, die mit der Herstellung eines abendfüllenden Films verbunden sind, der kein Drehbuch hat. Ich beschloß, auf der ganzen Reise mit Phyllis Kronhausen das Zimmer zu teilen, die eine alte Freundin war. Ich wollte Zeit, um Entscheidungen für die Delegation zu treffen, da ich von Anfang an die Leiterin gewesen war. Und ich hatte auch das Gefühl, etwas Intimität zu brauchen. Dieses Bedürfnis nach Intimität – diese westliche Forderung des Individuums – sollte später noch Probleme verursachen.

Die Folge dieser Einrichtung war, daß wir uns in zwei Delegationen aufspalteten, obwohl ich das damals noch nicht bedachte. Zur ersten Delegation gehörten Unita, Pat, Ninibah, Rosa, Karen und Margaret. Das aus vier Frauen bestehende Team, Phyllis und ich bildeten die zweite. Die Delegationen beobachteten sich gegenseitig, und während wir zusammen reisten, begannen wir uns einander allmählich zu entfremden.

Doch an jenem ersten Tag war alles wie ein Wunder, eine neue Welt, die sich uns eröffnete. Es würde ein großes Abenteuer werden, eine Reise, deren Motiv Hoffnung war. Ich konnte Margaret und Unita hinter mir sprechen hören.

»Als ich an der Grenze diese Orientalen mit ihren Uniformen sah«, sagte Margaret, »passierte etwas mit meinem Magen. Ob Japaner oder Chinesen, ich habe so viel von dem gesehen, was Orientalen in Neuguinea und Leyte taten, als ich während des Krieges dort war. Ich glaube, ich werde eine Weile brauchen, um das zu überwinden.«

»Yeah, Schätzchen«, sagte Unita, »aber schau bloß mal, wie die da draußen arbeiten. Haben nicht mal Pflüge. Machen alles mit Muskelkraft.« Sie stützte sich auf einen Arm und blickte nach draußen. »Mensch, der erste Teil meines Lebens war nicht allzu gut – aber irgendwo muß in der Bibel gestanden haben, daß ich nach China kommen würde.«

## 17

Es regnete, als wir in Kanton ankamen. Kein milder Frühlingsschauer, sondern ein schwerer, dichter tropischer Regen. Er ging in fast undurchsichtigen Schleiern nieder, versperrte die Sicht, verbarg die Gebäude, bog die Kronen der üppig grünen Bäume. Es war ein Monsunregen, wie ich ihn auch schon auf den Philippinen erlebt hatte; er tränkte den Boden und prasselte auf die Blechdächer der Bahnhofsgebäude.

Auch hier erwarteten uns Reporter eines kantonesischen Fernsehsenders. Claudia und das Team eilten hinaus, um an diesem vom tropischen Regen verdunkelten Tag die Scheinwerfer der Fernsehleute auszunutzen. Die chinesischen Reporter drängten heran und begutachteten unsere Ausrüstung, verblüfft über ihr Gewicht und noch erstaunter, daß eine Gruppe von Frauen diese schweren amerikanischen Geräte mit so offenkundiger Leichtigkeit handhabe. »Tja, wenn Sie dieses Zeug tragen können«, sagte ein Mann auf englisch, »und dabei noch gleichzeitig *laufen,* dann werden wir das wohl auch können.«

Der Bahnhof glich einer Dekoration aus einem alten Warner-Brothers-Film über eine Intrige an der chinesischen Küste. Der Wartesaal stand voll mit Rattantischen und -stühlen, Ventilatoren surrten an der niedrigen Decke, und die durchdringende Farbe war grau, abgesehen von den allgegenwärtigen Portraits Mao Tsetungs. Ich gewöhnte mich allmählich an sein Gesicht, und als wir zu unserem Bus gingen, hob ich ihm grüßend die Faust entgegen und zwinkerte dem Bild zu.

Unsere Ausrüstung wurde in einen Bus verladen, der rückwärts an die Bahnhofsrampe herangefahren war, und ein kleiner, reinlicher Mann mit vorstehenden Zähnen, der Herr Woo hieß, kam auf uns zu. Er war vom chinesischen Reisedienst, und er und seine Begleiter steuerten an mir vorbei schnurstracks auf Pat Branson zu. Die Leiterin dieser Delegation sollte schließlich eine Schauspielerin sein, und mit ihrem Make-up und ihrer aufgetürmten Frisur sah Pat offenkundig wie die einzige Schauspielerin der Gruppe aus. Chang und Yeh eilten heran und klärten Herrn Woo rasch auf. Wir schüttelten einander die Hände.

Der Bus startete und fuhr uns nach Kanton hinein, in eine Stadt mit zwei Millionen Einwohnern, die alle auf Fahrrädern zu sitzen schienen. Der Regen ließ allmählich nach. Die Stadt bestand im wesentlichen aus ein- und zweistöckigen Häusern und einigen größeren Gebäuden, die, wie ich später herausfand, Hotels waren. Um uns herum wogte der Verkehr, und ich schaute in die Seitenstraßen hinein, die sauber und voller Menschen waren, überall umgeben von üppiger, tropischer Vegetation. Bäume beschatteten die Gehsteige, und die meisten Häuser hatten Veranden im britischen Kolonialstil, um die Bewohner vor den häufigen, heftigen Regenfällen zu schützen. Ich konnte chinesische Gemüse riechen, die in Sojasoße garten, und war verblüfft über die Gleichartigkeit der Kleidung der Kantonesen; die Männer trugen graue oder blaue »Mao-Anzüge«, die Frauen Hosen in den gleichen Farben. Einige wenige waren barfuß, die meisten trugen Sandalen. Als wir vor dem Hotel vorfuhren, hörte der Regen auf.

Während der ganzen Fahrt flirtete Pat heftig mit Herrn Woo, zwinkerte ihm zu, lachte über seine Witze und kicherte über seine Erklärungen. Als er uns im Hotel abgesetzt hatte, entfernte er sich von uns, wies auf den Perlfluß, der vor dem modernen Gebäude dahinströmte, und verschwand. Pat lächelte. Sie schien zu spüren, daß sie auf die eine oder andere Weise Kontakt mit dem Mann hinter dem revolutionären Geist von Herrn Woo hergestellt hatte.

Unsere Schritte hallten in der großen, leeren Lobby des Hotels wider. Rechts lagen der Geldwechselschalter und ein weiterer kleiner Schalter, an dem Postkarten und Briefmarken verkauft wurden. Besucher der Handelsmesse bewegten sich durch die Halle, klagten über die Preise (»Die Preise sind dieses Jahr um hundert Prozent höher; den Chinesen geht es auch nicht besser als uns.«) oder kauften Andenken.

»Großer Gott«, stöhnte Nancy plötzlich und nahm mich am Arm, »wir haben nicht die richtige Beleuchtungsausrüstung. Die Steckkontakte, die ich mitgebracht habe, passen nicht. Die Elektriker in New York und Hongkong haben sich über die in China gebräuchlichen Steckdosen geirrt.«

Keine Steckdosen, kein Licht. Kein Licht, kein Film. Wir prüften unsere Geräte und gingen dann hinaus, um ein Warenhaus zu suchen, in dem wir die richtigen Stecker kaufen könnten. Wir waren auf uns selbst gestellt, da Chang und Yeh den Hotelmanager in seinem Büro aufgesucht hatten.

Auf der Straße waren wir sofort wie eine Sehenswürdigkeit von einer Menschenmenge umringt, die uns neugierig musterte. Wir starrten zurück, wir waren ebenso neugierig auf die Menschen Chinas wie diese auf uns. Fahrradfahrer hielten an und gesellten sich zu der Menge; Fußgänger machten unvermittelt halt und kamen herbei, um die Gruppe westlicher Frauen anzustarren.

Jetzt fiel wieder ein leichter, weicher Regen. Ich ging auf eine junge Frau zu und streckte die Hand aus. Sie wich zurück, scheu, fast ängstlich. Und dann, indem sie sich ganz fest auf mein Gesicht konzentrierte, streckte sie den Arm aus und berührte meine Hand.

Das war der erste Kontakt, so zögernd und neugierig wie der Kontakt unserer beiden riesigen Länder auf der Weltbühne. Ich kannte den Namen der Frau nicht, sie kannte den meinen nicht. Aber wir hatten einander berührt.

Die Menge hielt inzwischen den Verkehr auf. Ich schrieb auf ein Blatt Papier, »Hallo, ich freue mich, Sie kennenzulernen«, für den unwahrscheinlichen Fall, daß jemand vielleicht Englisch lesen konnte. Kichern, wahrscheinlich wegen der Eigenartigkeit des westlichen Gekritzels, und alle warteten darauf, daß ich noch etwas schrieb. Ich tat es. Wieder Gelächter. Dann schienen wir uns näher zu kommen. Wir taten ein paar Schritte, und die Menge ging mit uns, als wolle sie keine Geste und kein Lächeln verpassen. Es schien unmöglich, daß die weiter hinten Gehenden uns tatsächlich sehen konnten, aber sie drängten sich nicht vor, um einen besseren Blick zu haben. Sie schienen die Tatsache zu akzeptieren, daß diejenigen, die vorne waren, eben vorne waren. Die Erfahrung war fremdartig, aber irgendwie tröstlich. In anderen Ländern, die ich besucht hatte, sogar bei primitiven afrikanischen Stämmen, die noch nie zuvor einen Weißen gesehen hatten, gab es einen starken individuellen Antrieb, und die Leute drängten und stießen sich, um den Fremden mit eigenen Augen zu sehen – um nach vorn zu kommen. Nicht so in China.

Wir begannen uns langsam in Richtung auf das Kaufhaus zu bewegen, das drei Blocks entfernt war. Die Menge wich auseinander und ließ uns passieren. Als wir weitergingen und über das Erlebnis sprachen, folgten sie uns.

Die Verkäufer in dem schummrig erleuchteten Kaufhaus schienen verblüfft, als wir eintraten. Unita mit ihren gekräuselten Haaren war, nun ja, sie war *eindrucksvoll,* wie sie in diesem chinesischen Kaufhaus von Theke zu Theke ging und die Seidenstoffe befühlte. Große, hölzerne Ohrringe baumelten an ihren Ohren. Pat trug einen karmesinroten Hosenanzug aus chinesischem Brokat, den sie in Hongkong gekauft hatte. Die chinesischen Frauen starrten nervös auf ihre aufgetürmte Frisur, als fürchteten sie, sie könne jederzeit zusammenfallen. Karen stürzte in die Kinderabteilung, kaufte eine komplette Mao-Ausrüstung – Jacke, Hose, Mütze und Ansteck-nadel – und zog sich auf der Stelle um.

Irgendwann wurden die Lichter im Kaufhaus noch trüber. »Sie brauchen wahrscheinlich einen guten Elektriker«, sagte die Elektrikerin Nancy, während wir darauf warteten, daß unsere Augen sich der Dunkelheit anpaßten. Dann wurde die Beleuchtung wieder heller. Yeh hatte uns inzwischen eingeholt, um zu dolmetschen, und sie erklärte, solche Verdunkelungen kämen häufig vor, »um Elektrizität zu sparen«.

In der Abteilung für Elektrogeräte erwarteten uns schlechte Neuigkeiten. Die Stecker waren nicht das Hauptproblem. In China war eine andere Voltstärke üblich als bei uns in Amerika. Der zuständige Mann rüstete unsere sämtlichen Stecker um, aber das half nichts. Traurig schüttelte er den Kopf, und die Menge um uns herum schien unsere Enttäuschung zu spüren.

Nancy war bestürzt, ich ebenfalls. Wenn wir das öffentliche Stromnetz nicht benutzen konnten, waren unsere Batterien die einzige Stromquelle, und sie reichten nur für jeweils eine halbe

Stunde und mußten vierzehn Stunden lang wieder aufgeladen werden. Rasch verließen wir das Kaufhaus.

Unsere Lage war ernst. Ich wußte von meinen Wahlkampagnen her, daß einige Ereignisse einfach nicht *stattfinden,* wenn sie nicht aufgezeichnet werden. Sie sind wie der sprichwörtliche Baum im Wald; wenn er umfällt und niemand da ist, um es zu hören, verursacht er dann ein Geräusch? Ohne elektrischen Strom konnten wir unsere Reise nicht im Bild festhalten. Unsere Hoffnung, China all jenen zugänglich zu machen, die das Land nicht besuchen konnten, schwand dahin. Ich eilte in die Hotelhalle, wo noch immer unser Gepäck aufgestapelt war. Unsere gesamte Ausrüstung war nutzlos, solange wir sie nicht mit Elektrizität zum Einsatz bringen konnten.

Dann, am Aufzug, sprach Ninibah mich an, ihr Gesichtsausdruck war verdrießlich. »Warum habe ich kein Zimmer mit Blick auf den Fluß?« beklagte sie sich.

Ich besänftigte sie, auch andere von uns hätten keine Aussicht, und außerdem müßte ich das Problem mit den Steckern lösen, und würde mich ein andermal um die Zimmerverteilung kümmern. Ich ging in mein Zimmer, um Chang anzurufen.

Das Zimmer war recht schlicht; Steinfußboden, mit Laken bezogene Doppelbetten und einfache, graue Tücher als Tagesdekken. Das Fenster ging auf den Fluß hinaus. Ich wollte mir im Badezimmer das Gesicht waschen und fand Schmutzstreifen auf dem Fußboden und in der Wanne. Im Medizinschränkchen befanden sich ein Stück klare, gelbe Seife, ein grüner Kamm und ein sauberes Glas. Langsam wusch ich mein Gesicht. Dann rief ich Chang an. Sie versprach, sie werde uns einen Elektriker besorgen.

Der Lärm der Stadt drang in mein Zimmer. Unablässig wie in anderen Städten auch tönten die Hupen. Fahrradklingeln wetteiferten mit quietschenden Bremsen. Ich machte mir Sorgen wegen der Stecker, wegen des mangelnden Verständnisses der Chinesen, daß wir einen Film drehen wollten. All das beschäftigte mich, und ich schlief schließlich auf dem schmalen, harten Bett ein. Ich erwachte erst in der Dämmerung.

Zeitig am nächsten Morgen rief Nancy mich an, um mir mitzuteilen, daß unsere Probleme gelöst seien. Chang hatte einen Elektriker aufgetrieben, der der Situation gewachsen war und uns auf der ganzen Reise begleiten würde. Jetzt konnten wir uns auf unser Vorhaben konzentrieren. Pünktlich um halb acht hatten wir unsere erste Instruktionsstunde bei einem revolutionären Volkskomitee. Das Komitee, paritätisch aus Männern und Frauen zusammengesetzt, saß um einen langen Tisch, während unsere Delegation sich Notizen machte oder Tonbandgeräte bediente. In unseren hellen bunten Kleidern bildeten wir gegenüber dem Grau und Blau der Chinesen einen grellen, fremdartigen Kontrast.

Die Komiteemitglieder begannen über Produktionszahlen und Erfolgsindizes seit der Befreiung durch die Revolution zu sprechen, boten dabei Panda-Zigaretten an und füllten Tassen mit dampfend heißem Tee. Anfangs tranken wir ihn geräuschlos wie wohlerzogene Amerikanerinnen, aber als wir bemerkten, daß die Chinesen ihren Tee schlürften, taten wir es ihnen gleich.

Eine chinesische Instruktionsstunde ist eine ungewöhnliche Erfahrung, und in den folgenden Wochen sollten wir noch viele miterleben. Der Besucher wird mit einer Fülle von Fakten, Zahlen und Statistiken überschüttet, alles ohne Notizen und mit inbrünstigem Stolz vorgetragen. Stets werden Tee oder dampfend heißes Wasser gereicht, ebenso Zigaretten, und immer unter einem Portrait Maos, strahlend und jovial. An diesem ersten Morgen wurden wir mit Statistiken überhäuft, die alle einer grundlegenden Funktion dienten: Sie sollten uns über die großartigen Fortschritte informieren, die China seit der Revolution gemacht hatte. Vor der Revolution war Kanton beispielsweise eine Stadt mit nur geringfügiger Leichtindustrie; nun gab es dort Schwerindustrie, Schiffsbau und eine chemische Industrie. Die Stadt bestand aus zweiunddreißig städtischen Kommunen, und ihre Produktivität wuchs von Jahr zu Jahr.

Bei dieser Instruktion wie bei allen anderen erfuhren wir, wie das Gebiet organisiert war, entweder als Fabrik, als Kommune oder als Wohnbezirk; die Einwohner waren in Familien, Produktionseinheiten, Produktionsbrigaden, Revolutionskomitees und Straßenkomitees untergliedert. Immer war die politische Erziehung mit Belangen wie der Reinhaltung des Bezirks, menschlicher Hygiene, Sanitärproblemen und persönlichen Angelegenheiten wie Scheidung verknüpft.

Ich machte mir umfangreiche Notizen, und die anderen Frauen hörten aufmerksam zu. Eine Zeitlang. Ich sah hinüber zu Pat. Sie hatte mir an diesem Morgen erzählt, daß sie nichts essen könne. Es schien unglaublich, aber Pat hatte noch nie zuvor in ihrem Leben chinesisch gegessen. Sie fand zwar, daß man an einem Ei »nicht viel verderben kann«, wie sie es ausdrückte, »aber Shirley, heute morgen schwammen die Eier in Öl, der Schinken war halbgar, und die gekochten Eier waren roh«. Mir hatte der chinesische Haferbrei mit Fleisch und Gemüsen gut geschmeckt; Pat aber fand, so etwas esse man nicht zum Frühstück, und hatte Eier mit Schinken bestellt. Sie war nicht die einzige. Die anderen Frauen hatten sich ebenfalls beklagt, und die meisten hatten nur die dicken Brotscheiben gegessen, bestrichen mit viel Butter und Gelee. Allerdings hatte Pat frische Gurken entdeckt, sie waren ihr vertraut und daher in Ordnung. Doch nun hatte sie glasige Augen, sowohl von der Gurkendiät als auch von den Statistiken, mit denen wir überfüttert wurden.

Als die Instruktion beendet war und wir von unseren Stühlen mit den harten Rückenlehnen aufstanden, erschien uns das, was wir soeben gehört hatten, wenig sinnvoll. Wir waren Frauen aus Amerika. In Amerika wurde von uns normalerweise nicht erwartet, daß wir uns mit Wachstumsstatistiken, dem Bedarf an Maschinen und dem Problem der Ernährung von Millionen Menschen befaßten. Im Westen diskutierten Frauen Einzelfragen, die sie persönlich angingen. In China setzten sich alle zum Tee zusammen und redeten über Fortschritt, Statistik und Produktionsziffern. Die Chinesen entwickelten eine neue Form der Gesellschaft, und es schien kaum Zeit für anderes zu geben. Wir schüttelten Hände, bedankten und verabschiedeten uns. Pat ging allein davon und träumte vermutlich von Rühreiern und Hafergrütze.

Zwei Rotarmisten mit Bajonetten bewachten den Eingang zur kantonesischen Handelsmesse, einem halbjährlichen Ereignis, das 1957 begonnen hatte, für die chinesische Industrie und Landwirtschaft zu werben. Ein großes Plakat hing hoch über der Gruppe der Händler in der Haupthalle und verkündete in mehreren Sprachen: »Die Gefahr eines neuen Weltkrieges besteht noch immer, und die Völker aller Länder müssen vorbereitet sein. Aber die Revolution ist heute die Hauptströmung in der Welt.« Wie immer lächelte Maos Bild von einer Wand, ihm gegenüber blickten Lenin, Stalin, Marx und Engels auf die Besucher herab.

Wir konnten wählen, ob wir die Ausstellung für Schwerindustrie, Leichtindustrie, landwirtschaftliche Geräte oder Kunst und Handwerk besichtigen wollten. Wir entschieden uns für Kunst und Handwerk. Statt dessen wurden wir geschickt in die Landmaschinenausstellung gelotst. Da gab es Modelle von Kommunen zu bestaunen, komplett mit Bewässerungsplänen und Anbaumustern, und eine Frau informierte uns über die ertragreichen Reis-, Mais- und Fruchternten. Die meisten von uns waren Städterinnen, und Nahrungsmittel waren etwas, was man im Supermarkt kauft. Die Chinesen schienen verwirrt über unseren Mangel an Interesse. Für sie war ausreichend Nahrung überlebensnotwendig. Für uns war sie etwas so Selbstverständliches, daß wir selten nach ihrer Quelle fragten.

Die Frauen unserer Delegation begannen sich zu zerstreuen und nach interessanten Dingen Ausschau zu halten. Ich bemerkte, daß Chang und Yeh uns beobachteten. Sie sagten nichts. Offenbar waren sie nicht überrascht.

Wir fanden die Abteilung für Kunst und Handwerk. Die gläsernen Schaukästen waren voll schöner Dinge – Emailarmbänder mit Gold und Edelsteinen; Jadeschnitzereien; feingearbeitete Ohrringe aus Elfenbein; Halsketten aus Rubinen und Jade, schimmernd und prachtvoll auf moosgrünem Samt drapiert. Yeh und Chang lächelten uns zu.

»Sind Sie an solchen Juwelen interessiert?« fragte ich sie.

»Nein«, antwortete Chang. »Solche Schmuckstücke hindern

uns daran, gut zu arbeiten. Sie sind uns im Weg, wenn wir uns bewegen.«

Würde es ihr gefallen, einige der schönen Dinge aus diesen Schaukästen, die sämtlich nur zum Export bestimmt waren, zu besitzen?

»Sie sind schön, aber wie ich schon sagte, es wäre schwierig, sie zu tragen und dabei meine Arbeit gut zu tun«, wiederholte sie.

So einfach war das. Ich spürte keinen Zweifel, kein Bedauern und keine Verstellung in Changs Stimme. Wir alle um sie herum brachen angesichts der Juwelen in Ahhh und Ohhh aus, als seien wir soeben bei »Tiffany« eingetreten. Selbst als Chang sagte: »Frauen aus der Welt draußen interessieren sich immer für schönen Schmuck, Seidenstoffe und Brokat, und die Männer wollen neue technologische Erfindungen, die die Arbeit, den Erfolg und den Profit beschleunigen«, schien sie nicht tadelnd oder sarkastisch. Es war, als ziehe sie die Summe der Unterschiede zwischen ihrer Welt und unserer.

Und ihre Beurteilung von zweitausend Jahren westlicher Zivilisation war wohl ziemlich zutreffend.

Auf der Messe sah ich die Chinesen mit den arabischen, französischen, italienischen und amerikanischen Kaufleuten verhandeln; die meisten von ihnen schienen ständig ungeduldig wegen irgendwelcher Geschäfte, die nicht zustande gekommen waren, zu lange gedauert hatten oder zu teuer geworden waren. Die Chinesen hörten höflich zu, wenn ihre Dolmetscher ihnen die Einwände erklärten, und dann lehnten sie sich beinahe gönnerhaft zurück und rauchten ihre Zigaretten. Sie schienen nicht sonderlich an Geld interessiert zu sein, und ganz bestimmt arbeitete die Zeit für sie. Wenn ein Geschäft nicht in den ersten fünf Minuten zustande kam, dann warteten sie eben. Nicht nur die Zeit, sondern auch der Staat war auf ihrer Seite.

Ich fragte einen chinesischen Kaufmann, ob das Kaufen und Verkaufen auf der Messe eine Form des Kapitalismus sei.

»Nein«, entgegnete er, »es ist gegenseitiger Austausch.«

## 18

Am nächsten Nachmittag in Kanton fuhren wir mit dem Bus zu einem Besuch der Der-Osten-ist-rot-Schule, um uns einen Eindruck zu verschaffen, wie China seine Kinder aufzog. Fünf unserer Delegationsmitglieder hatten selbst Kinder, sieben waren kinderlos, aber alle, einschließlich der zwölfjährigen Karen, hatten eine Vorstellung davon, wie Kinder erzogen werden sollten, und fragten sich als Amerikanerinnen auch manchmal, ob die amerikanische Art wohl richtig sei. Wir freuten uns auf die Fahrt. Wir interessierten uns weniger für den Bau einer Fabrik für Drehbänke, aber die Erziehung von Kindern erregte unsere Wißbegierde.

In der Schule wurden wir von den Lehrerinnen begrüßt, die zum größten Teil mittleren Alters waren. Auf dem Schulgelände befanden sich Hunderte von kleinen Kindern, zwei, drei und vier Jahre alt, die zusammen sangen und auf Schaukeln spielten. Als sie uns sahen, eilten sie auf uns zu und sangen auf chinesisch: »Willkommen, Tanten, willkommen, Tanten!« Die Kinder trugen Lippenstift und Rouge und sahen wie Puppen aus. Lachend und freundlich, als wüßten sie, daß sie liebreizend wirken sollten, klatschten sie in die Hände und riefen ihre Begrüßungen. Es war, als würden wir von einer Armee lebendiger Puppen überrannt.

Unsere Delegation wurde in ein Klassenzimmer geführt. Dort standen die Kinder auf, applaudierten und warteten, bis wir alle einen Stehplatz gefunden hatten, ehe sie sich wieder hinsetzten. Sie begannen den Unterricht damit, daß sie Worte mit Bildern assoziierten, und zwar ohne die Unterweisung einer Lehrerin. Dann trat die Lehrerin in den Kreis der Kinder und las eine Geschichte vor über einen kleinen Jungen, der hingestürzt war, sich verletzt hatte und die Hilfe eines Nachbarn brauchte. Als sie geendet hatte, bat sie um Vorschläge, wie man dem kleinen Jungen helfen könne, und alle Hände hoben sich. Die Lehrerin hörte aufmerksam zu, wie die Kinder begeistert ihre Ideen beisteuerten. Sie lernten verschiedene Dinge: wie man sich mitteilt, wie man einander hilft und wie man ein Problem löst. Ich erinnerte mich an die vielen Schulstunden, die ich als Kind mit dem Auswendiglernen theoretischer Antworten auf theoretische Fragen verbracht hatte, bei denen die richtige Antwort nur dem Zweck diente, in die nächste Klasse versetzt zu werden. Ich versuchte mich zu besinnen, ob ich als Kind anhand meiner Hilfsbereitschaft beurteilt worden war. Ich erinnerte mich, daß das ein Teil der Betragensnote gewesen war, aber nicht Teil der schulischen Bewertung.

Ich fragte die Lehrerin, ob das Betragen im Kindergarten ebenso wichtig sei wie der Lehrstoff. Sie antwortete: »Je freundlicher und rücksichtsvoller ein Kind gegenüber seinen Kameraden ist, desto mehr wird es bewundert und für wichtige Ämter unter seinen Altersgenossen empfohlen.«

Nach dem Unterricht standen die Kinder auf und sangen mit aller Kraft ihrer kleinen Stimmen zur Klavierbegleitung einer Lehrerin. Übersetzt lauteten die Worte des Liedes:

*Wir sind die Blumen unseres Vaterlandes.*
*Wir wachsen in der Sonne auf.*
*Wir sind die kleinen Roten Garden.*
*Wir müssen uns zusammenschließen und ausländische Gäste*
*willkommen heißen.*
*Wir müssen gute kleine Kinder des Vorsitzenden Mao sein.*
*Wir alle sind Kinder des Vorsitzenden Mao.*

Am Ende des Liedes klatschten die Kinder in die Hände, und dann wurden sie in einen großen Versammlungsraum in einem anderen Teil der Schule geführt. Die Türen und Fenster öffneten sich auf einen leeren Bühnenraum, ein Klavier und einen Bereich, in dem wir saßen. Im Raum befanden sich die kleinen Kinder, die wir draußen gesehen hatten und die Rouge und Lippenstift trugen.

Die Kinder gaben eine Vorstellung. Sie sangen und tanzten, und alles drehte sich um den Vorsitzenden Mao. Es handelte sich um ein fünfzehnminütiges Stück über ein Mädchen, das zum erstenmal in die Schule kommt und besonders an einem Spielzeugflugzeug hängt. Als Neuling versteht es die Lehre des Vorsitzenden Mao noch nicht richtig und will das Flugzeug ganz für sich allein behalten. Sanft erziehen ihre Kameraden sie zum Teilen, entsprechend Maos Lehre von gegenseitiger Fürsorge füreinander. Die Kleine lernt, das Flugzeug auch anderen zu geben, und dann teilen auch alle anderen ihre Spielsachen mit ihr. Das Stück endet damit, daß alle Kinder spielen und rezitieren: »Wir müssen fleißig lernen und Fortschritte machen. Wir sollen uns anderen widmen, ohne an uns selbst zu denken.«

Ich atmete tief ein und bemühte mich, das, was ich da sah, ganz in mich aufzunehmen: die Verherrlichung der Selbstlosigkeit, die freundliche Erziehung eines Kindes, das nicht angepaßt ist, die Weigerung, dieses Kind auszuschließen, die Förderung von Gruppenaktivität, die Verehrung für die Weisheit des Vorsitzenden Mao (nach einer Woche bezeichnete auch ich ihn bereits als Vorsitzenden Mao). All das kam in dem kleinen Stück vor, und überall, wohin wir an diesem Tag und später noch kommen sollten, wurden dieselben Tugenden dargestellt und vermittelt. Ein Kinderspiel, ein Gemälde, eine Oper: alle mußten ein soziales Ziel deutlich machen. Allmählich wurden die wesentlichen Werte sichtbar: Ausschaltung des Wettbewerbs und Unterordnung individueller Wünsche unter das Gemeinwohl. Das war zweifellos etwas ganz anderes als unser Monopoly-Spiel.

In einem anderen Raum sahen wir eine Gruppe kleiner, puppenähnlicher Kinder, die an langen Tischen saßen und Quasten flochten, die später an in Fabriken verkauften Nähmaschinen befestigt werden sollten. Sie saßen auf winzigen Stühlen, und ihre kleinen Hände arbeiteten intensiv an den Quasten und knüpften komplizierte Knoten. Gelegentlich sah ein Kind auf, machte sich dann aber sofort wieder an seine Aufgabe. Über den Tischen hing ein Spruchband: »Arbeit ist ruhmreich.«

Wir sahen einander an, Claudia begann zu filmen, und Pat Branson, diejenige unter uns, deren Tätigkeit einer handwerklichen Arbeit noch am nächsten kam, schüttelte den Kopf. »Bemerkenswert«, sagte sie. »Sie lehren diesen Kindern Liebe zur *Arbeit.* Ja, tatsächlich, und das beweist, daß es möglich ist, wenn man früh genug damit anfängt. Bemerkenswert. Wirklich bemerkenswert.«

Sie hielt inne. »Wißt ihr, ich bin eine arbeitende Frau, und ich wünschte, jemand hätte *mir* beigebracht, die Arbeit zu lieben.«

Dann diskutierten wir alle. Ich hörte Margaret sagen, sie finde, die Kinder wirkten programmiert, aber Phyllis, die Erfahrung als Kinderpsychologin hatte, war anderer Meinung. »Diese Kinder haben Spaß daran, Margaret«, widersprach sie. »Sie lernen, sich an der Arbeitskraft dieser Gesellschaft zu beteiligen, und das ist etwas, was wir zu *vermeiden* suchen. Wir würden alles tun, um nicht arbeiten zu müssen, aber diese Kinder lernen, mehr zu arbeiten.«

»Auf mich wirken sie trotzdem programmiert«, beharrte Margaret.

Draußen hatte ein Teil der Kinder Pause, und fast hundert Kinder spielten Tauziehen. Einige Frauen unserer Gruppe fingen an, Partei zu ergreifen und eine Hälfte der Teilnehmer anzufeuern. Als wollten sie uns antworten, hörten die Kinder mitten im Spiel auf und riefen einander zu: »Freundschaft zuerst! Wettbewerb an zweiter Stelle! Freundschaft zuerst! Wettbewerb an zweiter Stelle! Wir lernen von euch. Ihr lernt von uns. Wir lernen voneinander!«

Die Kinder rezitierten weiter, während eine Lehrerin ihnen zuschaute und Claudia und Joan zu filmen begannen. Plötzlich sprang Margaret zu den Kindern; sie wählte eine Seite, nahm das Ende des Seils und zog mit aller Kraft, bis sämtliche Kinder der Gegenseite hinstürzten. Die anderen amerikanischen Frauen lachten und applaudierten, aber ich bemerkte, daß die Kinder sehr verwirrt waren und die Lehrerin ratlos aussah.

Die Kinder standen auf, und die Lehrerin begann damit, die Mitspieler so zu verteilen, daß die Stärke auf beiden Seiten ungefähr ausgeglichen war. Sie blies auf einer Pfeife, und das Spiel begann erneut. Diesmal mischte sich Unita ein. Mit ihren zweihundert Pfund zog sie an einem Ende des Seils und schaffte es, ebenso viele Kinder umzuwerfen wie Margaret.

Das Spiel war nun völlig durcheinander, die Lehrerin war ärgerlich, und die Kinder sahen uns an, als seien wir gewalttätige und aggressive Fremde, die gekommen waren, um Spiele zu spielen, deren Regeln sie nicht kannten. Wir hatten ihr Spiel gestört, und wir hatten dieser Störung auch noch applaudiert. Wenn die Lektion des Spiels darin bestand, den Wettbewerb der Freundschaft unterzuordnen, dann hatten wir die Lektion gründlich verdorben. Ich gab der Gruppe zu verstehen, daß es Zeit sei, sich zu verabschieden.

Später, als wir Tischtennis, Gymnastik, Basketball und Wettlauf sahen, bemerkte ich, daß in China dieselben Wertvorstellungen auf alle Spiele angewandt wurden. Es ging darum, das Spiel möglichst gut zu spielen; Sieg oder Niederlage waren unwichtig. Bei einem Spiel wie Tischtennis wurden zwar die Punkte gezählt, doch oft ging es nur darum, die Leistung der Spieler und das Potential ihrer Geschicklichkeit zu messen. Bei der Gymnastik war ich verblüfft über die Ausdauer der Kinder, während sie versuchten, ihre eigenen Fehler zu korrigieren. Ich sah mehrere Kinder, die doppelte Salti übten und mit einem Fuß auf dem Schwebebalken landeten. Wenn sie ihn verfehlten, wurde das nicht gegen sie gezählt. Statt dessen begannen sie wieder von vorn und versuchten es so lange, bis sie es geschafft hatten. Wann immer einem Kind etwas Schwieriges gelang, eilten seine Mitturner herbei und gratulierten ihm. Ich dachte an einen Jungen, den ich kannte; er erlitt einen Nervenzusammenbruch, weil er ein bestimmtes Sportabzeichen nicht schaffte. In China, so schien es mir, spielte es wirklich keine Rolle, wer gewann oder verlor, wie Grantland Rice einmal sagte; wichtig war, *wie* man das Spiel spielte.

Wir besuchten auch Säuglingskrippen, in denen Babies – oft erst zwei Monate alt – von ausgebildeten Kinderschwestern betreut wurden, die der Staat angestellt hatte. Selbst hier, wo die Kinder noch nicht sprechen konnten, wurden sie angeregt, Dinge zu teilen. Gewöhnlich wurden die Kinder morgens in diese Säuglingskrippen gebracht, damit die Mütter und Väter zur Arbeit gehen konnten (einige Familien entschieden sich auch dafür, die Babys von den Großeltern betreuen zu lassen, eine Aufgabe, die den Älteren Freude machte). Fast jede Fabrik, jede Kommune und jedes Straßenkomitee unterhielt eine solche Säuglingskrippe, in der Regel von Frauen geführt, »weil Frauen besser mit Kindern umgehen können«. Einige Kinder wurden jeden Abend abgeholt, andere am Wochenende, und wenn eine Mutter ihr Baby stillte, erschien sie pünktlich zur Mittagszeit.

Die Kinder, in bunte Strampelanzüge gekleidet, schliefen in Bettchen, über denen bewegliche Spielsachen befestigt waren, während die Kinderschwestern (normalerweise jeweils eine Schwester für drei Kinder) sie liebevoll beaufsichtigten. Die Säuglinge wurden häufig liebkost, wenn die Schwestern sie in den Arm nahmen und fütterten, wann immer sie hungrig waren, und überall gab es Spielzeug: Lastautos, Autos, Tiere, Raumfahrer und Bälle. Die kleinsten Kinder saßen gemeinsam in Laufställchen und lernten, einander zu berühren. An dem Tag, an dem wir sie besuchten, ließen sie sich von unseren Kameras und Scheinwerfern nicht stören. Sie hörten für ein paar Minuten zu spielen auf, wandten sich dann aber wieder ihren Spielgefährten zu. Nie habe ich ein besseres Beispiel für den alten Spruch gesehen, daß wir Erwachsenen für Kinder ganz uninteressant sind.

Hier erkannte ich, daß etwas ungeheuer Bedeutsames im Gange war. Ich stand in einer Kinderkrippe und beobachtete die Kinder, und auf einmal wurde mir klar, daß Chinas Neuer Gesellschaft durch ihre Kinder der übertriebene Wettbewerbssinn aberzogen wurde. Vom frühesten Kindesalter an wurden die Kinder angehalten, »selbstlos« zu teilen. Wenn die Kinder nicht um Spielsachen wetteiferten, dachte ich, dann würde es ihnen später sehr schwerfallen, um Autos, Schmuck oder Häuser in den Vororten zu konkurrieren. Ich fragte mich, ob der Konkurrenzgeist der menschlichen Natur überhaupt angeboren sei, und da die Kinder so glücklich und geborgen wirkten, stellte ich mir auch die Frage, ob Kinder ihre Mütter und Väter tatsächlich so nötig brauchen, wie wir das glauben, wenn ihre Umgebung ansonsten harmonisch und glücklich ist.

Während ich die Kinder beobachtete, beobachtete ich auch die anderen Mitglieder unserer Delegation. Ich konnte nicht in ihre Köpfe hineinsehen, wußte nicht, was sie im tiefsten Inneren empfanden, und ich rechnete nicht damit, daß sie genauso auf China reagieren würden wie ich. Aber etwas rührte sie an. Claudia und die anderen Mitglieder des Teams fingen an, sich sehr langsam zu bewegen. Sie sprachen unwirsch miteinander. In dieser Umgebung könne man nicht gut drehen, sagten sie. Sie begannen, Nahaufnahmen von Spielsachen zu machen. Nach einer Stunde wirkten sie erschöpft.

Alle schwiegen an diesem Tag auf dem Rückweg ins Hotel. Claudia und Joan saßen da, ihre Kameras auf dem Schoß, und starrten aus dem Busfenster. Vermutlich dachten wir alle an unsere eigenen Kinder und die Art und Weise, wie wir selbst aufgezogen worden waren. Ich dachte an meine Tochter Sachi, die jetzt siebzehn war. Ich hoffte, ihr ein Gefühl von Unabhängigkeit gegeben zu haben. Als Frauen, die in einer schwierigen Zeit leben, hatten wir alle mit den Entscheidungen gekämpft, die mit der Erziehung eines Mitmenschen verbunden sind, der zufällig ein Sohn oder eine Tochter ist. Diejenigen, die das noch nicht erlebt hatten, würden vielleicht auch eines Tages solche Entscheidungen treffen müssen. Yeh und Chang beobachteten uns aufmerksam. Ich beugte mich zu Phyllis und fragte sie, was sie zu alldem meine.

»Ich bin erstaunt«, sagte sie. »Ich hätte das nicht für möglich gehalten.« Sie suchte nach Worten, um ihre Eindrücke auszudrükken. »Unter den Kindern, die wir bisher gesehen haben, war nicht ein *einziges,* das ich auch nur als geringfügig gestört bezeichnen würde. Es ist unglaublich.«

An diesem Abend trafen wir uns alle in Pats Zimmer, um über das zu reden, was wir gesehen hatten. Claudia beschloß, die Zusammenkunft zu filmen. Auf unserer ganzen Reise war dieser Abend derjenige, der der chinesischen Methode der »Selbstkritik« am nächsten kam. In zurückhaltender Stille aßen wir mit unseren Eßstäbchen und warteten darauf, daß jemand die Diskussion eröffnete. Schließlich ließ Claudia die Kamera sinken.

»Tja, also ich bin total verblüfft über das, was wir gesehen haben. Diese Kinder müssen darauf programmiert sein, sich so zu verhalten, wie sie es tun.«

»Ich weiß nicht«, warf Margaret ein und rückte von ihrem früheren Standpunkt ab. »Mir scheint, sie werden zum Teilen erzogen, und das kann doch nur gut sein.«

»Aber wie die Kleinen verhätschelt wurden«, meinte Claudia, »das war einfach grotesk.«

»Was meinst du damit?« fragte Pat. »Sie bekommen eben viel Hinwendung.«

»Ich meine nicht die Hinwendung«, versetzte Claudia heftig. »Ich meine das übertriebene Verhätscheln.«

Damit waren wir mitten im Thema. Phyllis wies darauf hin, daß es vor allem die amerikanischen Frauen sind, die ihre Kinder allzu sehr verhätschelten, »als ob sie Puppen wären«. Claudia bestand darauf, die ganze Sache sei grotesk. Margaret gestand, sie wünschte, sie hätte ihre Kinder in eine solche Krippe geben können, als sie klein waren. Phyllis meinte, sowohl die Kinder als auch ihre Erziehung seien gesund, und die Betonung der Arbeit sei das Gesündeste von allem. Claudias Ausdruck wurde immer angespannter, und es fiel ihr schwer, uns zu filmen.

»Ich sage euch, es war grotesk«, wiederholte sie plötzlich. »Ich meine, würdet ihr *wirklich* wollen, daß eure Kinder in einer Säuglingskrippe aufwachsen? Oder in einem Tageshort? Die Wahrheit!«

Es war sehr still im Zimmer. Eines der Hauptanliegen der Frauenbewegung war die Einrichtung von Tageshorten gewesen, die die Frauen von der Last der Kindererziehung und der Hausarbeit befreien und ihnen ermöglichen sollten, außer Haus zu arbeiten. Und nun kam eine Feministin und stellte das in Frage. Ich wollte von Claudia wissen, ob sie sich allgemein über das Prinzip von Tageshorten und Säuglingskrippen errege oder über das, was in China *in* diesen Einrichtungen geschehe.

»Ich rege mich nicht auf«, sagte sie. »Ich frage mich bloß, weshalb ihr alle diese Einstellung habt, weiter nichts.«

Ich erwähnte die Einstellung der Frauenbewegung zu Tageshorten für Kinder und fragte Claudia erneut, was sie meine.

»Nichts«, sagte sie. »Ich habe nur versucht, euch dazu zu provozieren, daß ihr aus euch herausgeht.«

Alle hörten zu essen auf, und Claudia sah aus wie ein verwundetes Reh. Nach einer Weile standen wir auf, wünschten uns eine gute Nacht und gingen in unsere Zimmer. China war im Begriff, uns anzurühren. Ich hoffte, wir würden standhalten und nicht auseinanderfallen, wie es so vielen westlichen Delegationen passiert war. Als ich zu Bett ging, schien das China, das ich mir vorgestellt hatte, so unzugänglich wie eh und je.

## 19

Irgendwann gegen Ende der ersten Woche in Kanton merkte ich, wie schwierig die Reise werden würde. Ostern nahte. Karten und Briefe aus Amerika mit Berichten über Eiersuche und Schokoladenhasen, Familienessen und Grillfeste erreichten uns. Heimweh breitete sich in der Delegation aus wie eine Krankheit. Wenn unsere chinesischen Reiseführerinnen anwesend waren, sagten die Frauen wenig, aber wenn wir unter uns waren, brach es heraus.

Pat Branson hörte buchstäblich zu essen auf. Ihre Augen wirkten wie eingesunkene Höhlen, und ihr Gesicht bekam einen gehetzten Ausdruck. Dreimal täglich Gurken war eben nicht genug. Sie wollte das Essen, das sie gewohnt war und in einem fremden Land nicht bekommen konnte. Frustriert pochte sie auf den Tisch im Speisesaal, um sofort bedient zu werden, und wußte schon vorher, daß sie das, was man ihr servierte, nicht essen würde. Die Chinesen pflegten schockiert zurückzutreten. Als ich Pat daran erinnerte, daß sie nicht in Texas sei, daß die Chinesen ein stolzes Volk seien und glaubten, ein Kellner im Speisesaal sei ebenso wichtig wie ein Mitglied des Zentralkomitees, beruhigte sie sich etwas, blieb aber bei ihren Gurken.

Es war schwer, auf Pat böse zu werden. Sie bestrafte sich selbst für all die Dinge, die ihre Persönlichkeit geformt hatten. Sie nahm die verschiedensten Tabletten: alle paar Stunden Beruhigungsmittel, Pillen für den Magen, abends Schlaftabletten. Benommen von ihren Schlafmitteln, wachte sie morgens um halb fünf vom Rasseln ihres Reiseweckers auf, um ihr zweistündiges Make-up-Ritual zu vollziehen, bevor ihre Zimmergenossin aufwachte. Unita hatte ihr einmal gesagt, ohne die ganze Schminke sehe sie viel besser aus, doch Pat behauptete, Unita habe sie nie ohne Make-up gesehen. In der ganzen Zeit, die wir miteinander verbrachten, sah niemand Pat je ungeschminkt.

Während sich das Unbehagen ausbreitete, merkte ich, daß ich mich bewußt von den übrigen Frauen fernhielt. Ich wollte keine langen Stunden damit zubringen, verschiedenen unglücklichen Geschichten zu lauschen. Dies war möglicherweise die einzige Gelegenheit, China zu sehen, die ich je haben würde. Ich wollte alles sehen, alles kosten, die Märkte riechen, die Morgendämmerung begrüßen, lange aufbleiben, um mit Chinesen über ihr Leben, ihre Hoffnungen und ihre Kämpfe zu sprechen. Mit Amerikanern konnte ich reden, wenn ich wieder in Amerika war.

Doch als ich mich von den anderen absetzte, wuchs deren Unzufriedenheit. Sie klagten, Kanton sei heiß und laut, und sie wollten fort. Ninibah gab zu erkennen, sie wolle China überhaupt verlassen. Sie sagte einigen der anderen Frauen: »Ich bin eine störrische, dickköpfige Indianerin, und wenn ich das Gefühl bekomme, daß ich genug habe, dann werde ich einfach abreisen.« Als ich sie darauf ansprach, meinte sie, das sei ganz und gar nicht so, sie denke nicht an Abreise, und sie lerne eine Menge. Aber ich mußte sie erst zur Rede stellen. Die Vorstellung, wir könnten zu zwölft eine Reise der Selbsterforschung und des Abenteuers unternehmen, schwand also rasch dahin. Wir hatten zuviel Ballast aus Amerika mitgebracht.

Einige der Frauen sprachen ständig von ihren Müttern, mit Ausnahme von Margaret, Rosa und Phyllis, aber Pat, Unita, Ninibah redeten viel davon, wie ihre Mütter auf China reagieren würden, fragten sich, ob sie die Speisen essen würden, was sie über die Art und Weise denken würden, wie die Chinesen sich kleideten oder ihre Kinder erzogen, und was sie von der Geringschätzung, die Chinesen für Kleidung, Frisur, Make-up und all die anderen Erscheinungsformen sexueller Verführung empfanden, wohl halten würden.

Vermutlich bedeutete das, daß sie damit begannen, ihr Leben neu einzuschätzen, beginnend bei den Grundwerten. Ich konnte ihre Motive nicht analysieren, aber ich wußte, daß ich mehr an meiner eigenen Reaktion auf China interessiert war als daran, was meine Mutter von alldem halten würde.

Wir saßen beispielsweise im Bus, und während ich mich mit Yeh oder Chang unterhielt, hörte ich die anderen in Gespräche über ihre Freunde, Ehemänner oder Jobs zu Hause vertieft. Gelegentlich sprachen sie auch mit unseren Reiseführerinnen, aber häufiger redeten sie über Amerika. Allmählich begann ich zu begreifen, daß meine Begleiterinnen Amerika nie wirklich verlassen hatten.

Karen mit ihren zwölf Jahren trug am wenigsten Erinnerungsballast mit sich herum, den sie abwerfen mußte. Doch eines Tages in einem Kinderhort geschah etwas Eigenartiges. Karen hatte sich mit einigen kleinen Chinesinnen angefreundet. Sie nahm ein Baby auf, während sie die Hand ihrer neuen chinesischen Freundin hielt, und plötzlich brach sie in Tränen aus.

Ich wollte gern mit ihr sprechen und ging mit ihr in Claudias Zimmer, als wir wieder im Hotel waren. Ich dachte, sie müßte die unmittelbarsten und direktesten Gefühle in bezug auf China haben. Ich fragte sie, ob sie damit einverstanden sei, daß wir ihre Reaktionen auf die Erfahrung filmten. Sie nickte und brach, als die Kameras liefen, in Tränen aus. Die Worte strömten nur so aus ihr heraus. China, sagte sie, sei der einzige Ort, wo sie sich jemals sicher gefühlt habe. In Amerika lebe sie hinter verschlossenen Türen, aber die Chinesen hier seien so freundlich und feinfühlig und gut, daß sie wisse, hier könne ihr nichts passieren. Sie sprach über Dinge, die in ihrem jungen Leben geschehen waren und die sie Menschen gegenüber mißtrauisch gemacht hatten, und sie sagte, sie würde alles darum geben, in China bleiben zu können.

Sie schluchzte. In Amerika seien die Schulkinder grausam, weil Amerika eine kriegerische Nation sei; als sie versucht habe, gegen den Vietnamkrieg zu arbeiten, sei sie hart kritisiert worden; Geld und Macht und Skrupellosigkeit seien das einzige, wofür Amerikaner sich einsetzten. Aber hier in China fühle sie sich »zugehörig«. Die Tränen rannen hemmungslos, und ich hielt sie im Arm und versuchte, sie zu trösten.

Den Kameras ging der Film aus. Karens Weinen ließ nach, und ich brachte sie in ihr Zimmer und bemühte mich, sie damit zu beruhigen, daß die Dinge in Amerika nicht ganz so schlecht seien, wie sie glaube. Sie solle die Reise genießen, daraus lernen und dann zurückfahren und an alle ihre Freunde weitergeben, was sie erfahren habe. Sie stimmte zu. Ich küßte sie und bat sie, sich hinzulegen und auszuruhen.

Später an diesem Nachmittag sagte Karen zu Pat Branson, mehr als alles andere in ihrem Leben wünsche sie sich, Schauspielerin zu werden.

## 20

Das Freedom-Hotel in Shanghai war groß und komfortabel, ein Relikt aus der Zeit, als die Stadt von Ausländern beherrscht wurde. Die Zimmer waren mit Teppichen ausgelegt, dicke, daunenweiche Federbetten und Tagesdecken statt der grauen Tücher von Kanton; Badewannen, in denen man sich ausstrecken und genußvoll schwelgen konnte. Man konnte die Schränke begehen, sich in mannshohen Spiegeln betrachten, die weiße Spitze auf den Stuhllehnen und die feingeschnitzten Holzdecken bewundern. Die Zimmer waren anheimelnd, und wir fühlten uns wie verzaubert. Wir jauchzten vor Entzücken.

Im Vergleich zu dem kalten Funktionalismus des Hotels in Kanton war das Freedom-Hotel der reine Luxus. Ich genoß den Luxus und lachte mit den anderen, wenn jemand neckte, wir seien nichts weiter als »eine Bande von glücklichen Kapitalisten«. Aber ich war auch erleichtert, weil meine Begleiterinnen wieder glücklich schienen. Übersprudelnd begutachteten sie gegenseitig ihre Zimmer und bewunderten die verschiedenen Ausblicke auf den großen Seehafen. Sie eilten an den Schalter in der Halle und kauften Briefmarken und Postkarten, um sie nach Hause zu schicken. Ich ging aus, um mir die Stadt anzusehen.

Shanghai. Ich sprach das Wort vor mich hin, als ich durch die Straßen dieser riesigen Stadt lief. Shanghai. Fünfzehn Millionen Menschen in einer Stadt, die einst berühmt war für ihre exquisiten Bordelle, ihre Opiumhöhlen, die Korruption und Verderbtheit. Ich schlenderte die Bund-Straße entlang, jene berühmte Uferstraße, auf der die Briten Opium im Austausch gegen chinesische Schätze abgesetzt hatten. Hier waren einst die berühmtesten Prostituierten neben ihren verhungernden Landsleuten ihrem Gewerbe nachgegangen. Jetzt war der Fluß Hwang Pu überfüllt mit Frachtern, Schleppdampfern, Barken, Sampans und Ruderbooten. Das Leben wurde auf dem Fluß gelebt, teilweise so zeitlos wie China selbst, aber auch Resultat des großen industriellen Aufschwungs des Landes seit der Befreiung durch die Revolution. Ich atmete die Gerüche des Flusses ein, während der Wind mein Gesicht peitschte, und fragte mich, wo der Hwang Pu in den mächtigen Yangtze einmündete. Ich hatte Bilder von Mao gesehen, wie er im Yangtze schwamm. Ich fragte mich, wie ein Mann seines Alters in so guter körperlicher Verfassung sein konnte. Ich dachte auch an die zehntausend Menschen, die Tschiang Kai-shek 1927 getötet hatte, und an Tschou En-lai, der angeblich als buddhistische Nonne verkleidet aus der Stadt geflohen war. Er hatte sich nach Norden gewandt, um sich Mao Tse-tung anzuschließen, nachdem er begriffen hatte, daß in China die Revolution nicht in den Städten stattfinden konnte. Man machte sie auf dem Land.

Ich bog in die Nanking-Road ein und fand mich in einem Meer von wogenden, strömenden, drängenden Menschen wieder. Ein Gewühl von Fahrrädern und Honking-Fahrzeugen. Ich beobachtete einen heranwachsenden Jungen, der in seiner »Freistunde« den Verkehr regeln half; er trug kein sichtbares Symbol von Autorität, weder Uniform noch Abzeichen, keinen Stock und keine Waffe; doch alle gehorchten seinen Anweisungen. Das Ganze wirkte wie eine riesige, menschliche Symphonie, in der jeder stolz dasselbe Instrument spielte.

Shanghai. Wieder sprach ich das Wort vor mich hin. Vielleicht würde ich hier zu verstehen lernen, was die Revolution der Chinesen wirklich bedeutete.

An diesem Abend aßen wir im Ausländer-Speisesaal im sechsten Stockwerk des Hotels. Ich fragte mich, wie das Leben in den Tagen vor der Revolution gewesen sein mochte, als die Reichen und Mächtigen in denselben Speisesälen aßen, von Macht und gemeinsamem Wohlstand sprachen, überzeugt, ihre Herrschaft werde ewig dauern, Toasts ausbrachten und herablassend die chinesischen Bauern belächelten, die sie bedienten. Ich fragte mich, was in ihnen vorgegangen sein mochte, wenn jemand eine Gruppe von Revolutionären erwähnte, die irgendwo in den entfernten Hügeln für ihre Ziele kämpfte.

Wir wurden an zwei großen, runden Tischen bedient, die reich mit Kastanien, Spinat, Rindfleisch, gewürzten Klößen, Bier und

Mineralwasser gedeckt waren. Die Kellner warteten zurückhaltend, während wir aßen, kicherten und uns unterhielten. Sie waren so ganz anders als die Warner Brothers chinesische Kellner darzustellen pflegten. Sie vollführten keine Kratzfüße und keine unterwürfigen Verbeugungen, nirgends standen Topfpalmen, und keine Ventilatoren kreisten über unseren Köpfen, um den Eindruck zu erwecken, die Welt sei in Ordnung. Das Essen, das sich kaum von dem in Kanton unterschied, war gut: süßer und saurer Fisch, Eiersaucen, Bohnenquark. Wir speisten mit gutem Appetit. Pat Branson aß wie immer Gurken.

An einem anderen Tisch beäugte eine Gruppe Franzosen die Speisen mit der amüsierten Verachtung, die sie Ausländern gegenüber an den Tag legen. Einige Japaner in formellen Geschäftsanzügen, Krawatten und sauberen weißen Hemden repräsentierten die neue kapitalistische Welt. Mit einer gewissen Grobheit überspielten sie ihre möglichen Schuldgefühle gegenüber den Chinesen. Später sprach ich mit einigen Japanern und stellte fest, daß China sie verstörte, sie aber auch viel von dem bewunderten, was sie gesehen hatten. Die Verheißungen für die Zukunft empfanden sie als bedrohlich, und ich dachte an den Verkehrspolizisten, den ich in Tokio seinen kleinen Blumentopf hatte pflegen sehen, ehe er nach seiner Gasmaske griff.

In dem Hotel war auch eine Delegation von den Britischen Inseln abgestiegen: Engländer, Waliser, Schotten und Iren, und weil wir eine gemeinsame Sprache hatten, tauschten wir unsere Eindrücke aus. Ein schmaler, rothaariger Schotte beschwerte sich, er habe kein psychiatrisches Krankenhaus besichtigen dürfen, eine Beschwerde, die sich zu einer Tirade gegen die Chinesen ausweitete.

Der Speisesaal wurde zu einer Art Mikrokosmos, symbolisch für die Beziehungen zwischen Ausländern und Chinesen, die jetzt mehr denn je überzeugt schienen, Bürger des Chung Kuo oder Zentralen Königsreichs zu sein, um das sich der Rest der Welt drehte. Ich traf einen chinesischstämmigen Amerikaner, der erschüttert war von den Veränderungen, die eingetreten waren, seit er 1949 China verlassen hatte. Ein amerikanischer Korrespondent mittleren Altes, der ein »alter Chinakenner« gewesen war und mit seiner Frau und seiner Tochter reiste, sprach mit den Chinesen in dem gleichen herablassenden Ton, den er gehabt haben mußte, als er noch jung war und die Chinesen im Aufbruch begriffen. Die Chinesen schienen amüsiert; sie gingen wohl davon aus, daß dieser Mann mehr als wir anderen spürte, welche erstaunlichen Ziele die chinesische Revolution verwirklicht hatte.

Doch das wirkliche China existierte nicht in den Etagen des Freedom-Hotels. Es war an der Zeit, sich hinaus ins Land zu wagen.

Außerhalb von Shanghai rumpelte der Bus dahin, und der Fahrer hupte jedes menschliche Wesen, jedes Huhn, jedes herumlaufende Kind und manchmal, wie es schien, auch jeden Baum an. Ein solches Fahrzeug war augenscheinlich in China noch immer etwas Neues, und der Fahrer packte seine Aufgabe mit wilder, machohafter Freude an.

Wir passierten ein Dorf nach dem anderen, bis wir schließlich an einem Kontrollpunkt hielten, wo zwei Rotarmisten mit dem Fahrer sprachen und uns dann weiterfahren ließen. Bei diesem Halt erfuhr ich, daß ein chinesischer Bürger eine Erlaubnis braucht, wenn er sich weiter als fünfzig Meilen von seiner Heimatstadt entfernen will. Es war vergleichbar, als brauche man einen Paß, wenn man von New York nach East Hampshire oder von Los Angeles nach Santa Barbara fahren wollte.

Wieder unterwegs, hielten wir schließlich neben einem Feld mit wogender Luzerne. Wir kletterten aus dem Bus und atmeten tief die frische, reine Luft.

Eine ungepflasterte Straße, gesäumt von Büschen, führte von der asphaltierten Hauptstraße zu einem kleinen Dorf mit strohgedeckten Lehmhäusern. Das war die Machiao-Volkskommune. Entlang der Straße arbeiteten Menschen auf Weizen- und Luzernefeldern, wässerten die Pflanzen und schwatzten unter dem hellen, heißen Himmel; als wir vorbeikamen, klatschten sie in die Hände und winkten uns zu. Einige hielten mit der Arbeit inne und starrten uns bloß an.

Ein frischer, klarer Wind blies hier auf dem Land. Die unkontrollierte Luftverschmutzung in China war für mich bisher eines der schockierendsten Erlebnisse unserer Reise; kohleverarbeitende Fabriken spien dichten, schmutzigen Rauch aus, die über Land fahrenden Züge verbrannten Kohle, und viele Motorfahrzeuge schienen eine unraffinierte Form von Rohöl zu benutzen. Mir wurde erklärt, das sei eine Frage der Prioritäten. Doch hier wehte ein erfrischender Wind, und die Luft war prickelnd und sauber. Meine Begleiterinnen waren glücklich heute. Sonnenschein und frische Luft sind ein natürliches Belebungsmittel.

Bei der Instruktionsstunde des revolutionären Komitees der Volkskommune saßen wir an einem viereckigen Holztisch im Hauptgebäude und erhielten eine statistische Übersicht über die Fortschritte der Kommune. Sie war im September 1958 gegründet worden und umfaßte 35 800 Menschen, unterteilt in 8021 Familien, 97 Produktionsgruppen und 20 Brigaden. Die gegenwärtige Zahl der Arbeitskräfte betrug 20824, die übrigen waren Kinder oder alte Leute. Die Kommune produzierte Baumwolle, Früchte, Gemüse, ölhaltige Bohnen und Getreide wie Weizen und Luzerne. Das Revolutionskomitee war paritätisch aus Männern und Frauen zusammengesetzt, und sie schienen stolz auf das, was sie geleistet hatten.

Nach der Instruktion besichtigten wir die Kommune und machten Fotos. Es war kurz vor der Mittagszeit, und die Frauen der Kommune hatten zwei Stunden Zeit, um in ihren Häusern die Mittagsmahlzeit zu bereiten; daran hatte auch die Revolution nichts geändert, es waren noch immer die Frauen, die das Kochen besorgten. Die verlockenden Düfte von Sojasauce, Bohnenquark, Gemüsen und Suppenfleisch wehten über die Felder.

Auch hier umfing mich ein Gefühl der Stärke, ein gemeinsames Band zwischen diesen Menschen, die sich zu einer gemeinsamen Aufgabe zusammengeschlossen hatten. Sie produzierten nicht irgend etwas, um es des Profits halber in zweitklassigen Warenhäusern zu verramschen. Sie ernährten China. Das war ihre Berufung, und ihr Stolz und ihr Motiviertsein wirkten ansteckend.

Überall in China fanden wir Beweise dafür, daß man sich wirklich darum bemühte, die Fertigkeiten von Frauen gleichberechtigt zu nutzen. Sie arbeiteten in der Landwirtschaft, in den Docks, in den Fabriken. Sie unterrichteten in den Schulen (was Frauen vor der Revolution nicht durften), waren an allen Aspekten der Planung innerhalb der Revolutionskomitees beteiligt, nahmen in allen Institutionen eine hervorragende Stellung ein. Viele Male wurde uns versichert: Der Vorsitzende Mao sagt, weil »die Frauen die Hälfte der menschlichen Rasse ausmachen, müssen sie jetzt auch gleichgestellt werden, damit sie ihre Hälfte des Himmels hochhalten können«.

Im Zentralkomitee jedoch waren keine Frauen vertreten. Frauen erhielten nicht die gleiche Bezahlung für die gleiche Arbeit in den Kommunen. Der chinesische Landarbeiter wird nach einem System von Arbeitspunkten bezahlt, die auf der Grundlage von körperlicher Kraft und Produktivität vergeben werden. Da Frauen in der Regel körperlich nicht so kräftig sind wie Männer und wegen der Menstruation zeitweilig ausfallen, sind ihre Arbeitspunkte niedriger. Die Chinesen selbst waren sich der Ungleichheit eines solchen Systems bewußt. Der Wunsch nach Gleichheit bestand, und viele Chinesen, viele chinesische Männer eingeschlossen, erklärten uns, das Erreichen der Gleichstellung der Frau sei *die* wichtigste Aufgabe der Revolution. Ich selbst war weniger kritisch, was die Zeit betraf, die noch nötig war, um dieses Ziel in China zu ereichen, als ich es in Amerika gewesen wäre, und zwar nicht nur wegen der aufrichtigeren und ernsthafteren Einstellung der Chinesen, sondern auch deshalb, weil das Neue China eine Vergangenheit zu bewältigen hatte, in der Frauen noch vor dreiundzwanzig Jahren als Sklavinnen und Unpersonen galten.

Weibliche Babies waren oft totgeschlagen worden, weil sie eben nur weiblich und insofern nicht als Lasttiere auszubeuten waren. Eine Frau war buchstäblich das Besitztum ihres Ehemannes und wurde regelmäßig geschlagen, damit sie ihre Stellung nicht vergaß. Witwen durften nicht wieder heiraten, und wenn sie es doch wagten, wurden sie gesteinigt. Die Tradition der eingebundenen Füße erlegte den Frauen solche Beschränkungen auf, daß sie nicht ohne Hilfe gehen konnten. Seelischer, physischer und spiritueller Schmerz schienen im Alten China das tägliche Brot der Frauen gewesen zu sein, und in gewisser Weise waren die Frauen selbst für die Fortdauer solcher Grausamkeiten ebenso verantwortlich wie die Männer. Grausamkeiten wie der Mythos von der Minderwertigkeit der Frauen waren real; Konfuzius selbst sagte: »Frauen und Sklaven sind ein Problem.«

Man mußte also die Befreiung der Frau im Neuen China im Zusammenhang mit der gesamten Revolution betrachten. Die Chinesen erinnerten uns ständig daran, daß sie noch immer für die völlige Gleichstellung kämpften: Es bleibe noch viel zu tun, hauptsächlich von den Frauen selbst. In Amerika hatte es, was die Stellung der Sklaven und Frauen betraf, dazu eine Parallele gegeben; beide hatten sich selbst oft nicht behaupten wollen, weil »das dem weißen Mann, dem Boß, nicht gefallen würde«. Jetzt jedoch ermutigten die Männer des Neuen China die Frauen, an ihre eigene Befreiung und Gleichheit zu glauben, und schienen ebenso um den Erfolg der »anderen Hälfte des Himmels« besorgt wie um ihren eigenen. Das also war der Unterschied – China bemühte sich um die Befreiung aller Mitglieder seiner Gesellschaft durch den *Sozialismus*, der letztendlich bedeutete, daß die Menschen füreinander arbeiteten statt jeder für sich selbst. Wieder einmal ertappte ich mich bei der Frage, ob ein so hohes und edles Konzept jemals würde verwirklicht werden können.

Es war unmöglich, das, was wir erlebten und empfanden, zu filmen. Claudia und Joan konnten zwar Frauen filmen, die auf Traktoren saßen; sie konnten die geraden Linien der angebauten Feldfrüchte zeigen; sie konnten die Ernte aufnehmen und den Weizen, der bereit zum Dreschen lagerte; sie konnten Bilder von den barfüßigen Ärzten machen, die über die Landstraßen zogen und die Kinder auf Masern und Mandelentzündung und andere alltägliche Krankheiten untersuchten. All das konnten wir zeigen. Wir konnten die Zusammenkünfte aufnehmen und die jungen Leute, die überzeugend die Statistiken aufsagten, von denen sie annahmen, die Westler wollten sie immer hören. Wir konnten Scheunen und Babies filmen. Wir konnten zeigen, daß es in den Kommunen Geschäfte, Krankenhäuser, Kinderhorte, Tageshorte und Versammlungshallen gab, nicht nur die Behausungen der Bewohner selbst. Wir konnten Effizienz zeigen, sowohl der Produktion als auch der Dienstleistungen, die dem Volk geboten wurden.

Doch Chinas wahres Wesen war schwerer zu erfassen. Wenn alles gesagt und getan war, hatten wir den chinesischen Geist trotzdem noch nicht eingefangen. Wir konnten ihn kaum verstehen, selbst wenn wir uns in seiner Mitte befanden. Wie hätten wir ihn auch verstehen sollen? Wir waren gutsituierte Frauen der Mittelklasse aus Amerika, die nie wirklich Hunger und Demütigung erlitten hatten. Wir brauchten unsere Töchter nicht als Prostituierte und unsere Söhne nicht als Sklaven zu verkaufen. Wir hatten nicht jahrtausendelang die entwürdigendste Ausbeutung und Unterdrückung von Menschen erduldet, die der menschlichen Rasse bekannt ist. Wir brauchten keine Historiker zu sein, um zu wissen oder zu ahnen, was China vor seiner Revolution durchgemacht hatte. Es lag hinter allem, was wir sahen und berührten und fühlten. Jetzt war China stolz – auf sich selbst und auf seine Möglichkeiten. Es hatte sich selbst zu Würde und Einheit emporgearbeitet, und dieser Geist tränkte buchstäblich die Kommunen, das Rückgrat Chinas. Chinas Revolution hatte auf dem Land gesiegt, und das Land war das Geheimnis von Chinas Zukunft.

Ich blickte über das Dorf hin und beobachtete die Bauern und Intellektuellen, die gemeinsam das Land bearbeiteten. Die Intellektuellen waren für bestimmte Zeiträume aufs Land geschickt worden, um zu arbeiten und von den Bauern zu »lernen«. Ruhig redeten und scherzten sie. Ihre Bewegungen zeugten von gemeinsamer Hoffnung, gemeinsamem Land und gemeinsamer Befreiung von Hunger und Erniedrigung. Ich kannte sie nicht, sie kannten mich nicht; wir hatten weder eine gemeinsame Sprache noch eine gemeinsame Geschichte. Ich fragte mich, welches wohl ihr gemeinsamer Nenner sein mochte, weil ich wußte, daß ich, würde ich zur Landarbeit abgestellt werden, es dort keine fünf Minuten aushalten könnte. Ihre Geschichte, ihre Mythen und ihr Wesen waren nicht mein Bezugsrahmen. Es gab keine Möglichkeit, das, was ich in China sah und lernte, mit dem zu vergleichen, was ich in Amerika kannte. Ich konnte nicht in China leben und wollte das auch nicht, aber ich war glücklich, daß wir alle auf demselben Planeten wohnten. Lange Zeit hatte ich an der Welt nicht viel gefunden, das dem Menschen Hoffnung geben konnte. Doch während ein Tag in den nächsten überging und ich beobachtete und lernte und die Lektionen Chinas in mich aufnahm, merkte ich allmählich, daß ich wieder hoffen und der menschlichen Rasse vertrauen konnte.

## 21

Der neue Arbeiterwohnbezirk Fungchen in Shanghai glich den Wohnbauprojekten für Menschen mit geringem Einkommen in Amerika, eine Ansammlung von schlichten, dreistöckigen Gebäuden, um einen Hof gruppiert, in dem Kinder spielten und Wäsche in der Sonne zum Trocknen aufgehängt war. Am Tag unseres Besuches besichtigten wir eine Reihe sauberer, zweckmäßiger Wohnungen. Man sagte uns, jede der Wohnungen, mit zwei Schlafzimmern ausgestattet, könne eine sechsköpfige Familie beherbergen; ein Schlafzimmer war für die Eltern, das andere für die Kinder und Großeltern bestimmt. So also sah das Zuhause der städtischen Arbeiter aus, des Großteils der fünfzehn Millionen Einwohner von Shanghai, deren Durchschnittseinkommen umgerechnet achtundvierzig Dollar im Monat betrug. Eine Familie rechnete uns ihre Ausgaben vor. Die Miete betrug umgerechnet zweieinhalb Dollar im Monat, Elektrizität kostete fünfzig Cents, ein Paar Schuhe zwei Dollar, ein Anzug fünf Dollar, Medizinkosten zwei Dollar im Jahr, Ausbildung zweieinhalb Dollar im Jahr, und das Essen kam im Durchschnitt auf zwanzig Cents pro Mahlzeit. Ein Radio kostete etwa vierzig Dollar, ein Fahrrad fünfundsiebzig.

Bei diesen Ausgaben konnten die Familien recht gut leben. Die Wohnungen sahen nüchtern aus. Portraits von Mao in verschiedenen Lebensaltern hingen oft über Kommoden, die mit einer Vase voll frisch geschnittener Blumen, einer Schüssel, vielleicht einem Radio geschmückt waren. In den Wohnräumen dienten Betten mit Tagesdecken als Sofas, und gewöhnlich gab es noch mehrere Stühle mit harten Rückenlehnen. Die Beleuchtung bestand aus einer nackten Glühbirne an der Decke.

Die Schlafzimmer waren persönlicher; auf den Kommoden standen Schulabschlußfotos der Kinder, Familienfotos, und Sprüche des Vorsitzenden Mao steckten in den Rahmen von Spiegeln. Die Kinder waren selbst für die Säuberung ihrer Zimmer verantwortlich, und die Männer beteiligten sich an allen Hausarbeiten einschließlich Waschen und Bügeln. Wie in den ländlichen Kommunen zogen es die Frauen allerdings vor, selbst zu kochen. Als Unita diese sauberen, preiswerten, ordentlichen und menschenwürdigen Wohnungen sah, muß sie an die schwarzen Ghettos Amerikas gedacht haben, und Pat Branson konnte sich einen Vergleich mit den Lebensumständen der Arbeiterklasse in Teilen des amerikanischen Südens, sogar in weißen Wohnbezirken, nicht verkneifen.

Nach dem offiziellen Rundgang sagte uns Chang, wir könnten uns selbst umsehen, wie wir wollten, und die Frauen schwärmten zu zweit und zu dritt aus, um andere chinesische Familien kennenzulernen. Ich bat Chang, mich mit einer Familie bekanntzumachen, die im Besichtigungsplan nicht vorgesehen war, und sie erklärte sich dazu bereit. Einige Blocks weiter betraten wir die Wohnung einer Fabrikarbeiterin namens Liang, die verheiratet war und zwei Kinder hatte.

Ihre Wohnung war blitzsauber. Es gab drei Räume für neun Personen, und zur Möblierung gehörten Plastikblumen in einer blauen Vase, ein Transistorradio und ein mit einem feinen Spitzentuch bedeckter Tisch. Die Familie servierte heißen Tee, Süßigkeiten in einer Schüssel und einige kleine Kuchen, die wie eine Mischung aus Weizen, Papier und etwas Zucker schmeckten. Sie schienen geschmeichelt und verwirrt darüber, daß eine ausländische Besucherin etwas über ihr Leben erfahren wollte. Der Ehemann war groß und dürr und hatte einen lebhaften, ansteckenden Sinn für Humor. Der Sohn, etwa achtzehn Jahre alt, war ein großer, magerer Bursche. Seine Schwester, fünfundzwanzig Jahre alt, saß fast geziert mit fest geschlossenen Knien da. Ich fragte die Frau, wie ihr Leben seit der Befreiung verlaufen sei.

Sie erzählte, als junge Frau habe sie in einer Fabrik in Nordostchina gearbeitet, die von den Japanern geführt wurde. Die Japaner waren grausame und sadistische Invasoren, und es gab einen chinesischen Vorarbeiter, der Anweisung hatte, sie und ihre Arbeitskollegen zu schlagen, damit sie mehr produzierten. Man hatte ihr nach der alten, barbarischen Tradition im späten Alter von sieben Jahren die Füße eingebunden. »Meine Mutter tat das, damit ich einen Mann bekommen sollte, und ich bekam einen.« Beim Einbinden der Füße mußten nach und nach die Zehen, wenn sie wuchsen, gebrochen werden. In der Fabrik mußte sie im Stehen arbeiten, zwölf Stunden am Tag ohne Ruhepause, so daß ihre Füße jeden Abend geschwollen waren und bluteten. Abends mußte sie kniend den Fußboden putzen, und dabei mußte sie die sadistischsten Schläge über sich ergehen lassen.

»Aber ich ließ mich lieber schlagen, als keine Arbeit zu haben«, berichtete sie. »Zwei meiner Kinder verhungerten, weil wir nichts zu essen hatten. Als ich arbeitete, konnte ich wenigstens Hafermehl kaufen.«

Vor der Befreiung hatte ihr Mann die feudalen Sitten befolgt und ihr nie erlaubt, Gäste zu sehen oder auch nur zu begrüßen. Sie durfte auch ihre eigenen Kinder nicht aufziehen, weil ihre Schwiegermutter die typische, grausame Schwiegermutter des alten China war. Wie sie es ausdrückte: »Nachdem sie dreißig Jahre lang selbst gelitten hatten, warteten die Frauen nur darauf, sich an ihren Schwiegertöchtern zu rächen.« Die älteren Frauen durften die jüngeren, männlichen Mitglieder der Familie nicht beherrschen, aber bei den jüngeren Frauen wurden sie buchstäblich dazu aufgefordert. Liang sagte auch, sie sei zur Beachtung der vier Tugenden erzogen worden:

1. Sich der chinesischen Moral entsprechend zu verhalten;
2. Mit Männern zwar zu sprechen, aber Abstand zu ihnen zu halten;
3. Nach außen hin immer die Seriosität zu wahren;
4. Hart zu arbeiten und der Familie als Sklavin zu dienen.

Als kleines Mädchen hatte sie die drei Gehorsamsregeln gelernt:

1. Vor der Hochzeit dem Vater zu gehorchen;
2. Nach der Hochzeit dem Gatten zu gehorchen;
3. Im Falle der Witwenschaft ihrem Sohn zu gehorchen.

Während Liang mit mir sprach, schien sie ihre Vergangenheit als etwas anzusehen, was sie schon lange vergessen hatte. Chang saß ruhig dabei und übersetzte für uns. Nach etwa einer Stunde lächelte Liang breit und fragte, ob ich gern Suchu, ihren Mann, über seine Gefühle und Erfahrungen seit der Befreiung befragen wolle.

Als Suchu zu sprechen begann, stand Liang von ihrem Stuhl auf und setzte sich in der Nähe der Tür auf den Fußboden.

»Unsere Ehe war arrangiert«, begann Suchu. »Ich wußte nicht, wen ich heiraten würde. Ich hatte Liang nie gesehen. Sie hätte also Pocken oder andere Narben haben oder auch blind sein können. Aber als ich sie am Tage unserer Hochzeit sah, war sie gar nicht so übel.« Liang lachte, und die Kinder blickten rasch zu mir auf, um zu sehen, ob ich fand, daß ihr Vater etwas Lustiges gesagt habe.

Suchu wiederholte die vier Tugenden und die drei Gehorsamsregeln und gestand, weil er »damals feudalen Vorstellungen anhing«, habe er von seiner Frau erwartet, daß sie allen Anforderungen gehorche.

»Haben Sie Ihre Frau in der alten Zeit geschlagen?« fragte ich und war gespannt, wie er auf eine so unverblümte Frage reagieren würde.

»Gewiß«, antwortete er. »So.« Er stand von seinem Stuhl auf, winkte Liang, ebenfalls aufzustehen, und zeigte, wie er sie mit den Ellbogen gegen Schulter und Brust stieß. »Alle meine Freunde schlugen ihre Frauen, ich folgte also nur der Sitte. Manchmal hatte ich keinen Grund, außer dem, daß ich sie schon länger nicht mehr geschlagen hatte. Liang ließ sich die Schläge gefallen, weil das von ihr erwartet wurde. Oft war ich aufgrund der Armut, die unser Leben und Verhalten bestimmte, in deprimierter und feindseliger Stimmung, und dann mußte ich meine schlechte Laune an jemandem auslassen. Aber ich habe sie nicht wirklich verletzt, oder, Liang?«

Die ganze Familie lachte, und Liang drohte ihm scherzhaft mit dem Finger.

»Wann«, fragte ich, »haben Sie aufgehört, Ihre Frau zu schlagen?«

»Nun, direkt nach der Befreiung fiel es mir schwer, mich den neuen Lehren des Vorsitzenden Mao anzupassen, die mir untersagten, sie weiterhin zu schlagen. Manchmal verlor ich die Beherrschung und hob die Ellbogen gegen sie, und sie und die Kinder hielten mich zurück und erinnerten mich daran, daß der Vorsitzende Mao das nicht gestattete; also tat ich es nicht. Das war nicht leicht. Ich sprach oft mit meinen Freunden, die mit ihren Frauen dieselben Probleme hatten. Die Frauen und Kinder hatten sich verbündet, um uns daran zu erinnern, daß wir uns verändern mußten. Sie hielten einen Geist der Auflehnung aufrecht, und wenn wir unsere Frauen mißhandelten, protestierten sie alle. Es war sehr schwierig.«

»Und wie haben Sie sich dann schließlich verändert?«

»Zuerst gab es politische Studiengruppen, die uns lehrten, Frauen müßten gleich sein, und daher sollten wir sie nicht schlagen. Dann fand noch eine Umerziehung durch die Straßenkomitees und revolutionären Komitees statt, aber im wesentlichen geschah es durch Übung. Ich übte, sie nicht zu mißbrauchen, und bald merkte ich, daß sie es wert war, gleichberechtigt zu sein.«

»Widersetzte sich Liang der Befreiung, weil ihr beigebracht worden war, sie sei nicht wert, gleichberechtigt zu sein?«

»Nein, nicht, wenn das bedeutete, daß ich sie nicht schlagen würde.« Wieder lachte die Familie. »Die älteren Frauen wehrten sich, weil das bedeutete, daß sie die jüngeren Frauen nicht länger mißbrauchen konnten. Vor der Befreiung arbeiteten die älteren Frauen nie im Haushalt. Die jungen Frauen mußten alle Arbeit tun. Nach der Befreiung wurde von den älteren Frauen genau wie von den Männern gefordert, sich an der Hausarbeit zu beteiligen, denn wenn die jüngeren Frauen gleichberechtigt waren, dann mußten sie auch aus dem Haus gehen, um zu arbeiten.«

»Wie empfanden Sie es, daß Ihre Frau arbeiten ging?«

Seine Augen zwinkerten, und Liang kicherte.

»Es gefiel mir nicht, weil sie mit anderen Männern zusammenkam. Eine Zeitlang folgte ich ihr zur Arbeit, um sie zu beobachten und zu sehen, was sie machte. Aber da sie nichts anstellte und außerdem hart arbeitete, kam ich mir albern vor. Bald machte es mir nichts mehr aus, und ich hörte auf, ihr zu folgen. Ich lernte sogar zu akzeptieren, daß sie abends zu Versammlungen des Revolutionskomitees ging. Ich erkannte, daß ich kein Teil der neuen Revolution wäre, wenn ich mich nicht mit Vernunft statt mit Eifersucht und Ärger an diese Dinge gewöhnen würde. Meine Freunde, die vorher auch feudale Einstellungen vertraten, mußten ebenfalls umlernen. Wir mußten das tun, weil etwas anderes gegen das Gesetz gewesen wäre.«

Suchu hielt inne und dachte nach. Es schien ihm Spaß zu machen, sein neues Leben in meiner Gegenwart zu überdenken. Er war unglaublich offenherzig, und einigen Nachbarn, die sich zu uns gesellt hatten, schien das ebensoviel Spaß zu machen wie ihm.

»Manchmal gab es nach der Befreiung Streitereien, bei denen die Töchter sich auf die Seite ihrer Mütter stellten und die Söhne auf die Seite der Väter. Dann stritten wir. Das war die Zeit, in der die Selbstkritik nützlich wurde. Mir fiel das zuerst schwer, weil ich nicht daran gewöhnt war, kritisiert zu werden, und immer Entschuldigungen für meine eigenen Fehler fand. Aber durch Diskussionen mit der Familie und durch mein zunehmendes politisches Bewußtsein fiel es mir leichter. Dann stand es mir auch zu, andere ebenfalls zu kritisieren. Durch diese freien und offenen Sitzungen schafften wir den Übergang gemeinsam. Jetzt ist es unser neuer Stil. Die Kommunistische Partei Chinas unter der Führung unseres großen Vorsitzenden Mao empfiehlt dreierlei für die neue Gesellschaft: (1) Wir müssen Theorie mit Praxis verbinden; (2) wir müssen eng mit den Volksmassen verbunden bleiben; (3) wir müssen Kritik und Selbstkritik üben.«

»Wäre es Ihnen unangenehm, den Staat zu kritisieren?«

»Keineswegs, denn die arbeitende Klasse ist der Herr des Landes. Wir wissen, daß wir unser eigenes Schicksal in der Hand haben. Wenn also Fehler gemacht und erkannt werden, müssen wir sie aussprechen. Unsere Demokratie ist eine wirkliche Demokratie, weil sie auf das Volk baut. Deshalb können und müssen die Menschen die Verantwortung auf sich nehmen, sich selbst und andere zu kritisieren, wenn etwas falsch gemacht wird.«

»Glauben Sie, daß Ihre Gesellschaft sich unter dem Zustrom von Ausländern sehr verändern wird?«

»Die meisten Ausländer stellen nur Fragen, statt uns etwas zu lehren. Sie sagen uns nicht viel darüber, wie es in ihren Ländern ist. Gewöhnlich fragen sie nach unserem Land.«

»Gibt es einen erkennbaren Unterschied zwischen der Ideologie der Jungen und der Alten?«

»Nein, außer, daß die Jungen energischer sind. Oh, ja, den Jungen fällt es leichter, sich unserer neuen Gesellschaft anzupassen, weil sie die alten feudalen Bräuche nie erlebt haben.«

»Was wird geschehen, wenn Ihre Kinder sich entscheiden, sich zu verheiraten? Werden Sie ihnen die Freiheit der Wahl lassen, oder werden Sie eingreifen?«

»Wir praktizieren zu Hause Demokratie. Wir werden miteinander sprechen. Doch auch, wenn eines unserer Kinder jemanden heiraten wollte, mit dem wir nicht einverstanden sind, wäre es doch seine eigene Entscheidung.«

Suchu sah seine Kinder an. Schüchtern rutschten sie auf ihren Stühlen hin und her.

»Haben Sie vor, bald zu heiraten?« fragte ich die Tochter.

»Nein«, antwortete sie ruhig.

»Könnten Sie sich vorstellen, daß Sie vielleicht gar nicht heiraten wollen?«

»Nein, die Möglichkeit, nie zu heiraten, habe ich nicht in Betracht gezogen.«

Ich wandte mich an den Sohn.

»Glauben Sie, daß aufgrund der Befreiung heute mehr Mädchen den ersten Schritt zu einer Beziehung tun? Oder fordern die Jungen dieses Vorrecht noch immer für sich?«

Er errötete. »Ich kenne kein Mädchen sehr gut. Also weiß ich es nicht genau. Aber meine Freunde sagen mir, sie täten es.«

Alle im Zimmer brachen in Gelächter aus, und er drückte sich in seinen Stuhl.

Ich begann zu lernen, daß in China persönliche Fragen, die nichts mit der Revolution zu tun haben, mit Lachen, Skepsis oder

Desinteresse aufgenommen werden. Solche Fragen schienen auch gegen das chinesische Gefühl für Privatsphäre zu verstoßen. Sie waren »typisch westlich« und daher nicht »reif«. Nach dem zu urteilen, was Suchu mir über seine eigene Anpassung an die Befreiung der Frauen erzählt hatte, mußte ich das Widerstreben der jungen Leute akzeptieren, darüber zu reden, wen oder wann sie heiraten würden.

## 22

In China lebt niemand allein. Während wir durch das dicht besiedelte Land fuhren oder durch menschenwimmelnde Großstädte schlenderten oder Wohnungen besichtigten, in denen sich vielleicht drei Generationen den Platz teilten, dämmerte mir langsam, daß in China in bezug auf Sexualität etwas Ungewöhnliches im Gange war. Jahrelang war ich eine Verfechterin sexueller Freiheit gewesen, da ich Puritanismus und sexuelle Repression letztlich für politisch und für eine Bedrohung aller anderen Formen von Freiheit hielt. In China wurden einige meiner grundlegendsten Überzeugungen erschüttert.

»Die Landbevölkerung hatte *niemals* Zeit für wirkliche sexuelle Erforschung, auch nicht vor der Revolution«, hatte Han Suyin mir vor meiner Reise gesagt. »Sie waren viel zu sehr mit dem Überleben beschäftigt. Nun arbeitet die Nation an dem Aufbau des Sozialismus, und deshalb gilt dieselbe Theorie.«

Ich war skeptisch; mir erschien Sexualität als grundlegender menschlicher Trieb, und die meisten psychologischen Untersuchungen bestätigten das. Dann, eines Nachmittags, hatten Phyllis und ich ein langes Gespräch mit Chang, unserer Reiseleiterin, die eine führende Stellung in der Frauenföderation bekleidete und nach der Befreiung an der Umerziehung der chinesischen Prostituierten mitgewirkt hatte.

Chang zufolge hatte das chinesische Volk viel Arbeit zu leisten und wenig Zeit, an Dinge wie Sex zu denken. Der Staat riet zu späterer Verheiratung – etwa mit sechsundzwanzig Jahren, um die Bevölkerungszahl zu begrenzen und den jungen Leuten die Möglichkeit zu geben, »ihre guten, produktiven Jahre dem Aufbau des Sozialismus zu widmen«.

Chang behauptete, in China gebe es praktisch keinen vorehelichen sexuellen Verkehr, keine Prostitution und keine Sexualerziehung in den Schulen. »Bis die jungen Leute sechsundzwanzig sind, wissen sie ohnehin alles. Und es ist nicht nötig, vor der Ehe sexuelle Erfahrungen zu haben. Unsere jungen Leute werden nicht von

Aussehen oder Sex Appeal angezogen; selbst wenn sie sich sexuell zueinander hingezogen fühlten, hätten sie keinen Ort, an den sie gehen könnten. Keinen Platz, wo sie allein wären.«

Es bestand auch ein eindeutiger Zusammenhang zwischen freier Sexualität und der Ausbeutung und Unterjochung der Frauen im vorrevolutionären China. Für die Chinesen war eine sexuell freie Gesellschaft gleichbedeutend mit einer Gesellschaft, in der die Männer die Frauen ausbeuten. Chang hatte nach der Befreiung Tausende ehemaliger Prostituierte betreut und wußte, wie schwer es ihnen fiel, ihren Lebensunterhalt zu verdienen. Sie hatten nichts gelernt, und kaum ein Mann wollte sie heiraten.

Chang hatte eine Weile in Norwegen gelebt, wo sie mit ihrem Mann an der chinesischen Botschaft arbeitete. Sie ließ eine gewisse Neugier bezüglich sexueller Praktiken erkennen und deutete Phyllis und mir gegenüber sogar an, sie und ihr Mann hätten einige zusammen ausprobiert. Doch offenbar war in China die konventionelle »Missionarsstellung«, bei der der Mann oben ist, gängige Praxis, und oraler Sex war äußerst unüblich. Homosexualität galt als »unsittlich«; einige Leute versicherten uns, sie hätten davon noch nie etwas gehört, während andere Abscheu erkennen ließen, wenn sie erwähnt wurde. Chang gab auch vor, nicht zu verstehen, was mit Masturbation gemeint sei, räumte jedoch bald ein, wenn kleine Jungen dabei ertappt würden, bestrafe man sie streng und drohe ihnen mit »Infektion und Krankheit«. Chang sagte, das mache den kleinen Jungen so große Angst, daß sie »es nie wieder täten«. Was Mädchen anbelangte, so versicherte sie uns, sie masturbierten nie, weil sie sähen, was mit den Jungen passiere.

Daß Eltern sich vor ihren Kindern nackt zeigten, sei absolut unüblich; nach dem siebten oder achten Lebensjahr sehe ein Kind seine Eltern wahrscheinlich nie mehr unbekleidet. Eine Frau, die nicht heirate, sei eine große Ausnahme, und ebenso ungewöhnlich sei, wenn sie keine Kinder habe. Chang meinte, ohne Kinder habe das Leben einer Frau keinen Sinn.

Ich stellte fest, daß sexuelle Unwissenheit weit verbreitet war. Eine unserer jüngeren Reiseführerinnen, eine hübsche Neunzehnjährige namens Liu Hung, wußte nicht einmal genau, »wie Babys gemacht werden«. Im Biologieunterricht hatte sie gehört, »daß Babys im Bauch der Mutter wachsen«, aber wie sie da hineinkamen, wußte sie nicht. Während unserer Busfahrten plauderten einige der Frauen unserer Delegation über Sex, aber Liu stellte niemals Fragen zu ihren Gesprächen. Irgendwie schien es ihr peinlich zu sein, daß die zwölfjährige Karen mehr wußte als sie. Liu stand nicht allein mit ihrer Unwissenheit. Ein anderer Reiseführer, ein Mann von dreiunddreißig Jahren, schaute in seinem Lexikon nach, um die Bedeutung von »Prostitution« zu erfahren. Als ich Chang fragte, warum der Staat seine Bürger nicht über Sexualität aufklärte, wurde sie etwas abwehrend.

»Die Familie fühlt sich nicht dafür zuständig, solche Informationen zu geben. Und der Staat hat sie offiziell zur Privatangelegenheit erklärt. Die Schulen erteilen keinen Sexualkundeunterricht.«

So einfach war das. Von Männern und Frauen wurde erwartet, daß sie jungfräulich in die Hochzeitsnacht gingen – und mit relativ geringem Wissen darüber, was sie machen sollten – und auf natürliche Weise herausfanden, worum es sich handelte. Königin Victoria hätte am modernen China ihre Freude gehabt.

Daß man in China den Sex vergessen kann, merkte ich auch selbst. Es gab keine kommerzielle Ausbeutung der Sexualität, um Seife, Parfum, Limonade, Sodawasser oder Autos zu verkaufen. Die für beide Geschlechter gleichartige Kleidung spielte die Sexualität ebenfalls herunter und veranlaßte den Betrachter interessanterweise, sich mehr auf den individuellen Charakter eines Chinesen oder einer Chinesin zu konzentrieren, statt seine oder ihre körperlichen Vorzüge oder deren Fehlen zu beachten. Sicher haben auch Chinesen ihre sexuellen Bedürfnisse, wie die Statistik über achtzehn Millionen Geburten in China pro Jahr beweist. Doch Sex war zweifellos kein vorrangiges Thema. Auf einer Skala von eins bis zehn hätte Sexualität vermutlich etwa bei Nummer sieben gestanden.

Für die amerikanischen Frauen unserer Delegation galt das

nicht. Die Feministinnen redeten davon, sie seien »scharf«, und die anderen sprachen mit tiefer Sehnsucht von ihren Männern. Es gab keine Möglichkeit, mit chinesischen Männern in Berührung zu kommen. Später lernten wir Amerikaner kennen, die in China stationiert waren, und sie beschrieben, wie frustrierend der mangelnde Kontakt zu chinesischen Frauen sei. Wir alle begannen den Kontakt zum anderen Geschlecht zu vermissen, und zwar wirklichen, tiefen, menschlichen Kontakt. Den aber fanden wir zu jungen Menschen.

Eines Nachmittags besichtigten wir in Shanghai den Kinderpalast, ein großes, weitläufiges Gebäude, das früher eine ausländische Botschaft gewesen war und nun als Freizeitzentrum für Kinder diente. Jedem von uns wurde ein Kind als Führer zugeteilt, und sie geleiteten uns durch die Turnsäle, Konzerthallen, Lehrsäle, Theatergruppen und Tanzklassen. Die Kinder hielten uns an den Händen und lächelten viel. Sie beobachteten, wie Pat Branson einige der Bewegungen vorführte, die sie als kleines Mädchen in einer texanischen Tanzschule gelernt hatte, und eines der Kinder zeigte Unita das Bild einer schwarzen Frau mit einem Baby in den Armen, das es gemalt hatte. Unita begann zu weinen. »Ich weiß nicht, was ich sagen soll«, sagte sie. »Ich weiß nicht, was ich sagen soll. Das ist das Netteste, was mir je begegnet ist.« Die kleine Chinesin nahm Unitas Hand und zog sie mit uns zur nächsten Station.

Am Ende dieses Tages saßen wir alle um einen langen Tisch herum, stellten Fragen über den Kinderpalast, das Leben in China und eine Menge anderer Dinge, an die ich mich jetzt nicht mehr erinnern kann, weil die Mitglieder unserer Delegation eine nach der anderen in Tränen ausbrachen. Karen schmiegte sich eng an ihre neue chinesische Freundin. Ninibah schenkte ihr eine Feder. Unita freute sich an dem Bild. Yeh und Phyllis hatten einander untergehakt, und Karen vergrub ihren Kopf an der Schulter ihrer Freundin und begann zu schluchzen. Mir stiegen Tränen in die Augen. Es war, als habe etwas Greifbares – und doch Geheimnisvolles – uns alle gleichzeitig angerührt, eine Erinnerung an unsere eigenen Familien, ein Bedürfnis, wieder mit unserem eigenen Leben in Verbindung zu treten. Eine unglaubliche Befreiung vom Druck des Schuldgefühls, das die Erkenntnis begleitete, daß das Schreckgespenst namens Kommunismus zutiefst positive Aspekte hat. Wir wurden wehrlos, dünnhäutig und verletzlich, und irgendwie stieg Groll in uns auf, weil man uns gelehrt hatte, Angst davor zu haben.

An diesem Abend wollte ich streicheln und kuscheln, liebkosen und halten. Ein Kind, einen Hund, einen anderen Menschen. In dieser Nacht hatte ich einen der beiden erotischen Träume, die ich in China träumte.

Doch in unserer Delegation spielten sich Dinge ab, die noch verstörender waren...

Unita bekam Ödeme an den Beinen. Nancy hatte Fieber, das schließlich auf über vierzig Grad anstieg. Joan litt an ständigen Magenbeschwerden. Phyllis hustete und schluckte massive Dosen Vitamin C. Rosa fiel und verstauchte sich den Knöchel, und Pats Gesicht nahm allmählich die Farbe von Gurken an. Am schlimmsten von allem war, daß Claudia die Koordination verlor und über ihre eigene Ausrüstung stolperte. Ihre Hände und Lippen zitterten. Eines Tages saß ich neben ihr im Bus und fragte, was los sei.

»Wahrscheinlich sehe ich hier Dinge, die mich veranlassen, mich selbst zu analysieren«, sagte sie und strich sich mit zitternder Hand das Haar aus dem Gesicht. »Ich merke wohl auch, wie schrecklich konkurrenzorientiert ich bin. Ich versuche, nicht so zu sein, weil ich weiß, wie zerstörerisch sich das auswirken kann. Aber ich kann nichts dagegen machen. Manchmal sorge ich mich mehr um das, was Joan aufnimmt, als um meine eigene Arbeit, und ich weiß, daß ich das nicht dürfte. Wir sind beide gut. Warum sollte nicht für uns beide Platz sein? Ich habe sogar Schwierigkeiten, mich mit ihr zu verständigen, weil ich so argwöhnisch meinen eigenen Gefühlen gegenüber bin.«

Sie seufzte tief.

»Es wird schon in Ordnung kommen«, hoffte sie. »Es ist nur, weil ich in China sehe, wie alle Menschen wie eine Person arbeiten.

Sie sind so selbstlos, und das widerspricht allem, was ich je gekannt habe, persönlich und beruflich. Das ist hart, verstehst du? Darum geht es eigentlich. Wenn ich aufhören könnte, an mich selbst zu denken, könnte ich besser funktionieren. Diese Menschen erinnen mich an meine eigenen Defekte, und das ist schwer auszuhalten.«

Sie verstummte und bedeutete mir, sie in Ruhe zu lassen. Ich saß still da und bewunderte Claudias offene und verletzliche Aufrichtigkeit. Sie war von China betroffen, weil sie offen genug war, um sich anrühren zu lassen. Das war es wohl, was mit uns allen geschah, dachte ich. Aber das war erst der Anfang.

## 23

An einem verschneiten Abend während der Kampagne zu den Präsidentschaftswahlen 1972 saß ich in einem chinesischen Restaurant in Milwaukee, und die aus China stammenden Amerikaner beobachteten interessiert, was sich auf dem Fernsehschirm abspielte. Das war verständlich. Man sah einen amerikanischen Präsidenten namens Richard Nixon aus einem Flugzeug steigen und chinesischen Boden betreten. Begrüßt wurde er vom kommunistischen Premierminister Tschou En-lai. Die Chinesen in der Wildnis der Provinz von Wisconsin staunten.

Jetzt waren wir in Peking und traten auf die gleiche Rollbahn, auf der Richard Nixon von Tschou En-lai empfangen worden war. Diesmal waren die Vertreter der Kommunistischen Partei der Volksrepublik China sämtlich Frauen. Sie erwarteten uns auf der anderen Seite der Absperrung am Eingang und begrüßten uns mit ausgestreckten Händen und herzlichen Umarmungen. Hinter ihnen erhob sich das Flughafengebäude wie eine maskuline Bestätigung der offiziellen Politik. Ein Portrait von Mao Tse-tung nahm eine riesige Fläche ein und blickte auf alle Neuankömmlinge herab. Oben auf der ins Flughafengebäude führenden Treppe schienen uns zwei Westler ängstlich entgegenzustarren. Als wir näherkamen, traten sie vor.

»Jim Pringle und Jonathan Sharp«, sagte einer von ihnen. »Wir sind vom neuen Büro der Nachrichtenagentur Reuter und dachten, Sie wollten vielleicht etwas über Shui Men hören.«

»Shui Men?« fragte ich. »Was ist das?«

»Watergate«, sagte Pringle, und dann gaben sie mir einige Seiten eines Fernschreibens. »Shui bedeutet Wasser, und Men heißt großes Tor. Groß sieht die Sache allerdings aus.«

Wir blätterten die Nachricht durch. Haldeman und Ehrlichman und Kleindienst waren zurückgetreten. John Dean war entlassen worden. All die zerbrechlichen Dämme, die während der Nixon-Kampagne gegen Watergate errichtet worden waren, waren nun gebrochen, und das ganze korrupte Durcheinander kam ans Tageslicht. Die Frauen sahen einander an. Pat Branson schrie mit rotem Gesicht: »Schon gut, schon gut, ich werde nie wieder für so einen Kerl stimmen!« Unita hüpfte auf und ab, und Margaret sagte: »Ich mag Republikanerin sein, aber ich *bin* aus Massachusetts.«

Unsere chinesischen Gastgeber verstanden nicht. Da stand ich und starrte auf das Fernschreiben, das im chinesischen Wind flatterte, in der Hauptstadt der Volksrepublik auf der anderen Seite des Erdballs, und erinnerte mich an McGoverns verletztes Gesicht, als er so beschimpft wurde, weil er zu anständig war, um Tom Eagleton zu feuern. Eine unserer chinesischen Führerinnen sah mich mit verwirrtem Ausdruck an.

»Das ist der Mann, der sich als unser Präsident bezeichnet«, versuchte ich zu erklären. »Er ist mit der Hand im Mustopf erwischt worden.«

»Oh, ja, Mister Nixon«, sagte sie. »Wir waren erfreut und beglückt, ihn hier zu haben.«

Ich konnte es ihr nicht erklären und gab es auf. Wir gingen zum Bus, der uns ins Minzu-Hotel bringen sollte.

Die Allee, die in die Innenstadt von Peking führt, ist mit Pappeln bepflanzt, und lange Reihen von Radfahrern erzeugten mit ihren Klingeln ein sanftes, bimmelndes Geräusch.

Irgend etwas berührte mich merkwürdig – und dann erkannte ich, daß es keine Hunde gab. Nicht auf den breiten Hauptstraßen und auch nicht in den Nebenstraßen des alten, vorrevolutionären Peking mit seinen übervollen Märkten, seinen geschäftigen Einwohnern und staubigen Baustellen. Nirgends war ein Hund zu sehen. Ich fragte meine Führerin nach dem Grund.

»Sie waren nicht nützlich für die Revolution«, erklärte sie mit dem Anflug eines Lächelns. »Daher ließ man sie verhungern oder aß sie auf.«

Ich widerstand der Versuchung, einen Witz über freilaufende Hunde oder Pekinesen zu machen. Und dann rollte eine lange, schwarze Limousine neben den Bus, und das Fenster wurde heruntergekurbelt. Ein gutaussehender Afrikaner in westlichem Geschäftsanzug lehnte sich heraus und rief: »Hallo, Schwester! Willkommen in Peking!« Unita rollte ihr Fenster herunter und rief zurück: »Ja, Sir! Ich wußte, daß es mir hier gefallen würde! Ja, Sir!«

Wir alle lachten. Pat beugte sich zur Seite und schrie: »Da hast du dir einen angelacht, Unita – den hast du erobert!«

Die Chinesen bezeichneten das Minzu-Hotel als Hotel der »Nationalitäten«. Während des Nixon-Besuches hatte es die Presse beherbergt, und heute war ein großer Teil des wachsenden Stroms ausländischer Besucher darin untergebracht. Nach dem relativen Luxus von Shanghai waren wir nun wieder beim revolutionären Funktionalismus angelangt: winzige Zimmer, schmutzige Badewannen, »launische« Toiletten. Aber hier gab es etwas Neues. Peking liegt direkt südlich der Wüste Gobi, und im April und Mai weht ein stetiger Wind und bringt eine dünne, feine Schicht von Staub und Sand mit sich, der sich in den Haaren und auf der Haut festsetzt. Man kann kaum atmen, ohne zu husten. Ich hoffte, das würde unseren Besuch nicht noch schwieriger machen als in den anderen Städten.

Doch ich brauchte mich nicht zu sorgen. Nicht um den Staub. Als wir ankamen, entdeckten wir, daß im neunten Stock des Minzu-Hotels das Team wohnte, das in Peking die Station für einen neuen Kommunikationssatelliten aufbaute. Die Mannschaft bestand aus Amerikanern, Australiern und Engländern, und sie hatten seit Monaten keine westlichen Frauen mehr gesehen. Unser Abenteuer in China nahm eine deutliche Wendung.

Die verbleibende Zeit unserer gemeinsamen Reise verbrachten wir in Peking, und das neunte Stockwerk des Hotels wurde für die meisten der Frauen zu einer Zuflucht – vor der Einsamkeit, dem Kulturschock, der fremdartigen Neuen Gesellschaft, die sie jeden Tag erlebten. Die Männer waren seit sechs Monaten in Peking, und obwohl sie das meiste von dem, was sie sahen, bewunderten, konnten sie es doch gar nicht abwarten, wieder abzureisen. Sie wünschten sich »Rüschenkram und andere weibliche Sachen«, wie einer von ihnen es ausdrückte. Wenn sie schon in China waren, dann wollten sie den alten Suzie-Wong-*cheongsam* sehen, das seitlich hochgeschlitzte Kleid, und sie klagten, ohne sich ihres offenkundigen männlichen Chauvinismus auch nur im mindesten zu schämen, die »Gleichstellung der Frauen« habe »Unisex«-Kleidung hervorgebracht, in der die Frauen langweilig und unattraktiv aussähen. Einige unserer Frauen schienen derselben Meinung zu sein.

Nach ein paar Tagen sah der neunte Stock allmählich aus wie eine Armeebaracke für männliche und weibliche Soldaten. Ein Kurzwellenradio plärrte Country- und Western-Musik, bis die Chinesen kaum noch geradeaus gucken konnten. Obszöne Witze über »Chinks« (abwertend für »Chinesen«, A. d. Ü.) und chinesische Wäscher machten die Runde, und wenn abends die meisten Frauen zu Bett gegangen waren, hielt der Lärm der Zechgelage noch stundenlang an. Die Ankunft unserer Gruppe »weiblicher« Frauen mit Make-up, Ohrringen, bunten Kleidern und Bereitschaft zum Flirten hatte die Männer der Satellitenmannschaft ganz aus dem Häuschen gebracht.

Tagsüber unternahmen einige der Frauen pflichtschuldig Ausflüge zu den bekannteren Touristenzielen, andere begannen, in ihren Zimmern zu bleiben. Der Staub wurde dichter. Erkältungen und Husten verschlimmerten sich. Ein paar Frauen blieben während des größten Teils der Nacht auf, tranken mit den Satellitenleuten und waren daher morgens zu erschöpft, um China zu besichtigen. Ninibah rief ihren Freund an und forderte ihn auf, er solle *sie* bitten, nach Hause zu kommen, als befreie sie das von der Verantwortung, aus eigenem Willen zu fliehen. Er weigerte sich mit der Begründung, sie mache da eine Erfahrung für ihr ganzes Leben und solle bis zum Ende bleiben. Unita entdeckte ein paar Männer aus Sambia, die an der Pekinger Universität studierten, und bewirtete sie bis drei Uhr früh; ihre Ödeme wurden schlimmer, und Margaret verbrachte Stunden damit, Unitas Beine zu massieren. Daraufhin hatte Unita solche Schuldgefühle, daß sie nicht wagte, Margaret zu bitten, das Fenster zu schließen, und sich eine schwere Bronchitis zuzog. Nancys Hals wurde so wund, daß sie nicht sprechen konnte. Joans Fieber wurde als Lungenentzündung diagnostiziert, und sie mußte in ein Krankenhaus eingeliefert werden. Karen hatte sich mit einigen Kindern ihres Alters angefreundet, die zur kanadischen Botschaft gehörten, und verbrachte den größten Teil ihrer Zeit damit, mit ihnen zu schwimmen.

Ich konnte nicht glauben, was um mich herum geschah. Ständig entschuldigte ich mich bei den Chinesen für unser Verhalten. Ein Mitglied der Delegation sperrte die Zimmergenossin aus dem gemeinsamen Raum aus, also brauchten wir ein weiteres Zimmer. Rosa wollte Speisen ohne Schweinefleisch. Cabell wünschte sich Maisbrot, und eines Tages, als sie im Institut für Minoritätenstudien Tonaufnahmen machte, zerfloß sie in Tränen. Die Einsamkeit der Minderheiten verursache ihr Heimweh, sagte sie, und sie könne sich nicht dagegen wehren. Karen begann sich unhöflich gegenüber allen zu benehmen, die sie als »Dienstboten« betrachtete. Joan bestand darauf, das Krankenhaus zu verlassen, und widerstrebend ließen die Chinesen sie gehen; eigentlich brauche sie Bettruhe. Claudia hatte Schwindelanfälle, und als Joan wieder an die Arbeit ging, nahmen die Reibereien zwischen ihnen zu. Margaret war offen wütend auf die anderen Frauen, weil sie sich benähmen »wie eine Bande verwöhnter Kinder«, und auf subtilere Art versuchte auch Phyllis, sie zu etwas mehr Selbstbeherrschung zu bewegen. Nichts half.

Jede Reise, an der mehr als eine Person beteiligt ist, wird zu einer Art »Rashomon«-Erlebnis, und ich nehme an, jede der Frauen hat eine andere Version über das, was tatsächlich in Peking geschehen ist. Abends fragte ich mich immer und immer wieder, ob es meine Schuld war, ob ich die falschen Begleiterinnen ausgewählt hatte, ob ich noch irgend etwas tun konnte, um ihnen die Dinge zu erleichtern.

Als ich das Abenteuer in Angriff nahm, hatte ich gemeint, ich sei eine demokratische und sensible Delegationsleiterin und würde daher alle Schwierigkeiten bewältigen. Bald erkannte ich, daß mir mehr an dem lag, was ich selbst lernte und sah, als an den Problemen der anderen. China war etwas, auf das ich mich mein ganzes erwachsenes Leben lang gefreut hatte, und ich ertappte mich dabei, daß ich alles wegschob, was die Verwirklichung dieses Traums behinderte.

Unita hatte um eine »Meckersitzung« gebeten, die demselben Zweck hätte dienen können wie die chinesische »Selbstkritik-Sitzung«, aber ich hatte Angst, wir würden laut werden, uns anschreien und einander unverzeihliche Dinge sagen, wenn wir ehrlich aussprachen, was uns auf der Seele lag, und die Gruppe würde auseinanderbrechen.

Vermutlich hatte das meiste von dem, was da geschah, mit der Tatsache zu tun, daß wir Amerikanerinnen einer bestimmten Generation waren, erzogen in der Überzeugung, Kommunismus sei schlecht. Doch in China sahen wir niedrige Nahrungsmittelpreise und Straßen, die frei waren von Verbrechen und Drogenhandel. Mao Tse-tung war ein Führer, der anscheinend wirklich geliebt wurde; die Menschen hegten große Zukunftshoffnungen, die Frauen spürten kaum ein Bedürfnis oder auch nur den Wunsch nach so oberflächlichen Dingen wie koketten Kleidern und Schminke, die Kinder liebten die Arbeit und hatten Selbstvertrauen. Die Beziehungen schienen frei von Eifersucht und Untreue, weil Monogamie das Gesetz des Landes war und kaum jemand dagegen verstieß. All das, so verschieden von dem, woran wir in Amerika gewöhnt waren, erschütterte uns auf eine Art, die keine konventionelle Reaktion zuließ. Wir konnten keine Postkarte schreiben wie »Hier ist es toll, ich wünschte, ihr wärt auch hier«, weil unsere Reise nicht diese Art von Reise war. Sie war ein Quantensprung in die Zukunft, und für einige Frauen müssen die Aussichten angsterregend gewesen sein.

Während meine Sympathie für meine Begleiterinnen mit dem Ärger über ihre mangelnde Selbstbeherrschung kämpfte, wuchs meine Entschlossenheit, selbst nicht krank oder depressiv zu werden. Wenn ich einen Schnupfen kommen fühlte, unterdrückte ich ihn mit Willenskraft. Wenn mich etwas aufregte, konzentrierte ich mich auf den Sonnenschein oder einen fernen Wasserfall, bis der Moment vergangen war. Ich hatte meinen Willen noch nie zuvor auf diese Weise benutzt, nicht im Film, nicht, wenn ich tanzte, und auch in keiner persönlichen Beziehung. Und bei diesem Vorgang muß ich zehn Jahre reifer geworden sein. Ich konnte noch nicht wissen, daß auch ich in ein paar Wochen die Beherrschung verlieren würde.

Ich ging hinaus und umarmte China; ich sah Vorstellungen von *Das Rote Frauenbataillon,* einer großartigen Revolutionsoper mit einer feierlichen sozialen Botschaft, die durch die Schönheit der Produktion und die kraftvolle Disziplin des Tanzens wettgemacht wurde. Karen verzichtete darauf, um sich statt dessen in der kanadischen Botschaft *Butch Cassidy and Sundance Kid* anzusehen.

Einige Mitglieder der Delegation besichtigten am gleichen Tag die Verbotene Stadt und die Große Halle des Volkes. Die Verbotene Stadt war verwirrend und grandios und erweckte Phantasien über die chinesischen Kaiser mit ihren vielen Frauen und Konkubinen und Dienern. Die Große Halle des Volkes war massiv und solide, erbaut von den Regierenden des neuen China und anscheinend dem Vertrauen in das Volk gewidmet. In den Versammlungshallen gab es Tausende von Sitzplätzen, und ich hatte den Eindruck, in der Großen Halle Entscheidungen zu treffen, würde genauso lange dauern wie die Anhörung der Delegierten. Ich dachte zurück an unseren Demokratischen Parteikonvent. War es möglich, daß es zwei Arten von Demokratie gab? Eine Form in einer Diktatur, und die andere da, wo es fast überhaupt keine Führung gab? In jedem Stockwerk befanden sich quadratische Versammlungsräume, die jeweils eine der Minderheitengruppen Chinas repräsentierten, mit Kunst- und Handwerksgegenständen und Gemälden, die jede autonome Region darstellten. Mehr als alles andere war die Große Halle des Volkes ein Sinnbild für die Persönlichkeit der Neuen Gesellschaft. Pat verpaßte diese Besichtigung. Sie blieb im Hotel, um die Geburtstagsparty für einen der Satellitenleute vorzubereiten.

Am ersten Mai saßen wir als geehrte ausländische Gäste bei strahlendem Sonnenschein auf dem T'ien-an Men-Platz und sahen Tänzen und Gesängen zu, die für verschiedene Landstriche in China typisch waren. Hunderte von roten Fahnen wehten im

Wind. Militärballetts stellten die Revolution dar, und man konnte schwer sagen, ob die Darbietenden Soldaten waren, die tanzen gelernt, oder Tänzer, die schießen gelernt hatten. In jedem Ballett überwand das »Soldatenvolk« die Vergangenheit. Ich dachte an die russischen Feiern zum Ersten Mai, die ich im Fernsehen gesehen hatte, mit Panzeraufmärschen, Raketen und marschierender Infanterie, und ich erinnerte mich an die supermilitärische Parade, die ich bei Nixons Amtseinführung miterlebt hatte. In China hatte ich dieselbe Zurschaustellung militärischer Macht erwartet, doch außer der Erinnerung an die revolutionäre Vergangenheit wurden die militärischen Aspekte nicht betont. Väter trugen ihre Kinder auf den Schultern, junge Leute fotografierten einander auf dem großen Platz. Als Legionen junger Menschen ihre ausländischen Gäste willkommen hießen, wirkten sie wie ein einziges großes, neugieriges Gesicht. Das war ein Gefühl, das ich überall in China empfand. Nie hatte ich den Eindruck, daß in diesem Land achthundert Millionen *Individuen* lebten, obwohl ich wußte, daß es so war. Der vorherrschende Eindruck war der einer vereinten, kolossalen Präsenz.

Die Musik und die Tänze dauerten stundenlang, und irgendwann setzte sich eine ältere chinesische Frau neben mich. Sofort war sie von Fotografen und bewundernden Zuschauern umgeben. Das Gesicht der Frau war majestätisch und freundlich, in ihren Augen blitzte der Schalk. Sie trug einen einfachen grauen Mao-Anzug. An ihrem Verhalten erkannte ich, daß sie eine wichtige Persönlichkeit war, aber ich wußte nicht, wer. Ich erkundigte mich und erfuhr zu meiner Beschämung, daß sie Teng Yingch'ao war, die Frau des Premiers Tschou En-lai. Diese Frau hatte alles mitgemacht; sie hatte auf dem Langen Marsch mit ihrem Mann gekämpft, und zwar vom Anfang im Jahre 1935 bis zum Ende. Sie hatte ihre Gefährten auf den Straßen und Hügeln Chinas sterben sehen. Sie hatte selbst ein Maschinengewehr bedient und war an Tuberkulose erkrankt, während sie für die Vision eines neuen China kämpfte. Jetzt saß sie hier neben mir, und ich wußte nicht, was ich sagen sollte.

Also hörte ich zu, während sie sprach und uns fragte, wie *wir* seien und wie *uns* China gefalle. Ich entschuldigte mich, weil ich sie nicht erkannt hatte. Sie erklärte, das sei nicht wichtig, weil *sie* nicht wichtig sei; wir beide seien nur insofern wichtig, als wir dazu beitragen könnten, die Welt zu einem besseren Ort zu machen. Sie beglückwünschte unsere Delegation, weil sie die amerikanischen Frauen insgesamt repräsentierte.

Später, bei einer Zusammenkunft mit Orangenlimonade und Nüssen, fragte ich Madame Tschou En-lai nach der Rolle des Künstlers in China. Als habe sie meine Frage vorausgeahnt, räumte sie sofort ein, die Neue Gesellschaft müsse eine förderlichere Umgebung für Künstler, Schriftsteller und Intellektuelle schaffen, sprach aber auch von der Notwendigkeit staatlicher Kontrolle von Kunst und Literatur. Als ich ihr entgegnete, ich als Künstlerin könne die staatliche Kontrolle kreativen Ausdrucks niemals akzeptieren, nickte sie und sagte, das verstehe sie, fuhr aber mit der leisen und fast sanften Erklärung fort, wenn man in einem Land lebe, dessen Hauptproblem die Ernährung seiner Bevölkerungsmillionen sei, müßten Kunst und Literatur eine sekundäre Rolle spielen, und auch dann nur im Dienste der Interessen der Revolution. Es gebe keinen wesentlichen Unterschied zwischen Kunst und Politik im Dienst einer neuen Nation, und die höchste Priorität habe das *Volk*. Sie wiederholte, sie und die anderen Führer würden die Notwendigkeit anerkennen, den Künstlern Gelegenheit zur Kreativität zu geben – weil ohne sie letztendlich der Fortschritt der Revolution selbst behindert werden könnte.

Ich wollte ihr Fragen über Tschiang Ch'ing und chinesische Schriftsteller und die Notwendigkeit der Kritik stellen. Ich wollte wissen, ob sie auch der Meinung sei, daß Kunst und Individualität dazu beitragen, die menschliche Gesellschaft menschlicher zu machen, während es Aufgabe der Politik ist, sie besser zu organisieren. Doch ihre Freundlichkeit und die Klarheit ihrer Erklärung ließen mich zögern. Wenn ich Chinesin gewesen wäre, hätte ich meine Fragen vielleicht weiterverfolgt. Doch da ich aus einem vollkommen anderen, westlichen Bezugsrahmen und einer Vergangenheit entstammte, die eher privilegiert als entbehrungsreich war, ließ ich den Augenblick verstreichen.

Als wir uns drei Stunden später verabschiedeten, weinten meine Begleiterinnen. Madame Tschou En-lai hatte ebenfalls Tränen in den Augen. Sie betupfte ihre Augen mit einem weißen Taschentuch, forderte uns auf, den Maifeiertag zu genießen, und küßte zum Abschied jede einzelne von uns. Ich wünschte, Unita hätte sie kennengelernt. Sie war am Vorabend mit ihren sambischen Freunden zusammen gewesen und zu müde, uns zu begleiten.

Eines Morgens gegen sieben hörte Margaret Pat Branson im Badezimmer rumoren und ging hinein, um nachzusehen, was los war. Pat erbrach Blut. Margaret holte mich, und ich rief nach den Ärzten. Sie sagten, Pat habe blutende Magengeschwüre, und gegenwärtig gebe es dafür nur eine Behandlung: Suppen, milde Speisen und Bettruhe. Pat erbleichte. Sie hatte schon zu Hause unter Magengeschwüren gelitten und seit fünf Jahren keinen Alkohol mehr angerührt. Gestern jedoch war sie in der »Baracke« des neunten Stocks lange aufgeblieben und hatte Wodka getrunken.

»Ich bin nicht nach China gekommen, um im Bett zu bleiben«, sagte sie, während sie wie ein trauriger Vogel dalag. »Ich werde bloß immer schwächer, wenn ich liege. Es geht mir davon nur schlechter.«

Sie krabbelte aus dem Bett, ging ins Bad und erbrach wieder Blut.

»Siehst du?« sagte sie. »Es ist nicht gut für mich, im Bett zu liegen.«

Ich wußte nicht, was ich tun sollte. Pat war krank; schließlich blieb sie an diesem Tag doch im Bett, und als ich sie besuchte, begann sie, mir von ihrem Leben zu erzählen. Sie war in Port Arthur aufgewachsen. Ihre Eltern »zogen mich an wie eine kleine Sexpuppe, und dann wollten sie mich nicht mit Jungen ausgehen lassen«. Sie hatte eine erste, unglückliche Ehe hinter sich und eine Reihe unbefriedigender Jobs ausgeübt. Ihre zweite Ehe war besser. Pat sprach jetzt mit einer Art aus dem Bauch kommender Ehrlichkeit; sie wußte, daß sie mit sich selbst meist nicht sehr pfleglich umgegangen war. Ehe sie einschlief, zog sie ihr Tagebuch hervor.

»Sieh mal, Shirley«, sagte sie. »Ich habe mir ein paar von den Gedanken des Vorsitzenden Mao aufgeschrieben. Weißt du, er hat einige schöne Sachen gesagt, und ich will sie zu Hause den Leuten von Port Arthur, Texas, erklären, damit sie verstehen, daß er nicht viel anders redet als Jesus Christus.«

Nun ja. Ich fragte sie, ob sie sicher sei, daß sie das tun wolle.

»Natürlich, Shirley«, erwiderte sie. »Und das kleine rote Buch nehme ich auch mit... Das steht viel Wissenswertes über Organisationen drin. Wir in Amerika müssen lernen, uns zu organisieren. Das ist unser Problem – keine Organisation. Wenn wir uns *nicht* organisieren, dann werden uns bestimmt die Kommunisten überrennen.«

## 24

An dem Tag, an dem wir die Große Chinesische Mauer besichtigen sollten, erschien Claudia in einem ausgeschnittenen Minikleid und hochhackigen Bastschuhen in der Halle. Sie trug Lippenstift und Maskara. China und die Männer vom Satelliten-Team hatten offenbar ihre Wirkung getan. Bis dahin hatte das Team in Overalls und flachen Schuhen oder Turnschuhen gearbeitet. Das Make-up war mir egal, aber es erschien absurd, eine fünfundzwanzig Pfund schwere Kamera und fünfzig Pfund Filmmaterial in Minikleid und Schuhen mit hohen Absätzen auf die Große Mauer schleppen zu wollen, und das sagte ich ihr auch. Claudia ging zurück in ihr Zimmer und zog sich um, aber irgend etwas in ihr schien kurz vor dem Ausbruch zu stehen.

An der Großen Mauer begegneten wir Menschen aus aller Welt – Araber, Franzosen, Mexikaner, Japaner und zahlreiche Chinesen, die Ferien oder ihren arbeitsfreien Tag genossen. Kleine Trupps von Roten Garden und Soldaten der Volksbefreiungsarmee beobachteten die Ausländer still, und Ninibah verschaffte ihnen eine denkwürdige Erinnerung. Sie ging direkt auf die Mauer zu, setzte sich auf einen Sims und begann, ihre Navajo-Trommel zu schlagen und den Bergen ein Eingeborenenlied über die Schönheit der Natur vorzusingen. Die Chinesen rissen die Augen auf. Ausländer waren sehr eigenartige und extrovertierte Leute. Mir fiel auf, daß Ninibah zum erstenmal auf dieser Reise glücklich aussah.

Der klare Tag, der kühle Wind und die Umgebung mit ihren Bäumen und Bergen schienen alle zu entspannen, Yeh eingeschlossen, unsere Reiseleiterin, die uns von Anfang an begleitet hatte. Sie begann, offen über ihr eigenes Leben zu reden und erzählte uns, sogar zu Hause würden die Ziele der Neuen Gesellschaft unterschiedlich ausgelegt. Zum Beispiel: »Mein Mann versucht sein Bestes, um zu waschen und zu bügeln, aber er kann es nicht besonders gut«, sagte sie lächelnd. »Deshalb muß ich es noch einmal machen.« Sie mache sich Sorgen, ob sie »die richtige Einstellung« habe, um die Bedürfnisse ihrer kleinen Tochter zu verstehen, und erklärte, was sie zu ihrem Mann hingezogen habe, sei »politische Ideologie«. Als ich entgegnete, in China scheine jeder dieselbe Ideologie zu haben, und daher hätte sie *jeden beliebigen* Mann heiraten können, lächelte sie amüsiert über meine westliche Logik. Sie meinte, in China gebe es Wichtigeres als die Frage, *wen* man heirate.

»Wir heiraten, um Kinder zu haben«, fuhr sie fort. »Wir hoffen, daß diese Kinder gute Soldaten werden, die mithelfen, die Gedanken des Vorsitzenden Mao allen Menschen mitzuteilen, die unterdrückt sind. Mein Mann und ich arbeiten zusammen an dieser Aufgabe, und wir haben sehr viel zu tun. Wir möchten ein besseres Leben und mehr Verständnis erreichen, und wir streben danach, selbstsicher und selbstlos zu sein. Wir wollen die Lehren des Vorsitzenden Mao befolgen.«

Auf dem Papier wirken diese Worte wie die eines Roboters, aber Yeh war ganz bestimmt kein Roboter. Sie hatte Sinn für Humor, ihre Intelligenz war warmherzig. Unsere Fragen über Ehe, Kinder und Sexualität kamen ihr reichlich merkwürdig vor (einige der Chinesen meinten, wir seien »sexbesessen«), weil sie in einer Welt lebte, in der die Menschen von morgens sechs bis abends sechs arbeiteten und die Abende mit politischen Versammlungen oder Selbstkritik-Sitzungen zubrachten. Kinder wurden nicht als Besitztümer einer individuellen Familie angesehen, sondern vielmehr als Teilnehmer an der Revolution.

»Individuelle Vorlieben werden immer diskutiert«, erklärte sie weiter, »aber die Vorlieben wachsen sich nie zu Abweichungen aus, weil unser Geist der Geist des Kollektivs ist. Alle persönlichen Probleme und Vorlieben sind durch die Gedanken des Vorsitzenden Mao lösbar und möglich. Er lehrt uns, daß das, was für die Massen am besten ist, auch für das Individuum am besten ist. Wenn die Menschen vereint sind, dann spielt es keine Rolle, wen sie heiraten, solange ihre beiderseitige Liebe vor allem dem Wohl der Gemeinschaft dient. Die Liebe zu einem anderen Menschen geht daraus hervor.« Sie hielt einen Augenblick inne. »Ein Eßstäbchen kann man zerbrechen, aber ein ganzes Bündel von Eßstäbchen ist unzerbrechlich.«

Während sie sprach, bemerkte ich, daß sie Phyllis' Hand hielt.

Unsere Zeit ging allmählich zu Ende, und wir waren auf unserer letzten Besichtigungsrunde. Wir wurden Zeugen einer Kaiserschnittgeburt mit Akupunktur als einziger Betäubung. Joan wurde während der Operation schwindlig, und sie mußte sich hinlegen, doch sie überwand ihre Übelkeit und filmte weiter. Während der Operation aß die Patientin, deren Bauchdecke chirurgisch geöffnet war, einen Apfel und winkte uns zu.

Wir besichtigten eine Fabrik, in der Taubstumme, mehr als vierhundert an der Zahl, mit der Herstellung von Maschinenwerkzeugen beschäftigt waren. Sie waren in eigenen Revolutionskomitees organisiert, hielten Selbstkritik-Sitzungen in Zeichensprache ab und wurden mit Akupunktur gegen Taubheit behandelt.

Ich bat um die Besichtigung eines Filmstudios, aber irgendwie kam sie nie zustande. Jemand lehnte ab, es gebe nichts zu filmen, aber ich spürte, daß die Chinesen einfach nicht bei der Arbeit mit diesem Medium beobachtet werden wollten, bevor sie sich nicht im klaren waren, wie es in die Gesellschaft integriert werden sollte. Die Chinesen begegneten uns immer aufrichtig, zögerten aber, wann immer ich nach Schriftstellern, Künstlern oder Filmemachern fragte. Es könnte daran gelegen haben, daß dies im Westen mein Arbeitsgebiet war, und sie wußten, daß ich sachkundig über das berichten würde, was ich sah. Ich hatte auch den Eindruck, daß die Rolle des Künstlers in ihrer Neuen Gesellschaft sie wirklich verwirrte. Sie waren sich noch nicht klar darüber, wie künstlerische revolutionäre Kreativität in einer Gesellschaft zu behandeln sei, in der der Geist des Kollektivs das Allerwichtigste war. Ich hatte Verständnis für sie. Soweit ich wußte, hatte diese Frage noch niemand gelöst.

Während wir von Schule zu Wohnviertel und von Instruktion zu Instruktion zogen, beherrschte mich immer mehr das Gefühl, der chinesische Weg könne der Weg der Zukunft sein. Dann erinnerte ich mich, was mit den Intellektuellen geschehen war, die in den zwanziger und dreißiger Jahren unseres Jahrhunderts die Sowjetunion besucht hatten – Lincoln Steffens hatte gesagt: »Ich habe die Zukunft gesehen, und sie funktioniert« –, und an die spätere Desillusionierung, als sich die Kunde von den Todeslagern, Stalins Grausamkeiten und Menschen, die über Nacht spurlos verschwanden, herumsprach.

Sicherlich wurden uns sorgfältig ausgewählte Orte vorgeführt; die Chinesen zeigten uns offenkundig ihr Bestes. Doch von der Paranoia, die die Sowjetunion infiziert zu haben schien, war nichts zu bemerken; die Chinesen sprachen offen mit uns, ohne mißtrauisch über die Schulter zu blicken, und das Gefühl der Einheit schien von der Basis zu kommen, von den Bauern und Fabrikarbeitern, die in den Jahren seit ihrer Befreiung von der Vergangenheit ein Gefühl von Würde und Wert entwickelt hatten. Niemals hatte ich das Gefühl, die Einheit Chinas sei von oben oder durch die Anwendung von Terror und Gewalt erzwungen worden.

Doch ich hatte noch immer nicht genug gesehen. Ich wollte gern nach Yenan reisen, an die Geburtsstätte der Revolution, um mit eigenen Augen zu sehen, welche Art von Landschaft und Leben jene bemerkenswerte Gruppe von Männern und Frauen geformt hatte, denen die Revolution zu verdanken war. Die wachsenden Probleme unserer Delegation machten das allerdings schwierig. Meine Begleiterinnen wirkten immer gehetzter, während sie die neuen Einsichten in sich aufnahmen; sie machten Ansätze zu deren Verständnis und schreckten dann doch davor zurück. Bei den Instruktionen und anderen Sitzungen schienen sie sich zu verschließen, als habe das, was sie erfuhren, sie betäubt.

Ich hatte mich am Tag unserer Ankunft in China um eine Verlängerung unserer Visa bemüht, da ich wußte, daß die chinesische Reiseagentur in Peking Zeit brauchen würde, um Transport und Unterbringung zu regeln und auch, um sich darüber klar zu werden, wie sie zu uns stand. Zuerst waren die Frauen der Delegation von der Möglichkeit eines längeren Aufenthalts begeistert gewesen. Doch das war noch im ersten Überschwang, als einige von ihnen Interviews über die Wunder Chinas gaben – zwei Tage nach der Ankunft. Nun schienen sie verstört. Ich verfolgte die Verlängerung für die gesamte Delegation nicht weiter, fragte aber an, ob ich allein noch etwas länger bleiben könne. Die Reiseagentur stimmte zu, und die anderen Mitglieder der Delegation handelten einmal einmütig, indem sie nämlich vor Erleichterung seufzten.

Alle, außer Phyllis. Zwei Tage vor der geplanten Abreise war Phyllis am Ende. Sie legte sich mit einer Lungenentzündung zu Bett und wurde in ein Krankenhaus eingeliefert.

Wir anderen saßen in einem Zug, starrten hinaus in die Landschaft und versuchten zu begreifen, was passierte.

Ich schaute zu Pat hinüber. Sie betupfte ihre Augen. Leise schlüpfte ich an ihre Seite und fragte sie, was los sei.

»Es ist das, was ich sehe«, sagte sie. »Es sind die Menschen – sie sind so glücklich. Sie besitzen so viel weniger als wir, aber sie wirken so heiter und friedlich. Ich wünschte, ich könnte herausfinden, wieso. Ich wünschte, ich könnte hinter ihr Geheimnis kommen.« Tränen standen in ihren Augen.

»Wir versäumen etwas in unserem Leben, Shirley… Ich sage dir, diese Menschen sind nicht… Wenn ich nur dahinterkäme, wieso.«

Am letzten Tag in Peking war die Stimmung düster. Die Türen der Zimmer im neunten Stock standen offen, alte Nummern von *China Pictorial* lagen auf den Kommoden, Reste von Packpapier und Fernschreiben waren auf den Betten verteilt. Die »Satellitenleute« kamen, um Abschied zu nehmen; sie sahen mürrisch und verdrossen aus, denn sie wußten, daß sie jetzt wieder allein sein würden. Pat verabschiedete sich und schenkte den verblüfften Chinesen texanische Souvenirs. Sie rührte mich auf eine ganz besondere Weise, denn von uns allen war sie die einzige, die den Chinesen etwas zurückgab.

Yeh und einige andere Offizielle kamen die Treppen des Minzu herunter, um uns auf Wiedersehen zu sagen und uns Grüße an das amerikanische Volk aufzutragen. Und dann stieg Yeh zu uns in den Bus, und wir fuhren zum Flughafen. Meine Begleiterinnen schauten sich nicht um.

Am Pekinger Flughafen warteten wir auf die Maschine nach Kanton, von wo aus sie versuchen wollten, den Zug nach Hongkong zu bekommen. Die Frauen sprachen über das, was sie gesehen hatten. Sie würden das Muttermal am Kinn des Vorsitzenden Mao vermissen; die Erfahrung, die sie gemacht hatten, sei die wichtigste in ihrem Leben; die Chinesen hätten mit ihrer Revolution eine großartige Leistung vollbracht. Sie steckten den weiblichen Reiseführern Plaketten der Frauenbefreiungsbewegung an die Jacken. Und dann gingen wir an Bord der Maschine nach Kanton.

Yeh und Chang kamen mit uns, und als wir mitten in einem Gewittersturm in Kanton landeten, brachten sie uns zum Flughafenhotel, wo wir die Nacht verbringen sollten. Morgens würden wir den Zug in Richtung Grenze besteigen, und danach würde ich nach Peking zurückkehren. Als wir das Hotel betraten, brach Joan zusammen, bleich und zitternd. Ihr Gesicht war aschfahl.

»Ich bin in Ordnung«, stammelte sie. »Ich habe kein Fieber. Ich bin in Ordnung. Tut nicht so, als sei ich krank. Ich bin in Ordnung. Nur müde.«

Ich maß ihre Temperatur; sie hatte über vierzig Grad Fieber. Sie wollte keinen Arzt, aber wir riefen trotzdem das Krankenhaus an. Ja, sagten die Ärzte, sie hätten damit gerechnet, daß sie einen Rückfall erleiden würde. Sie hätten einen Bericht aus dem Pekinger Krankenhaus erhalten, und wenn Joan in Kanton kein Krankenhaus aufsuche, sei sie ernstlich gefährdet. Ich flehte sie an, aber Joan weigerte sich.

»Nein, nein«, protestierte sie. »Sie werden mir sagen, daß ich hierbleiben muß.«

Wir baten sie, feilschten mit ihr, und schließlich gelang es uns, sie ins Krankenhaus zu schaffen. Die Röntgenuntersuchung ergab einen großen Schatten auf ihrer rechten Lunge. Sie saß auf dem Rand eines Untersuchungstisches, kreideweiß und mit leeren Augen, das Gesicht trotzig verzogen.

»Ich bleibe nicht in diesem Krankenhaus«, sagte sie zu Chang und Yeh. »Ich werde dieses Land morgen verlassen, und wenn ich über die Grenze kriechen muß.«

Die beiden Reiseführerinnen, die auf so vielen Wegen so vieles mit uns durchgestanden hatten, daß sie ein Teil der Delegation geworden waren, standen fassungslos da. Ich nahm sie beiseite, entschuldigte mich und erklärte, Joan sei krank und habe Fieber und wisse daher nicht, was sie sage. Chang und Yeh lächelten schwach. Ich ging zu Joan zurück. Sie hatte versprochen, daß sie bleiben würde, wenn die Röntgenaufnahme Schatten zeigte.

»Wenn ich in China bleibe«, erklärte sie, »dann möchte ich, daß eine andere Amerikanerin bei mir bleibt.«

Ich fragte Margaret, und sie sagte, sie wäre entzückt, mehr von Kanton zu sehen. Die Chinesen verlängerten ihr Visum, und ich reiste mit den anderen an die Grenze. Ich erinnerte mich, wie vielversprechend alles noch vor wenigen Wochen gewesen war, als wir auf der gleichen Strecke nach China einreisten. Jetzt fuhren die meisten meiner Begleiterinnen ab wie Versprengte einer demoralisierten Armee. Joan blieb im Krankenhaus, Margaret kümmerte sich um sie. Phyllis lag in Peking im Krankenhaus. Die anderen waren kleinlaut und still. Am Zollschalter versuchte Unita, sie zu einem Lied anzuregen, und stimmte die alten Gesänge der Bürgerrechtsbewegung an, aber ihr Versuch wirkte matt. Ich verknackste mir bei einem mexikanischen Hut-Tanz den Knöchel. Alles ging schief. Eine Gruppe von chinesischen Zollbeamten, sämtlich Frauen, beobachtete uns, wie wir tanzten, und fiel dann lachend ein. Doch das Tanzen und Singen endete, sobald der Zug nach Hongkong angekündigt war. Eine nach der anderen kamen die Frauen zu mir, um mich zu umarmen und zu verabschieden, und eilten dann in den Zug, vorbei an einem Schild, auf dem stand: »Lang lebe die Einheit der Völker der Welt«.

Der Zug fuhr an, die Räder quietschten auf den Schienen, und dann war es vorbei. Ich war allein.

Joan in Kanton hatte sich erholt. Sie reagierte auf die sanfte Pflege der Chinesen, ein gutes Buch und Margarets Freundlichkeit. Sie entschuldigte sich für ihr Verhalten und sagte, sie sei nur auf sich selbst böse gewesen, weil sie krank geworden sei. Sie versprach, das Krankenhaus erst zu verlassen, wenn es ihr besser ging. Ich verabschiedete mich von ihr und Margaret und reiste mit Yeh und Chang zurück nach Peking.

Auf dem Rückweg dachte ich an ein Gespräch, das ich einmal mit Han Suyin geführt hatte; sie hatte mich gewarnt, ich könne mit einer Frauendelegation Schwierigkeiten bekommen. Männer hätten es in China leichter, Männer interessieren sich für Wirtschaft, Industrialisierung, Gewinn und Verlust, Bruttosozialprodukt und dergleichen mehr. Frauen aber gehen eher auf die fundamentale Revolution der menschlichen Werte ein, die in China stattgefunden hat. Zu den durchgreifenden Veränderungen in China gehören die Art und Weise, wie Kinder erzogen werden, die Wertschätzung von Freundlichkeit, gegenseitige Respektierung der Bedürfnisse, die Einstellung zu Arbeit und Privatleben und wie man mit seinen Mitmenschen auskommt. Diese Bereiche gelten in den westlichen Gesellschaften gewöhnlich als »unbedeutendere«, weibliche Themen, doch hier in China waren sie jedermanns Hauptanliegen. Ich mußte den Frauen der Delegation sogar ein Kompliment machen, weil sie sensibel genug waren, um sich von den fundamentalen Veränderungen anrühren zu lassen, denen sie begegneten.

Das hatte teilweise auch negative Folgen gezeitigt, und außerdem waren die Erlebnisse für sämtliche Frauen, mich eingeschlossen, zu viel gewesen. China war so fundamental verschieden von unserer Lebensweise, daß es keinen leichten Weg gab, sich damit zu identifizieren. Jetzt waren meine Stirnhöhlen verstopft, und trotz einiger Medikamente, die ich in Kanton eingenommen hatte, bekam ich einen Schnupfen. Doch es machte nichts. Die Frauen waren glücklich, China zu verlassen, und in diesem Augenblick, allein in dem chinesischen Flugzeug, während die Landschaft mit fünfhundert Meilen pro Stunde unter mir dahinzog, war ich glücklich, allein zu sein.

## 25

Phyllis war noch schwach und bettlägerig, und die chinesischen Ärzte sagten, sie müsse mindestens eine weitere Woche im Krankenhaus bleiben. So machte ich mich allein mit Chang per Eisenbahn auf den Weg durch China. Wir fuhren in die Westprovinzen, wo die Revolution geboren worden war.

Rings um uns erstreckte sich das Land, wild und rauh, und zum erstenmal begann ich zu verstehen, daß die Chinesische Revolution sehr primitive Wurzeln hatte. China war ein Land, in dem Wetter, Landschaft, Wind und Klima sich gegen die Menschen verschworen hatten. Jahrhundertelang hatten die Chinesen gekämpft, um die Natur zu überwinden, und waren gezwungen gewesen, einander zu bekämpfen. Erst jetzt hatten sie erkannt, daß ihre einzigen wirklichen Freunde ihre Mitmenschen waren. Gegen ihre grausam trockene Landschaft mußten sie zusammenhalten, und sie gaben sich gegenseitig Kraft.

Im Zug duftete es nach Ingwer und Flieder, während wir dahinfuhren. Gedanken und Einsichten gingen mir durch den Kopf, einige so karg und hart wie die Landschaft, durch die wir fuhren. Nach fast einem Monat in China mußte alles neu überdacht werden. Der Begriff der Freiheit war auf einmal suspekt; nach amerikanischen Maßstäben gab es hier keine der vielfältigen Freiheiten, die wir so schätzten; keine Pressefreiheit, keine oppositionellen politischen Parteien, keine Freiheit, Bücher zu schreiben oder Kunstwerke zu schaffen. Aber es gab andere Freiheiten: Freiheit von Hungertod, Diskriminierung, Ausbeutung, Sklaverei und frühem Sterben.

Ich stellte fest, daß ich in China in sehr groben Kategorien dachte. Mehr und mehr erschien mir selbst die menschliche Natur relativ. Wie viele westliche Menschen war ich in dem Glauben aufgewachsen, der Mensch habe von Natur aus eine Reihe angeborener Eigenschaften: Wettbewerb, Freude an Besitz und Grunderwerb, Aggressivität, Eifersucht, Selbstsucht, Bedürfnis nach Selbstausdruck. Hier standen diese Begriffe samt und sonders auf dem Kopf. Die Menschen wirkten zufrieden, sogar glücklich. Ich meine damit keinen rauschhaften Glückszustand – den hatte es in der Geschichte der Menschheit noch nie gegeben. Aber diese Menschen waren zufrieden. Sie lebten in einer Art Theokratie, die einen Gott (Mao), eine Überzeugung (das rote Buch) und den Glauben an den höchsten Willen und die Gerechtigkeit der Massen einschloß. Der Glaube war es, der all das zusammenhielt.

Und er muß ungeheuer stark gewesen sein; sonst hätten die Menschen den Kampf mit dem rauhen Land nicht aufgenommen. Überall Staub; er wirbelte über trockene Tafelberge, drang durch die Fensterritzen des Zuges, und doch arbeiteten die Menschen dagegen an. Sie beackerten Weizenfelder, bewässerten mühevoll und ließen sich von den dauernden Staubstürmen nicht aufhalten. Ich sah Terrassen, die man aus den Felsen der Berge geschlagen hatte; darauf standen dichte Pflanzenreihen in Erde, die Menschenkraft auf die Berge getragen hatte. Höhlen waren in Berghänge geschlagen, kühl im Sommer, warm im Winter, ein Tribut an die Ausdauer in allen Jahreszeiten. An den Abhängen prangten Parolen in roter Farbe.

LASST DIE BERGE IHRE HÄUPTER BEUGEN
LASST DIE FLÜSSE WEICHEN
LASST FELDFRÜCHTE AUF KAHLEM BODEN WACHSEN
KÄMPFT GEGEN DEN HIMMEL
KÄMPFT GEGEN DIE ERDE

Überall war der Kampf im Gange, ließ keinen Raum für Verzweiflung, war frei von der lähmenden religiösen Passivität, die Indien umbrachte, und auch frei von der Gier, die Amerika zu strangulieren begann. Irgendwann kam ein Mann in den Zug und ließ durch Chang als Dolmetscherin fragen, ob es stimme, daß die Farmer in Amerika zwei Millionen Hühner getötet hätten, um höhere Marktpreise zu erzwingen. Ja, bestätigte ich, das stimme. Er schüttelte ungläubig den Kopf. Er kam aus China, wo der Boden schon länger bebaut wurde als in irgendeinem anderen Land der Erde und Nahrung das Kostbarste war. Er konnte nicht glauben, daß ein zivilisiertes Land Hühner tötete, außer, um sie zu verzehren. Ich war nicht fähig, ihm das zu erklären, weder damals noch überhaupt.

Ich schaute aus dem Fenster, sah den Bauern mit ihren Strohhüten zu, die in der beginnenden Dunkelheit nach Hause gingen, und entdeckte ein weiteres Plakat auf chinesisch, das Chang mir übersetzte. Es lautete:

NUTZE DEN TAG!
NUTZE DIE STUNDE!
EIN TAG IST SO VIEL WIE ZWANZIG JAHRE!

Wir reisten durch Yang Fen, Yang Chuan, Han Suin und über den Wei-Fluß in die Provinz Shensi. Der Zug hinterließ einen dicken Streifen schwarzen Qualms am klaren Horizont. Wegen dieses Qualms konnten wir das Fenster nicht öffnen. Ein Mann ging durch den Zug und versprühte wieder Ingwer- und Fliederduft, und als ich fragte, warum sie zuließen, daß der Zug die Luft derart verpeste, antwortete er: »Wir haben keine andere Energiequelle.«

Der Mann akzeptierte die Luftverschmutzung. Die Gegenwart war besser als die Vergangenheit. Und er sprühte etwas von dem Duftwasser in den langsam kreisenden Ventilator, der es sacht im Abteil verteilte.

Ich dachte über Chinas Gleichgültigkeit gegenüber der Umwelt nach. Ich war ihr überall begegnet, in dem schwarzen Rauch, der aus Fabrikschornsteinen strömte, in dem Schmutz, der sich in der Nähe von Fabriken in den Flußbetten sammelte. Fabriken schienen Chinas oberste Priorität zu sein. *Der Mensch muß die Natur durch die Industrie besiegen.* Industrialisierung ging über alles. Fortschritt war Industrialisierung und umgekehrt.

Ein chinesisch-amerikanischer Freund hatte mir einmal einen Nachmittag geschildert, den er mit alten Freunden zugebracht hatte. Stolz zeigten sie ihm eine erfolgreiche Textilfabrik, und als Beweis für deren Leistung wiesen sie auf den nun stehenden Fluß, der aufgehört hatte zu fließen, weil sein Wasser so mit Industrieabfällen angedickt war.

Die Blindheit dem Problem gegenüber war erstaunlich, und das Bedürfnis, die Natur zu *überwinden*, allumfassend. Ich wußte, daß die Umwelt in Nordchina traditionell feindlich war; daher hatten die Menschen, die dort lebten, Angst vor der Natur; ihre natürliche Neigung ging dahin, sie zu besiegen, nicht, mit ihr eins zu werden. Ich fragte mich allerdings, wohin das führen würde. Würden Chinas Luft und seine Flüsse schließlich so verschmutzt sein, daß die Chinesen doch etwas unternehmen müßten? Oder würden sie vor allem anderen blind den ursprünglichen revolutionären Plan der Industrialisierung weiter verfolgen?

Der Zug fuhr in Sian ein. Als Chang und ich ausstiegen, fiel mir das Leuchten zweier riesiger, blutroter Vasen ins Auge, die mit Blüten und Grün geschmückt waren. Überall hingen üppige Blumen von den Fensterbänken. Mich beeindruckten die strahlenden Farben in diesem Land, in dem harte Arbeit und Selbstdizipin die allerhöchsten Werte sind. Ich sah mich um. Ich war fast sechshundert Meilen von Peking entfernt. War Maos Revolution wirklich so weit vorgedrungen? War die alte chinesische Hauptstadt von vor fünfhundert Jahren ebenso von der Neuen Gesellschaft erfaßt wie Peking?

Chang und ich gingen die Straße entlang. Ich hörte das Zwitschern von Vögeln, im Wind rauschende Bäume und Blüten, das Lachen eines Kindes irgendwo. Überall um uns herum in den windigen, baumgesäumten Straßen arbeiteten emsig die Bewohner. Die meisten trugen den traditionellen »Revolutionsanzug«. Ein paar Frauen hatten Jadeknöpfe in den Ohren, und ich sah einige junge Mädchen in leuchtend bunten Seidenblusen. Menschen zogen wie Lasttiere auf altmodische Art Karren mit Früchten und Gemüsen. Ich fragte Chang danach.

»Veränderung braucht Zeit«, antwortete sie. »Es wird eine Weile dauern, bis wir die Technologie nach Zentralchina bringen können. Aber diese Menschen haben gelernt, stolz auf ihre harte körperliche Arbeit zu sein. Sie wissen, daß es heute anders ist, weil sie diese Arbeit für sich selbst tun und nicht für die Landbesitzer.«

Obwohl ich noch die Folgen der Vergangenheit sah, war die Revolution auch in Sian lebendig.

Chang und ich wurden von zwei Mitgliedern des Sianer Büros des chinesischen Reisedienstes begrüßt, die uns in ein Hotel mit leeren, hallenden Gängen brachten. Dort erhielten wir zwei Zimmer. Ich bekam eine kleine Suite, Chang war irgendwo in einem anderen Flügel untergebracht. Ich hatte gehofft, mit ihr ein Zimmer teilen zu können, damit ich Zeit hätte, Chang besser und ohne die Gruppenbedingungen kennenzulernen, die geherrscht hatten, als die amerikanischen Frauen noch mit von der Partie waren. Doch wir waren sogar bei den Mahlzeiten getrennt; sie aß in einem Raum, ich in einem anderen. Am ersten Abend saß ich allein an einem Tisch, aß geschnetzeltes Rindfleisch und Paprika, Wasserkastanien und Pilze, gedünstete Brötchen, Huhn mit Broccoli, Reis und frische Orangen, und ich war enttäuscht. Ich wünschte mir Gesellschaft. *Chinesische* Gesellschaft. Ich hatte das Gefühl, nun lange genug in China zu sein, um einen persönlichen und intimeren Kontakt zu Chang herzustellen. Offenbar schrieben die Regeln etwas anderes vor. Vielleicht waren es auch die Chinesen selbst, die lieber Abstand hielten.

Auch die meisten anderen Ausländer, die ich in China traf, waren von dem mangelnden Kontakt betroffen und enttäuscht. Man sagte uns, nicht die »Behörden« verordneten die Trennung; die chinesischen Reiseleiter und das chinesische Volk fühlten sich nicht wohl unter Fremden, ein Gefühl, dessen Ursprung weit in die chinesische Geschichte zurückreicht. Es war, als würden sie erkennen, wie schwer vielen von uns die Anpassung an China fallen mußte und wie viele Fragen wir hatten, die sie vielleicht nicht würden beantworten können. Es war einfacher, Abstand zu halten.

Ich zog mich in mein Zimmer zurück und setzte mich auf die Fensterbank. Ich blickte in den Garten hinaus, während der Mond hinter den raschelnden Pinien aufging. Ich war überwältigt von einem Gefühl der Fremdheit, einem Gefühl, meine Welt habe sich gewandelt. Mit mir war etwas geschehen, was ich nicht verstand. Hier in diesem leeren Hotel waren alle alten Vorstellungen zweifelhaft geworden, alle alten Regeln kamen mir relativ und töricht vor. Der Mond schien nicht den gleichen Planeten zu umkreisen, auf dem sich auch die Pinewood-Studios, Howard Johnson's Motor Lodge in New Hampshire oder die Maske von MGM befanden. Und am nächsten Morgen, als ich das Pampo-Museum besuchte, 1958 über den archäologischen Überresten einer sechstausend Jahre alten chinesischen Zivilisation errichtet, war ich noch verwirrter. Die Ruinen waren sechs Fuß unter der Oberfläche ausgegraben worden, und trotz ihres Alters beharrten die chinesischen Führer darauf, diese vergessene Zivilisation in den Begriffen von Maos China zu erklären.

Sie behaupteten, es habe sich um eine kollektive Zivilisation gehandelt, was richtig sein mochte, aber es gab einfach keinen sichtbaren Beweis, der eine solche Theorie stützte. Rund um die Ruinen sah ich einen tiefen Graben, der die Bewohner vor wilden Tieren schützen sollte; es gab auch einen Behälter für menschliche Ausscheidungen und Abfall. Die Führer behaupteten, dieser Behälter sei für alle dagewesen, und daher habe es im alten China keine sozialen Klassen gegeben. Nach dem Tode wurde jeder Verstorbene mit drei Andenken begraben, und dies sollte beweisen, daß es kein Privateigentum gegeben habe.

Offenbar lebte jede Familie für sich; sogar ich konnte das sehen. Jedes Heim war durch einen runden Erdwall vom nächsten getrennt. Die Führer sagten uns, die Sian-Ruinen stammten aus einer matriarchalischen Gesellschaft, in der die Frauen die Hauptaufgaben erfüllten, weil sie sich mit Pflanzen, Feldanbau und anderen landwirtschaftlichen Belangen besser auskannten, während ihre Männer jagten, um Fleisch nach Hause zu bringen. Die noch erhaltenen Artefakte, von denen die Führer berichteten, Frauen hätten sie hergestellt, waren kunstvoll und erfindungsreich; aus Lehm geformte Vögel und Tiere, Gemälde an Hauswänden, auf Töpferwaren, Muscheln und Rinden; auch einige Armbänder und Ohrringe, was auf eine Gesellschaft hindeutete, die Zeit hatte, sich um mehr als das bloße Überleben zu kümmern.

»Übung macht den Meister«, sagte ein Führer und brachte diese

Artefakte mit dem modernen China in Verbindung. »Wissenschaft, Kunst und Wissen, kommen aus der Praxis. Die Menschen, die am meisten Geduld haben, sind die fähigsten. Und diese Zivilisation hat das bewiesen.«

Wieder war ich verblüfft über die Widersprüche. Einerseits sagte Mao Tse-tung eindeutig, so etwas wie die menschliche Natur gebe es nicht, und der Mensch könne aus sich selbst machen, was immer er wolle. Andererseits versuchten die Führer, die Richtigkeit von Maos Revolution dadurch zu betonen, daß sie deren Ursprung in eine Zivilisation verlegten, die der geschriebenen Geschichte voranging. Mir schien es nicht notwendig, diesen Ruinen eine Geschichte aufzuzwingen. Der beste Beweis für Maos Theorien war das moderne chinesische Volk selbst.

Ich wanderte durch die Ruinen und dachte über die menschliche Natur nach, über all die populären Theorien der letzten Jahre. Ich hatte keine Beispiele für Feindseligkeit in China seit der Kulturrevolution gesehen, nicht einmal einen Streit zwischen Busfahrer und Passagier, und langsam dämmerte mir, daß die Menschen vielleicht wirklich alles lernen können; vielleicht sind wir einfach unbeschriebene Blätter, denen durch Eltern, Lehrer, Kirchen und Gesellschaft ein Charakter aufgeprägt wird. Wenn man diese unbeschriebenen Blätter mit Bosheit, Angst und Unterdrückung füllen kann, dann vielleicht auch mit Freundlichkeit, Herzlichkeit, Güte, Mitgefühl und Gemeinschaftsgeist. Ich fragte mich, welche menschliche Wahrheit wohl wirklich wahr sei. Ich fragte mich auch, was »Wahrheit« eigentlich bedeutete. Ich begann zu überlegen, ob nicht positive Veränderung wichtiger sein könnte als »Wahrheit«. Wahrheit war vielleicht nichts anderes als Erziehung. Und wenn die Erziehung fortschrittlich und positiv war, war sie vielleicht den Kompromiß der »Neuinterpretierung« der »Wahrheit« wert. Die Chinesen schienen der Ansicht zu sein, Wahrheit sei nicht mehr, als was sie ohnehin dafür hielten. Galt dasselbe auch im Westen?

Ich hatte mich im »individualistischen Westen« sehr oft in meinem Leben einsam gefühlt, doch hier, an diesem »kollektiven

Ort«, wo ich weder die Menschen noch die Sprache kannte, war ich nicht einsam. Ich fühlte mich beinahe zu Hause. Und ich hatte seit fünf Wochen keine einzige Zigarette geraucht.

In den nächsten Tagen in Sian besuchte ich weitere Relikte der fernen Vergangenheit, besichtigte verlassene Pagoden (zur Erheiterung meiner Gastgeber) und traf mit einem revolutionären Komitee zusammen, daß sich nur in Nuancen des Dialekts von seinen Gegenstücken in Shanghai und Peking unterschied. Die Botschaft war dieselbe. Für die Chinesen *war* die Revolution Leben.

Wenn wir Gelegenheit hatten, pflegten Chang und ich auch über Amerika zu sprechen. Ich versuchte, meine Gefühle zu erklären, sprach über das, was falsch gelaufen war, über unsere Überschätzung militärischer Macht, die Ungleichheit zwischen Reich und Arm und den fortdauernden Kampf aller um wirkliche Gleichheit. Ich gab zu, daß ich manchmal verzweifelt war.

»Sie müssen an das amerikanische Volk glauben«, sagte Chang eines Tages in sehr liebevollem Ton zu mir. »Bald werden die Menschen sich erheben und Ihre imperialistische Regierung stürzen, die sie unterdrückt.«

Ihre Naivität war rührend, und sie war sich ihrer Sache so sicher, daß ich nicht wußte, was ich ihr antworten sollte.

An dem Tag, an dem ich Sian verließ, um das Flugzeug nach Yenan zu nehmen, sah ich im Dunst des frühen Morgens Tausende von jungen Leuten, die Papierfähnchen schwenkten und Trommeln und andere Musikinstrumente spielten. Ich fragte Chang, was das zu bedeuten habe.

»Sie verabschieden ihre jungen Genossen, die zur Arbeit auf dem Land eingeteilt worden sind«, entgegnete sie fröhlich. »Sie antworten auf den Ruf des Vorsitzenden Mao, sich zu integrieren. Ein guter Revolutionär ist bereit, sich mit Arbeitern, Bauern und Soldaten zusammenzutun.«

Die jungen Leute lachten und sangen, als wir vorbeifuhren. Dann, als sie sahen, daß ich Ausländerin war, brachen sie in Applaus aus. Ich winkte, und die Begeisterung wuchs; spontan taten Tausende von lächelnden jungen Menschen ihre Freundschaft und Zuneigung kund. Ich blickte Chang an.

»Sehen Sie?« sagte sie. »Sie müssen Geduld haben. Das Volk wird das Richtige tun.«

Der Applaus verebbte, während ich zurückwinkte und wir weiterfuhren. Ich atmete tief und seufzte. Ich merkte, daß meine Augen feucht wurden.

## 26

Die Einflugschneise zur Landebahn von Yenan war wie eine Rinne mit steilen Bergen auf drei Seiten. Die Berge, von den revolutionären Arbeitern der Achten Marscharmee zerschnitten, terrassiert und bepflanzt, waren Monumente menschlicher Ausdauer. Yenan ist die Geburtsstätte der Chinesischen Revolution, der Ort, an dem Mao Tse-tung und Tschou En-lai den Langen Marsch beendet und das Basislager für ihre Achte Marscharmee errichtet hatten. Hier war die Neue Gesellschaft geboren worden. Hier gruben die Revolutionäre Höhlen in die Berge und aßen Gras und schmolzen Schnee, um am Leben zu bleiben.

Während wir landeten, erkannte ich, warum Mao und Tschou vor vierzig Jahren, als sie und die Revolution noch jung waren, diesen Platz erwählt hatten. Yenan war leicht zu verteidigen. In diesen mächtigen Bergen hatte sich die Achte Marscharmee schwere Schlachten mit den Japanern und Tschiang Kai-shek geliefert – und überlebt.

Die Vergangenheit sprang mich an und hüllte mich ein, als ich zum erstenmal durch die Straßen von Yenan ging. Die Menschen hatten eine ganz eigene, abgehärtete Wesensart und wettergegerbten Gesichter von Bergbewohnern. Auch die Häuser und die Anlage der Straßen hatten Gebirgscharakter. Maos Persönlichkeit schien den Ort zu durchdringen – die sonnengetrockneten Höhlen, in denen er mit seiner Armee gelebt hatte, die rohe, soldatische Architektur der Versammlungshalle, die seine Männer bauten, sogar den staubigen Wind, der von den Bergen zu Beobachtungsposten herunterwehte, wo Posten Wache gehalten hatten, und über die Rücken der Tausende strich, die noch immer gebeugt mit ihren Händen die Felder bearbeiteten.

Doch das Auffallendste an Yenan war seine Einfachheit. Es war klar und schlicht und einfach, und mir erschien einleuchtend, daß Mao Tse-tung hier seine Ideen auf einfache Formeln brachte, hier die Schriften von Marx und Engels studierte, ihnen das entnahm, was er für China am besten fand, und alles andere verwarf. Die hiesigen Winter müssen hart gewesen sein, ihn in die Wärme der Höhlen getrieben haben, wo er und die anderen eine Gesellschaft planen konnten, in der kein Kind an Hunger starb, keine Tochter an ein Bordell und kein Sohn als Sklave verkauft zu werden brauchte, wo kein Mensch sich je wieder vor einem anderen beugen würde. Hier muß Mao harte Entscheidungen über sich selbst getroffen haben, und diese Entschlüsse formten eine so widerstandsfähige, disziplinierte und vorausschauende Persönlichkeit, daß Mao Tse-tung den Verlauf des Lebens eines Viertels der Menschheit veränderte. Seine Vision hatte, wie Yenan selbst, eine Art von rauher Reinheit.

Noch heute, ungefähr dreißig Jahre später, strahlt Yenan einen ganz eigenen revolutionären Geist aus. Seine Menschen sind stolz darauf, von Anfang an dabeigewesen zu sein. Ich sah Bauern in rauhem Wind und Sonne ackern; ihre kleinen Kinder gingen hinter ihnen her und lernten aus erster Hand die ständige Lektion des Überlebens. Die sonnenverbrannten, staubigen Berge ragten auf wie Palisaden. Ich konnte mir nicht vorstellen, wie Menschen da hinauf gelangten, aber sie taten es – sie schleppten mit eigenen Händen Erde und Wasser hoch, um Pflanzen anzubauen.

Auf den Dorfstraßen starrten manche Bewohner mich an; andere versteckten sich, wenn ich in Sicht kam, wieder andere gingen direkt auf mich zu, um in das seltsame Blau meiner fremden, runden Augen zu schauen. Ein paar stellten Fragen, die ich nicht verstehen konnte. Manchmal war Chang bei mir und betätigte sich als Dolmetscherin. Ein Junge von vielleicht zehn Jahren fragte, ob ich Ausländerin sei. Ich bejahte das, und er sagte, ich sähe nicht aus wie der andere Ausländer, den er einmal gesehen habe. Wer das war? Ein Japaner. Er hatte einmal einen Japaner gesehen. Eine lebhafte alte Frau humpelte auf eingebundenen Füßen auf mich zu und blieb vor mir stehen. Sie starrte ganz aus der Nähe in mein Gesicht; ihre Jadeohrringe baumelten.

»Wer bist du?« fragte sie, und Chang übersetzte. Ich lachte. Ihre alten Augen blitzten, als sie zu erfahren verlangte, worüber ich lache. Sie war stolz, neugierig und herausfordernd.

Ein Schuljunge wollte wissen, ob ich je in Peking gewesen sei. Ich nickte.

»Hast du also den Vorsitzenden Mao gesehen?« Ich schüttelte den Kopf. Nein. Da wandte er sich wieder einem revolutionären Comic-Heft zu und ging davon.

Eines Tages auf einer Bergstraße lud mich eine Gruppe von Familien, die in Höhlen oberhalb der Stadt wohnten, ein, einen Tag mit ihnen zu verbringen. Ihr Leben war beides, kollektiv und privat. Eine Frau war die Leiterin der Kommune. Ich hatte das Gefühl, wir seien schon lange befreundet, weil zwischen uns so wenig Spannungen bestanden. Die Männer diskutierten mit mir über ihre Anpassung an die Befreiung der Frauen, obwohl es einigen widerstrebte, über das Leben vor der Befreiung zu reden. Die Vergangenheit schien sie ängstlich und unglücklich zu machen. Doch im allgemeinen waren die Männer humorvoll und scherzten darüber, wie ihre Frauen alles bewältigten – die Finanzen, die Organisation der Gemeinde und auch noch die Erziehung der Kinder!

Die Frauen zeigten mir, wie sie in den Lehmöfen unter ihren Höhlen Eier brieten. Sie zeigten mir Fotografien und Briefe ihrer Kinder, die zur Landarbeit auf Bauernhöfe geschickt worden waren. Ein junges Mädchen war gerade zurückgekommen und fand die zweijährige Erfahrung schwierig, aber lehrreich.

»Es war gut für mich«, versicherte sie. »Jetzt möchte ich Ärztin werden.«

Ich lernte einige Hausfrauen kennen, die sich zu einer kommunalen Nähgruppe zusammengeschlossen hatten, um Kleider und Flickarbeiten für alle unmittelbaren Nachbarn zu machen. Erhielten sie Geld für ihre Arbeit?

»Ein bißchen«, sagte eine von ihnen, »aber solange wir zwei Hände haben, wollen wir einander und die Revolution unterstützen.«

Eine andere Hausfrauengruppe hatte soeben ein eigenes Revolutionskomitee gebildet und gerade ihre Vertreter gewählt.

»Wir müssen Aktivitäten für unsere Kinder organisieren. Augenblicklich befassen wir uns mit dieser Aufgabe.«

Eine andere Gruppe hatte ein Nudelgeschäft eröffnet. Sie mischten ihr eigenes Mehl und Wasser zu Nudeln, um die Ernährung der Bauern außerhalb von Yenan zu verbessern.

Ich sprach mit ihnen über Religion, Tod, Heirat, Geld und Glück, und die ganze Zeit war ich bemüht, mir über das Wesen ihrer Neuen Gesellschaft klar zu werden.

Ich verließ die Höhlenwohnungen und merkte, daß ich kaum atmen konnte. Meine Nase und Kehle waren verstopft. Ich konnte keine drei Fuß weit sehen. Der Staub Yenans wehte in einem heftigen Sturm und verteilte sich über die ganze Gegend.

Ich stolperte vorwärts und wollte lieber die Luft anhalten als diesen Staub in meine Lungen einatmen. Ich drehte den Kopf von einer Seite auf die andere. Aber da war nichts zu machen. Die saubere Bergluft war buchstäblich zu Staub *geworden*.

In meinem Hotel verbrachte ich Stunden in der Wärme der Badewanne und dachte über China nach. Ich bin kein Philosoph, aber Yenan zwang mich, klarer über das zu denken, was ich gesehen hatte. Mich bewegten so viele Fragen. Was hielten die Intellektuellen, die zur Landarbeit geschickt worden waren, wirklich von der »Umerziehung durch Arbeiter, Bauern und Soldaten«? Was konnte ein pflügender Bauer einem Dichter aus Shanghai wirklich beibringen, nachdem die Neuheit der ersten Woche vergangen war? Manchmal mußten Intellektuelle jahrelang auf dem Land bleiben. War diese Entwertung der Elite wirklich eine gute Sache? Trug sie dazu bei, die ganze Gesellschaft gleichzumachen, oder vernichtete sie die intellektuelle Kreativität? Sollte *jeder* als besonders angesehen werden in einer Gesellschaft, in der *alle* gleich galten? Die Fragen stürmten auf mich ein, aber ich fand wirklich noch keine Antworten darauf.

Warum wirkten die Chinesen so viel glücklicher als die Russen? Beide Länder waren in sozialistischen Revolutionen geboren worden und fühlten sich dem Denken von Karl Marx verpflichtet. Doch als ich in den sechziger Jahren Rußland besuchte, wirkten die Russen ängstlich, deprimiert und argwöhnisch, während die Chinesen um mich herum vertrauensvoll, offen und vital waren.

Handelte es sich einfach um einen Unterschied im Nationalcharakter, oder lag es an den unterschiedlichen Interpretationen des Marxismus? Ich hatte, ehe ich nach China kam, gemeint, ich verstünde, was das Wort »Revolution« bedeutet, aber nach ein paar Wochen in China erkannte ich, daß es ein Wort mit vielen Bedeutungen ist. Für die Chinesen ist es ein Symbol für andauernden Wandel. Die Revolution in China endet nie, weil das Leben ein ständiger Kampf ist. Wie die Chinesen sagen, *machte* Mao die Revolution nicht, um Macht zu gewinnen, sondern gewann Macht, um die Revolution zu machen. Und diese Revolution erstreckte sich auf das gesamte Leben Chinas, von der Ökonomie und Landwirtschaft bis zum Umgang der Menschen miteinander. Die Kulturrevolution erfolgte unter dem Schutzschirm der fortdauernden Revolution. Was immer ihre Einzelerscheinungen bedeuteten (und ich verbrachte viel Zeit damit, danach zu fragen und etwas darüber zu erfahren), die Kulturrevolution war bloß ein Teil des Szenarios für menschlichen Wandel, der die Aufgabe der nächsten zwanzig Jahre in China war.

Während ich über dieses Experiment nachdachte, fragte ich mich, wie die Chinesen fähig waren, in einer so kurzen Zeitspanne so viel zu erreichen. Das führte zu noch drängenderen Fragen. Lag es daran, daß Diktaturen schneller etwas bewegen können als Demokratien? Stolz benutzten die Chinesen Lenins Ausdruck von der »Diktatur des Proletariats«, um ihr politisches System zu beschreiben. Doch es gab Diktaturen – des Proletariats oder andere – überall auf der Welt, von Francos Spanien bis zur Sowjetunion, und sie hatten auch nicht entfernt den menschlichen Erfolg, den ich in China sah. Hier war etwas anderes im Gange. Die Menschen behandelten einander auf eine Weise, der ich noch nie zuvor begegnet war. Während ich im Land umherreiste, kam ich mehr und mehr zu der Überzeugung, daß der Grund dafür die Methode war, die man als »Selbstkritik-Sitzung« bezeichnet. Ich kannte keine Ausländer, die solche Sitzungen miterlebt hatten, aber ich hatte mit vielen Chinesen darüber gesprochen, darunter auch mit dem Botschafter Tscho Huang-Hua und dem stellvertretenden Außenminister Tschou Kwan-Hua.

Selbstkritik-Sitzungen werden auf allen Ebenen des chinesischen Lebens durchgeführt, in den Familien, in den revolutionären Komitees, in den Universitäten, Fabriken und Mittelschulen. Soweit ich das feststellen konnte, nahmen die meisten der achthundert Millionen Chinesen, einschließlich des Zentralkomitees und Mao Tse-tungs selbst, mehrmals wöchentlich an Selbstkritik-Sitzungen teil. Bei einer solchen Sitzung sagt jeder Teilnehmer den anderen, was er von ihnen und von sich selbst denkt. Die vorherrschende Einstellung ist gewöhnlich offen und ehrlich, aber auch freundlich und rücksichtsvoll. Die Folge einer so offenen und direkten Kommunikation – wenn auch vieles davon außerordentlich schmerzhaft ist – ist augenscheinlich eine deutliche Abnahme von Frustration, Feindseligkeit, verdrängten Gefühlen und Angst. Da die Selbstkritik kontinuierlich erfolgt und daher Werte und Einstellungen ständig überprüft werden, neigen die Menschen dazu, ihr eigenes Verhalten ständig zu überprüfen und sich zu bemühen, nicht in unfreundliche, selbstsüchtige oder feindselige Haltungen zurückzufallen. Dadurch werden die Selbstkritik-Sitzungen immer leichter erträglich, weil die allgemeine Freundlichkeit und Rücksichtnahme wachsen.

Ich dachte daran, welchen Erfolg eine solche Sitzung in Amerika haben würde. Der eigentliche Zweck der Selbstkritik-Sitzungen in China war, daß die Führung ehrlich blieb. Dabei spielte es keine Rolle, ob die betreffenden Führer der kommunalen oder der nationalen Ebene angehörten. Tatsächlich drehten sich die allerwichtigsten Sitzungen um das Verhalten rechtmäßig gewählter Beamter. Offensichtlich war die vom Volk geforderte Ehrlichkeit qualvoll. Ich fragte mich, wie unsere Politiker solche Sitzungen durchstehen würden.

Die entscheidendste Veränderung des Neuen Chinas war die, die von den Männern gefordert wurde, weil man von ihnen verlangte, fast alle ihre traditionellen Wertvorstellungen wie Privatbesitz von Land, Ausbeutung von Sklaven für Geld, Unterwerfung der Frauen und völlige Autorität über ihre Kinder, aufzugeben. Irgendwie schienen die chinesischen Männer den Übergang zu bewältigen, weil sie wußten, daß er für den endgültigen Erfolg der Revolution notwendig war. Außerdem hatte der Vorsitzende Mao ihn befohlen.

Ich lag in der Badewanne und fragte mich, wie ich auf eine Selbstkritik-Sitzung reagieren würde, da ich mich schon schwer genug tat, in einer Therapiesitzung mit nur *einem* Arzt zu sprechen. Ich war sicher, daß ich mir lieber allein über Dinge klarwerden, durch Schreiben oder durch Tanz oder Schauspielerei die Gefühle würde ausdrücken wollen, die ich auf andere Weise schwer mitteilen konnte.

Dann begann ich über die Auswirkungen nachzudenken, die die Selbstkritik in China auf den individuellen kreativen Ausdruck haben könnte. Vielleicht verringerte ehrliche Gruppenkommunikation in der Neuen Gesellschaft das Bedürfnis nach individuellem künstlerischem Ausdruck. Da so viele kreative Kräfte des Menschen auf einem verzweifelten Bedürfnis beruhen, Gefühle mitzuteilen, verschiebt sich dieses Bedürfnis vielleicht in einer Gesellschaft, die interkommunikative Therapie praktiziert. In diesem Punkt sah ich vielleicht keine die Kunst zensierende Gesellschaft, sondern vielmehr eine Gesellschaft, die einfach kein Bedürfnis hatte, sich durch Kunst auszudrücken. Ich hatte mit vielen Kunstschaffenden gesprochen – Schriftstellern, Filmemachern, Tänzern und Regisseuren. Ich konnte nicht wissen, ob sie mir die Wahrheit sagten, aber alle schienen das Gefühl zu haben, sie lebten gegenwärtig in einer Übergangsperiode – einer kreativen und künstlerischen Pause, die helfen würde, ein wichtigeres Ziel zu erreichen, wenn sie ihre kreativen Fähigkeiten für die Revolution einsetzten, statt individuelle künstlerische Bedürfnisse und Wünsche zu verfolgen. Der Zweck von Literatur und Kunst bestand darin, dem Volk und der Revolution *jetzt* zu dienen. Was später sein würde, stand in den Sternen. Würde es später Kunst und Literatur überhaupt noch *geben*? Und würde irgend jemand sie vermissen?

Ich plätscherte in der Wanne und ließ heißes Wasser nachlaufen. Ich dachte an Amerika. Ich dachte an Amerikas Klima von Wut,

Gewalt, Verbrechen und Korruption, an seine Selbstsucht und Enttäuschung, an seinen Mißbrauch der Freiheit. Doch ich mußte nicht nur in Amerika leben, ich wollte es auch. Ich würde niemals in China leben können, das war mir klar. Und es war nicht möglich zu glauben, ein Phänomen wie der Lange Marsch sei in Amerika durchführbar. Es war ausgeschlossen, daß eine Gruppe von Amerikanern irgendwo in den Rockies ein amerikanisches Yenan errichtete und später als revolutionäre Armee der Zukunft aufträte.

Und doch hatte es in Amerika einmal eine Revolution gegeben – mit Jefferson und Thomas Paine und Patrick Henry und George Washington. Vielleicht konnte das wieder geschehen? Bedeutete die Erfahrung, daß es nie zu spät ist, Wertvorstellungen zu ändern, die uns zu Ungeheuern machen können?

Yenan ließ mich die Welt in apokalyptischen Begriffen betrachten. Es ließ mich die Hoffnung als eine realistische Möglichkeit begrüßen, weil ich sah, wie eine kleine Gruppe von »Gläubigen« die menschliche Natur verändert hatte. Wieder hatte ich das Gefühl, die menschliche Natur sei das, was man aus ihr zu machen beschließt. Ich dachte über mein eigenes Wesen nach. Warum zog mich die kollektive Lebensweise so an, da ich doch vor allem mein Recht wahren wollte, ein Individuum zu sein? War ich noch immer nicht bereit, jene Ausdehnungen meiner selbst aufzugeben, die mich reich machten? War ich ebenso Sklavin von Besitz und Geld und Wohlleben wie diejenigen, die ich in der Vergangenheit angeklagt hatte? War ich wirklich ein solches Bündel von Widersprüchen, wie es den Anschein hatte?

Ohne das tröstliche warme Wasser in der Badewanne von Yenan wären wohl mein Verstand, mein Wille und mein Widerstand zusammengebrochen. Ich hatte das Gefühl, mein Geist und meine Seele seien umgestülpt. Endlich hatte China mich gepackt.

Eines Nachmittags bat Chang ein »verantwortliches Mitglied« eines lokalen revolutionären Komitees, mich in meinem Zimmer zu besuchen. Es handelte sich um eine Frau mittleren Alters. Sie hieß Tam Lin Po. Sie saß auf der Couch in meinem Zimmer, die Füße, die in Sandalen steckten, gekreuzt, und sprach mit leiser, zögernder Stimme über ihre Vergangenheit und die bittere Vergangenheit Chinas. Chang übersetzte.

»Mein Großvater war ein armer Bauer«, erzählte sie. »Er hatte keine Nahrung für seine Familie. Während der Hungersnot 1929 fürchtete er, seine Familie werde den harten Winter nicht überleben. Sein Bruder hatte sich den Kuomintang-Kräften angeschlossen und besaß Geld und überschüssiges Korn. Mein Großvater bat ihn um etwas Getreide, um den Winter zu überleben; er wollte es im Frühjahr zurückzahlen. Sein Bruder verweigerte es ihm. Mein Großvater war verzweifelt und bat daher andere männliche Verwandte um Hilfe. Sie gingen in das Haus des Bruders und stahlen etwas Getreide – nicht viel, aber genug, um sie für ein paar Wochen durchzubringen. Als der Bruder entdeckte, daß Getreide fehlte, befragte er meinen Großvater. Großvater gab zu, daß er es genommen hatte, und sagte, er habe keine andere Wahl gehabt. Am nächsten Tag verhaftete die Kuomintang meinen Großvater und die anderen beteiligten Verwandten. Sie wurden erschossen. So wurden alle Frauen der Familie Witwen. Meine Mutter war damals mit mir schwanger. Im alten China war es Brauch, daß eine Frau niemals im Haus ihres Mannes ein Kind gebären durfte, wenn der Mann gestorben war. Meine Mutter wurde gezwungen, das Haus ihres Mannes zu verlassen und mich in den Feldern außerhalb des Dorfes zur Welt zu bringen. Witwen durften sich nicht wieder verheiraten; also nahm sie mich mit in ein anderes Dorf, wo man sie nicht kannte. Zwei Monate später heiratete sie einen anderen Mann, damit sie einen Platz zum Leben hatte. Er starb an Scharlach, weil er sich keine Medizin leisten konnte.

Wir lebten von Wildkräutern, die wir an Berghängen sammelten. Manchmal schloß meine Mutter mich in unsere Hütte ein, weil sie zu schwach war, mich beim Gehen zu tragen. Ich konnte ohnehin nicht gut laufen, da meine Knochen kein Kalzium hatten. Manchmal hatten wir Gerste, aber wenn ich mein Bild in der Eßschale sah, wußte ich, daß nur Wasser darin war. Unsere Hütte war nicht ganz überdacht, und wenn ich nachts auf dem Boden lag, konnte ich die Sterne sehen. Wenn es regnete, war unsere Hütte innen ein einziges Schlammloch. Ich war immer elend, fror ständig, hatte immer Hunger. Ich lachte nie und wurde sehr schwermütig. Meine Mutter brachte mir das Spinnen bei, als ich älter wurde, aber es half nicht viel.

Als ich etwa zehn Jahre alt war, hörte ich etwas von einem Ort namens Schule, den die Kinder der Landbesitzer besuchten. Sie sagten, die Leute lernen dort Lesen und Schreiben. Ich ging mit meinen Freunden hin, um mir das anzusehen. Wir gingen die Stufen zum Eingang hoch, und die Lehrerin sah uns. Sie schrie uns an und nannte uns dreckige Schweine. Dann kamen die Schüler und Lehrer aus dem Klassenzimmer und schlugen uns. Wir versuchten wegzulaufen, aber wir waren zu schwach. Sie schlugen uns blutig, bis wir uns schließlich losmachen und wegstehlen konnten.

Als ich zwölf war, heiratete meine Mutter einen anderen armen Bauern, weil zwei Menschen sich leichter irgendwie durchbringen konnten als einer. Meine Mutter bekam noch ein Kind – wieder ein Mädchen. Zuerst überlegten sie, ob sie das Kind sterben lassen sollten, weil weibliche Babies im alten China wertlos waren, aber dann beschlossen sie, es am Leben zu lassen.

Eines Tages kamen zwei Freunde und erzählten uns von der Roten Armee. Sie sagten, die Rote Armee befreie bestimmte Gebiete, in denen arme Bauern wie wir lebten. Sie sagten, die Rote Armee wolle dem Volk helfen. Sie sagten, die Rote Armee unterhalte ein Lager, und wenn wir dort hingingen, würde sie uns helfen.

Wir packten unsere wenigen Habseligkeiten und machten uns auf den Weg. Wir kamen an einen Grenzposten, wo Kuomintang-Offiziere Wache standen. Wir sagten ihnen, wir wollten Verwandte besuchen. Sie erwiderten, sie würden uns passieren lassen, wenn wir ihnen etwas gäben. Wir boten ihnen alles, was wir hatten. Sie wurden wütend, als sie sahen, daß wir nichts hatten, stachen meiner Mutter mit ihren Bajonetten in die Arme und warfen unsere Sachen den Berghang hinunter. Dann schlugen sie meinen Vater. Je mehr er um Gnade flehte, desto mehr schlugen sie ihn. Ich stand ganz still und hoffte, sie würden meiner Schwester und mir nichts tun. Ich hatte Angst, sie würden meinen Vater nehmen und ihn zwingen, Mitglied der Kuomintang zu werden, weil sie Männer gewaltsam in ihre Armee zu pressen pflegten. Aber mein Vater war zu schwach. Sie wollten ihn nicht. Sie ließen uns gehen.

Wir gingen sechs Tage und sechs Nächte lang. Wir konnten nicht anhalten, weil wir fürchteten, gefunden und verhaftet zu werden. Mein Vater trug uns auf den Schultern. Dann schlief ich. Am sechsten Tag hörten wir in der Ferne Gesang. Ich fragte meine Mutter, was das Singen bedeute. Ich hatte noch nie zuvor viele Menschen singen hören. Mutter drückte meine Hand und sagte, ich solle still sein. Ich wollte auf den fröhlichen Gesang zulaufen, aber sie sagte mir, ich solle nicht glücklich sein, sonst könnte ich bestraft werden. Als wir näherkamen, sahen wir Menschen zusammen auf den Feldern arbeiten. Dann sahen wir die Soldaten der Roten Armee, die mit den Leuten arbeiteten.

Wieder fragte ich Mutter, was da vor sich gehe, weil ich spüren konnte, daß etwas in der Luft lag, was anders war. Dann kamen fünf Männer der Roten Armee auf uns zu. Sie nahmen uns bei den Händen, gaben uns sofort etwas zu essen und sagten, wir seien willkommen. So etwas hatte ich noch nie erlebt. Ich fragte meine Mutter, ob es jetzt ungefährlich sei, glücklich zu sein, oder ob sie uns bestrafen würden. Sie lächelte. So hatte ich meine Mutter noch nie lächeln sehen. ›Das ist der Vorsitzende Mao‹, sagte sie, ›und das befreite Gebiet. Jetzt sind wir in Sicherheit.‹

Die Leute in den Basislagern waren freundlich und sammelten sofort Nahrung, Kleidung und ein paar Möbel für uns. Sie gaben uns einen Platz zum Leben und etwas Land. Es war das erste Land, das wir je besaßen. Das erste Jahr war schwierig wegen des Wetters. Doch im zweiten Jahr gab es eine Ernte.

Mit fünfzehn besuchte ich zum erstenmal eine Schule. Ich wußte nichts, also mußte ich aufholen. Ich arbeitete jeden Abend und lernte bei einer Öllampe, weil wir damals keine Elektrizität hatten. Ich schämte mich, mit sechsjährigen Kindern in einer Klasse zu sein, doch mit der Zeit erhielt ich sehr gute Noten. Zwei Jahre lernte ich sehr fleißig und bekam bald so gute Noten, daß sie mich auf eine Schule für Lehrerinnen schickten. 1946, als der Bürgerkrieg wütete, zog unsere Schule immer mit der Roten Armee. Ich wurde aktive Revolutionärin und leistete Propagandaarbeit. Ich arbeitete mit den Massen an der Landreform. Von 1947 bis 1949 war der Kampf in der Provinz Shensi schwierig, weil das Gebiet dauernd in anderer Hand war. Doch die Rote Armee arbeitete eng mit dem Volk zusammen.

Meine Aufgabe war, die Frauen zu mobilisieren, damit sie mithalfen, für die Armee Schuhe anzufertigen. Heimlich ging ich in eines der Dörfer, um Hilfe zu organisieren. Die Kuomintang sahen mich. Ich besuchte eine alte Frau, die jeden in der Gegend kannte. Die Kuomintang brachen in ihr Haus ein und versuchten, mich mitzunehmen. Die Frau schrie, ich sei ihre Tochter. Sie wußte nicht einmal, für wen ich arbeitete, aber sie umklammerte mich und ließ nicht zu, daß sie mich mitnahmen. Sie stachen ihr mit den Bajonetten in die Arme, aber sie ließ mich trotzdem nicht los. Sie schüchterte die Kuomintang-Leute ein, bis sie schließlich gingen. Ich machte mich kurz danach davon, damit ich sie nicht weiter in Gefahr brachte. Die alte Frau rettete mir das Leben, und ich denke noch heute an sie wie an eine zweite Mutter. In jenen Zeiten zeigten sich die besten und die schlechtesten Eigenschaften der Menschen.

Ich arbeitete hart mit der Roten Armee, und heute führe ich ein glückliches Leben. Meine Mutter bekam ein weiteres Kind. Ich habe selbst zwei Kinder, die auch in der Armee sind. Meine übrigen Verwandten habe ich nie wiedergesehen. Ich hoffe, daß sie glücklich leben. Ich verdanke dem Vorsitzenden Mao und der Kommunistischen Partei Chinas alles. Nicht nur meine Familie, sondern Tausende von Familien von Yenan wären ohne seine Führung umgekommen. Heute trage ich Verantwortung und bin Führerin in meinem Distrikt. Ich bin eine Führerin, und es ist wichtig, daß ich mich an meine bittere Vergangenheit erinnere. Ich muß auf meine Vergangenheit reagieren, indem ich hart arbeite, um viel zu leisten, und mein heutiges gutes Leben bewahrt mich vor Überheblichkeit.

Als ich noch mein früheres Leben lebte, hatten wir ein Sprichwort: ›Die Reichen sind wie die obere Hälfte des Himmels – ihr Reichtum endet nie; die Armen sind wie die untere Hälfte des Himmels, die regnet – unsere Tränen enden nie.‹ Mein Leben ist nicht härter gewesen als das von Hunderten und Tausenden anderer Menschen, aber jetzt haben wir ein neues Leben, und ihm will ich mich widmen.«

Tam Lin Po wischte sich die Tränen aus den Augen. Ich blickte aus dem Fenster in die Dämmerung und schämte mich.

Die warme Badewanne wurde mein Trost und meine Zuflucht. Ich konnte nicht essen, weil Staub selbst in den Speisen war. Ich begann, Platzangst zu bekommen. Ich fragte mich, was wohl in jenen frühen Tagen der Chinesischen Revolution in den dreißiger Jahren aus mir geworden wäre. Ich war stark und widerstandsfähig, und jemand hatte mich einmal eine »Guerilla-Reisende« genannt. Ich hatte einen Staatsstreich in Bhutan überlebt, mit den Massai in Afrika gelebt, war allein durch Indien gezogen, doch China war etwas ganz anderes. Es ist eine Nation, die einen zwingt, sich selbst ins Innere zu sehen, und ich wußte nicht genau, was ich da sah. Bei fest geschlossenem Fenster schlief ich ein, aber das half nichts. Am Morgen war mein Gesicht mit einer feinen Staubschicht bedeckt.

Ich erwachte hustend. Meine Uhr zeigte neun Uhr morgens an, doch draußen sah es aus, als sei früher Abend. Ich konnte den Baum vor dem Fenster nicht sehen. Staub hing in der Luft und überpuderte langsam alles. Ich fühlte mich gefangen, als sitze ich in der Falle meiner eigenen dramatischen Visionen. Ich wollte die Dinge durchdenken und zu einem Schluß kommen. Ich wollte außerdem Yenan verlassen, um den Druck zu lindern. Aber es gab kein Flugzeug, und es würde auch keines geben, solange der Staub sich hielt; das wußte ich.

Ich stolperte hinunter in Changs Zimmer und fragte, ob wir irgendwie ein Auto auftreiben könnten, um Yenan zu verlassen.

»Das wäre gefährlich«, sagte sie. »Der Fahrer könnte nichts sehen. Außerdem sind die Straßen nahezu unpassierbar. Sie müssen Geduld haben.« Ihre braunen Augen drückten traurige Mißbilligung aus. Warum konnte ich die Umstände nicht akzeptieren? Warum war ich so zwanghaft und reizbar? Das machte die Dinge nur schlimmer. Ich konnte sehen, daß sie mich auch für eine verwöhnte Amerikanerin hielt. Ja, China hatte mich wirklich erreicht, und ich wurde mit dieser Erfahrung nicht besser fertig als die anderen Mitglieder unserer Delegation.

Der Morgen hatte die Farbe von Rost. Ich wußte, daß irgendwo hinter dem Dunst die Sonne war, aber ich konnte sie nicht sehen. Wieder ging ich durch das Dorf, allein. Nach unserem Gespräch verstand Chang instinktiv, daß ich allein sein wollte. Ich hatte ihr gesagt, wie sehr meine Überzeugungen und Wertvorstellungen erschüttert seien; daß ich erkenne, daß es irgendwie möglich sei, menschliche Wesen zu verändern, daß sie hier durch eine Art totalitären Wohlwollens zu liebevollem Gemeinschaftsgeist erzogen würden. Wir hatten viele Male darüber diskutiert. Das war die große Lektion Chinas, und sie lähmte mich. Ich wollte einfach nicht daran glauben. Nicht in meinem amerikanischen Herzen. Nicht in meinen amerikanischen Knochen. Und doch war ich als jemand, dem Kunst und die Bedeutung des Individuums am Herzen lagen, im Begriff, meine Ansichten über die wirkliche Bedeutung von Individualismus zu ändern.

Stundenlang ging ich umher und beobachtete die Menschen. Sie bewegten sich und gingen und spielten, als sei das Einatmen von Staub ihnen nach dreitausend Jahren zur zweiten Natur geworden. Ich wurde jetzt nur noch gelegentlich angestarrt; noch immer war ich eine Kuriosität, aber eine zunehmend vertraute. Einige husteten schwer. Anderen lief die Nase. Dennoch reinigten sie ihre Wohnungen, zerschlugen Felsen zu Kies, schulterten Äste und Zweige, um Feuer zu machen.

Ich fragte mich, was sie von Wall Street halten würden, oder von einer Villa in Beverly Hills, oder von den schwarzen Stutzern in Harlem, von Masters und Johnson, pornographischen Filmen, einem Demokratischen Parteikonvent oder dem öffentlichen Schauspiel eines Präsidenten, dem die Anklage durch demokratisch gewählte Volksvertreter drohte.

Was würden sie von einer freien Kunst halten, einer freien Presse, freier Sexualität und freier Gewalt... oder Self-Made-Millionären, selbsternannten Vorkämpfern für die Rechte der Schwulen... oder zwölfjährigen Drogensüchtigen, oder den Fernsehsendungen von Oral Roberts. Ich fragte mich, ob sie irgendeinen Unterschied zwischen Richard Nixon und George McGovern sehen würden. Ich fragte mich, was sie vom Times Square oder der Autobahn von Los Angeles halten würden.

Gegen Mittag wurde die Luft weniger drückend. Die Bewohner von Yenan begannen aufrechter zu gehen. Kinder fingen wieder an zu lachen, und die Hufe der Esel klapperten in schnellerem Takt. Der Wind hatte sich gedreht, der Staub wurde weniger, und die orangerote Wärme der Sonne hüllte mich ein. Da ich wußte, daß das Flugzeug bald kommen würde, lief ich in mein Zimmer zurück und holte meine Tasche. Sie war seit drei Tagen gepackt. Chang sah mir mit einer Art sorgenvoller Geduld zu.

»Sie sind glücklich, weil Sie abreisen«, sagte sie.

»Ja«, antwortete ich, »aber ich weiß nicht genau, warum.«

Das kleine Flugzeug erhob sich wie ein empfindlicher Vogel über die sanft abfallenden Hügel; ich konnte unter mir Bauern sehen, die die Gesichter zur Sonne gewandt hatten. Ich schloß die Augen, um mir die letzte Impression von Yenan einzuprägen. Chang streckte die Hand aus und tätschelte meine Hand. Unter mir verschwand die geschützte, rauhe Region, die die Geburtsstätte der Chinesischen Revolution gewesen war, in der Ferne, und ich wußte, daß ich nicht wirklich begriffen hatte, was all das bedeutete. Nein. Ich hatte es nicht verstanden... noch nicht.

So flogen wir nach Peking, wo ein feinerer Staub wehte. Phyllis sollte an diesem Tag das Krankenhaus verlassen, und wir hatten zwei Plätze in der Morgenmaschine nach Kanton gebucht. Wenn wir dieses Flugzeug verpaßten, ging das nächste erst zwei Monate später. Wir mußten abreisen, auch wenn ich eigentlich noch bleiben wollte. Ich hatte gehofft, Tschiang Ch'ing zu sehen, Mao Tsetungs Frau und die Person, die die Regeln für Kunst und Literatur nach den Richtlinien der Rede Maos über Kunst und Literatur in Yenan 1942 festgelegt hatte. Ich wollte mit ihr über künstlerische Freiheit und darüber sprechen, wie Entscheidungen über den Inhalt von Kunst getroffen werden. Doch dazu würde es auf dieser Reise nicht kommen. Ich hatte den Eindruck, daß die Chinesen selbst meinten, es sei besser für mich, jetzt abzureisen, eine Weile nachzudenken und ein andermal wiederzukommen.

Am nächsten Morgen gab es keine gefühlvollen Abschiede. Yeh hinterließ uns eine Notiz, in der es hieß, wir würden uns wiedersehen. Chang, Phyllis und ich fuhren zusammen zum Flughafen. Wir sprachen darüber, daß wir wiederkommen, in Verbindung bleiben würden, und ich versprach, Chang einige Bücher zu schikken. Und dann umarmten wir uns und nahmen Abschied.

Ich erinnere mich, daß ich in Kanton vor einem elektrischen Ventilator saß und ein Kilo frische Lychees aß, süß und kühl und sinnlich. In einem Restaurant trafen wir zwei Männer von der kanadischen Botschaft und wurden uns langsam wieder der Tatsache bewußt, daß Sexualität in der realen Welt existiert, nicht nur in Träumen. Doch wir waren ausgelaugt, emotional und physisch, und interessierten uns nur für die kühle Brise, die über den Perlenfluß wehte, und die Kinder, die in seinem klaren Wasser schwammen.

Der Zug zur Grenze war voll von Ausländern, darunter auch Reporter, die meine persönlichen Eindrücke von China erfahren wollten. Ich konnte sie ihnen nicht mitteilen. Ich versuchte es nicht einmal. Sie redeten von einer Pressekonferenz in Hongkong, und ich sagte, sicher, obwohl ich genau wußte, daß ich das niemals tun würde. Und dann, sehr plötzlich und sehr einfach, lag China hinter mir.

Die Fahrt nach Hongkong verlief holprig und laut und voller Gerüche; Exilchinesen verkauften Jade und Sexmagazine und ihre Schwestern. Wir fuhren an im Schmutz zusammengedrängten Elendshütten, verunreinigten Teichen und Haltestellen vorbei, an denen elegante chinesische Frauen in *cheongsams* neben Bettlern mit knochigen Körpern und staubigen Gesichtern standen. Augen wandten sich uns zu, als könnten wir irgendeine Nachricht bringen, die das Leben erträglicher machen würde, als könnte das Neue China von uns, die wir es bereist hatten, auf sie abfärben.

Zwischen den Wolkenkratzern und Händlern Hongkongs hindurch führten Freunde uns zu einem wartenden Auto. Reporter rammten uns ihre Mikrophone ins Gesicht und wollten sekundenschnell tiefgründige Einsichten hören. Ich konnte nicht sprechen.

Wir fuhren zum Hilton, wo ich vom Zimmer im zwölften Stock aus einen türkisfarbenen Swimming-pool sehen konnte, wo meine Füße im tiefen Flor des Teppichs versanken, wo ich einen amerikanischen Matrosen aus einem anderen Stockwerk eine Whiskyflasche in den Pool werfen sah. Ich roch Schokolade und delikate Früchte und wandte mich dem Kaffeetisch zu, auf dem zellophanverpackte Körbchen standen. Zwei Pfefferminzbonbons lagen auf den Kissen des kunstvoll dekorierten Schlafzimmers. Im Bad standen Eau de Cologne und Parfum bereit, und flauschige weiße Bademäntel mit passenden Handtüchern standen zu unserer Verfügung. Zimmerkellner in weißen Jacken kamen mit Drinks und verbeugten sich mit ausgestreckter Hand, ehe sie gingen. Ich nahm ein Bad. Und fragte mich, welches Ich in jener kleinen Badewanne in der rauhen Bergstadt in Yenan gelegen hatte, und ob der Staub wohl zurückgekommen sei.

Wir gingen zum Abendessen in das glasverkleidete Restaurant im obersten Stock des Hilton, wo westliche Männer und Frauen gegenseitig ihre Neuerwerbungen beäugten. Diamanten und Perlen glitzerten an Fingern. Kostbare Steine schmückten Dekolletés und hoben und senkten sich, wenn die Frauen atmeten. Der Klang von Geigen tönte schmeichelnd durch den kerzenerleuchteten Speisesaal, in dem sich die Tische bogen unter Schalen mit geeisten Gemüsen, geschliffenen Kristallgläsern, Schüsseln mit Früchten und Nüssen. Geschäftsleute tranken Martinis und scherzten mit teuren Prostituierten. Ein paar Frauen saßen allein und warteten auf das, was die Nacht vielleicht bringen würde.

Ich bestellte Roastbeef und bemerkte kaum, daß meine Freunde über Vegetarismus sprachen. Hinter mir beugte sich der Weinkellner vor, dem ein goldener Weintester an einem Samtband um den Hals hing, und goß drei verschiedene Weine in drei verschiedene Gläser, die vor meinem Gedeck standen. Man servierte mir einen Kaisersalat in einer Teakholzschüssel auf einem Silbertablett. Ein Mann mit stolzem, fast arrogantem Gesicht kam mit einem Wagen, der mit Brot gefüllt und mit Rosen dekoriert war. Das Roastbeef wurde serviert, rosa und üppig aussehend, mit frisch geriebenem Meerrettich garniert, und man präsentierte mir eine Silberplatte, auf der ich unter zwölf Gemüsesorten und fünf Arten von Kartoffeln wählen konnte.

Ich nahm Messer und Gabel zur Hand, und sie fühlten sich grob und barbarisch an. Ich schnitt das Fleisch und verspürte plötzlich aufsteigende Übelkeit. Ich begann zu kauen, und dann verschwamm der Teller vor mir in kreisförmigen Wellenbewegungen, die Farbe der Gemüse vermischte sich mit der des Weines und der Tischdecke. So höflich wie möglich stand ich auf und versuchte, den Waschraum zu erreichen. Zwei Tränen tropften in meine Butter. Ich sagte, ich sei gleich zurück.

Sobald ich die Tür der Kabine hinter mir geschlossen hatte, wußte ich, daß es eine Weile dauern würde. Und dann begann ich zu weinen. Ich wußte nicht genau warum, aber es hatte etwas mit all den Menschen in einem Land namens Amerika zu tun, all den Gesichtern, die ich in Menschenmengen und in Wohnzimmern gesehen hatte, all den betrogenen und beleidigten Menschen, die ich in schwarzen Ghettos und weißen Fabriken gesehen hatte und die sich für wertlos hielten. Es hatte etwas mit ihnen zu tun und mit den Frauen meiner Delegation und ihren verwirrenden menschlichen Reaktionen, und es hatte etwas mit George McGovern zu tun, der diese zwei harten Jahre durchgestanden hatte und am Ende gescheitert war. Es hatte mit ihm zu tun und mit dem Keksglas in der Küche meiner Mutter und mit den weißen Tauben im Garten, mit den Armseligen, die ins Gefängnis kamen, weil sie keinen anderen Ausweg hatten, als kriminell zu werden, und den Familien, die diesen Monat die Raten für ihr Auto und ihre Hypothek nicht bezahlen konnten. Es hatte mit Sheldon Leonard zu tun, der nicht mehr auf die harte Tour arbeiten wollte, mit von Geld gemachter Kunst und mit Lew Grade, der glaubte, jeder habe einen Preis, und mit all den ängstlichen, begabten Künstlern Hollywoods, die ihre Häuser verkauften, die Branchenzeitschriften lasen und auf den Anruf warteten, der nie kam, und die sich mehr als alles andere wünschten, geliebt zu werden. Es hatte mit Mankiewicz und Hart zu tun und Nächten in Pressebussen auf einsamen Landstraßen, mit Nachmittagen im frischen Schnee von New Hampshire und dem guten, erschöpften Gefühl an jenem Morgen in Miami, an dem wir gedacht hatten, wir könnten die Welt verändern. Ich war ausgelaugt, und ich weinte lange Zeit; es war mir egal, was die Leute denken würden. Es war mir wirklich egal. Ich war auf dem Weg nach Hause. Mit Furcht und Hoffnung. Ich fragte mich nur, ob ich von hier aus dorthin kommen könnte.

# Epilog

Das folgende Jahr verbrachte ich in dem Bemühen, das zu verstehen, was ich gesehen, gefühlt, gerochen, berührt und gespürt hatte auf jener Reise auf die andere Seite der Erde mit einer Gruppe amerikanischer Frauen. Die Erfahrung Chinas war anders als alles, was ich je erlebt hatte. Ich konnte die Tage, die Stunden, die Gefühle und die Orte zusammenzählen, doch die Summe hatte nicht annähernd etwas mit der Gesamtwirkung zu tun. China war einer der Fälle, in denen die Tatsachen sehr wenig mit der Wahrheit zu tun haben.

Menschen, die mit anderen westlichen Delegationen nach China gereist waren, hatten dasselbe Problem; eine Unfähigkeit, das, was sie gesehen hatten, auf derselben emotionalen Ebene zu artikulieren, auf der sie es erlebt hatten; eine frustrierende Unfähigkeit, das mitzuteilen, was diese Erfahrung mit den eigenen grundlegenden Wertvorstellungen bewirkt. Die Erfahrung Chinas ist auf sehr viele Arten herzzerreißend und schmerzlich, doch das liegt daran, daß sie uns mit uns selbst konfrontiert.

Jedes Mitglied unserer Delegation kam aus einem anderen sozialen und wirtschaftlichen Umfeld, und wenn ich nicht versucht hätte, einen möglichst repräsentativen Querschnitt durch die amerikanischen Frauen zusammenzustellen, wären wir vermutlich nicht so intensiv miteinander in Kontakt gekommen. So bereisten wir nicht nur China, sondern auch einander und letztlich auch uns selbst.

»Hör zu, Shirley«, sagte Unita, »ich verstehe, was da drüben in diesem China passiert, weil sie Bauern sind, und so etwas Ähnliches waren auch meine Leute hier, und was sie da drüben geschafft haben, ist phantastisch. Ich meine, hier bei uns ist es schrecklich. Dauernd hat man Angst, daß einem jemand über die Schulter sieht, man kann nachts nicht durch die Straßen gehen, und die Jungen nehmen Drogen. In China ist mir vieles über unser Wertsystem klargeworden, meine Liebe. Ich meine, die Dinge, die uns wichtig sind. Selbst in der Bürgerrechtsbewegung kümmern wir uns um eine Menge falscher Sachen. Ich meine, unser System hier will immer *mehr*. Es wird über uns zusammenstürzen; so, wie wir uns verhalten, können wir es einfach nicht schaffen. Ich weiß, daß wir uns da drüben manchmal unmöglich benommen haben, aber es war wegen dem, was wir erkannt haben.«

Ich fragte sie, was sie meine.

»Ich meine, daß wir uns darum kümmern, welche Kleider wir tragen und welche Autos wir fahren und welchen Schmuck wir uns umhängen und all das. Ich verstehe jetzt, daß das, was sie da drüben machen, wichtig ist, weil sie sich umeinander kümmern. Aber sogar das machte meiner Mutter Sorgen, verstehst du, weil die da drüben nicht an Gott glauben. Doch ich habe ihr erklärt: ›Nun, sie haben ihre eigene Vorstellung von Gott.‹ Ich sagte ihr, daß es so aussieht, als sei für sie das Volk Gott. Und das scheint sie zu verstehen. Wirklich. Meine Freunde sagen, ich sei friedlicher und glücklicher«, erzählte mir Unita. »Und irgendwo tief innen bin ich das wohl auch. Es machte mich fertig, daß ich immer versucht habe, besser als die anderen zu sein. Das ist mir jetzt egal. Wichtig ist, was man *tut*, nicht, was man hat. Zum Beispiel, wenn ich die Blütenknospen auf meiner Fensterbank anschaue. Und weißt du, was das Beste ist? Ich dachte, dieses neue Gefühl würde wieder vergehen. Aber so ist es nicht.«

Als Ninibah Crawford aus China zurückkam, verkaufte sie ihren Wohnwagen, kaufte ein kleines Haus in Tuba City, übernahm einen anderen Job in der Navajo-Reservation und heiratete, wenn auch nicht in dieser Reihenfolge. Sie versicherte, die Chinareise habe ihr ihre eigene Identität deutlicher gemacht.

»Amerikas System entspricht den Bedürfnissen der weißen Mittelklasse, aber nicht meinen Bedürfnissen. Manchmal wünschte ich mir, Amerika wäre von einem kommunistischen chinesischen Kolumbus entdeckt worden. Dann wären die Indianer vielleicht nicht hingemetzelt worden. Die Chinesen gestatten ihren Minoritäten wenigstens einen Teil ihrer eigenen Identität. Daher glaube ich, daß China mir irgendwie geholfen hat, meine alten Wertvorstellungen wieder zu errichten. Werte, die mich mit meinem eigenen Volk einiger machen als die, die mir von Außenstehenden beigebracht wurden. Denk daran, daß die Navajos kein Wort für ›Kommunismus‹ haben, weil das im wesentlichen unsere Lebensweise ist. Und als ich sah, wieviel Freiheit die Chinesen ihren Kindern geben, wurde mir klar, daß ich meine Teenager an zu kurzer Leine halte. Je strenger ich zu ihnen war, um so dringender wollten sie ausbrechen. Ich habe mich verändert. Ich lasse sie jetzt gehen, und wir sind alle glücklicher. Persönlich bin ich selbstsicherer. Ich traue mir zu, Dinge zu äußern, die nicht gern gehört werden, und ich fühle mich von der Wahrheit nicht mehr bedroht.«

Pat Branson – die nie zuvor ihr Zuhause verlassen und mir einst vertraulich erklärt hatte, Henry Kissinger müsse Kommunist sein, weil er einmal für Nelson Rockefeller gearbeitet habe – war nach ihrer Rückkehr nach Texas ständig auf Vortragsreise und erklärte allen, die es hören wollten, Mao Tse-tung und Jesus Christus seien Brüder im Geiste.

Pat Branson war das einzige Mitglied der Delegation, das der weißen Arbeiterklasse entstammte. Sie arbeitete für einen großen Konzern und war von ihrem wöchentlichen Lohnscheck abhängig. Sie forderte das System nicht heraus, das sie beschäftigte, aber sie verstand es gut genug, um zu erkennen, daß ihre einzige Möglichkeit, sich dagegen zu wehren, darin bestand, sich zu organisieren. Sie war engagiertes Gewerkschaftsmitglied und setzte sich sehr für die Lokalpolitik der Demokraten ein. Ihre Ergebenheit galt George Wallace, weil sie das Gefühl hatte, die Demokratische Partei falle Persönlichkeiten in die Hände, die sie nicht verstanden: den gebildeten, großstädtischen »Intellektuellen«. Unita und Ninibah waren Angehörige von Minderheitengruppen, die im Namen einer Sache, nämlich Gerechtigkeit, organisiert waren, doch Pat hoffte auf mehr Geld und mehr Fairneß von seiten des Systems. Was Pat am meisten beeindruckt hatte, war Chinas Fähigkeit, sich zu organisieren.

»Die Frauen, die Kinder, alle sind in Aufgaben organisiert. Das interessiert alle meine hiesigen Freunde. Sie stellen überhaupt keine Fragen nach dem Kommunismus, und ich habe weiß Gott überall gesprochen. Ich bin für das ganze nächste Jahr ausgebucht. Sie fragen mich, was mich am meisten beeindruckt hat, und ich erzähle ihnen, wie die Menschen zusammenarbeiten, um ein Land aufzubauen.

Manche wollen wissen, ob die drüben versucht haben, mich zu versklaven oder einer Gehirnwäsche zu unterziehen. Ich erkläre es ihnen so, Shirley. Ich sage, diese Chinesen glauben an die Lehren des Vorsitzenden Mao, und ich sage, wenn es das ist, woran sie glauben wollen, dann ist das fabelhaft. Weil das, was sie vor dreiundzwanzig Jahren hatten, erbärmlich war. Dieser Mao gibt ihnen etwas, worauf sie sich freuen können. Vielleicht haben sie uns nur die Schokoladenseiten gezeigt, aber wenn sie in unser Land kämen, würden wir dasselbe tun. Wir würden ihnen bestimmt keine Slums vorführen. Ich sage immer, die drüben hätten mich durchaus nicht zur Kommunistin gemacht, aber ich hätte jetzt doch eine andere Ansicht vom Leben.

Weißt du, ich schätze jetzt das, was ich hier habe, viel mehr als früher. Ich sehe, wie wichtig es für mich ist, meinen Job zu haben, und welches Glück ich habe, in einem Land wie unserem leben zu können. Ich will wieder politisch arbeiten und organisiert dazu beitragen, etwas von dem Dreck zu beseitigen, der unter den Teppich gekehrt worden ist. Es ist ein Jammer, was diese korrupten Politiker uns antun. Ich habe die Chinesen für das eintreten sehen, woran sie glauben. Wir könnten dasselbe tun. Hier lehnen die Leute sich zurück und lassen die anderen die Arbeit tun. So sind die Chinesen nicht. Sie beteiligen sich. Wenn etwas nicht in Ordnung ist, dann bringen sie es in Ordnung. Ich finde, wir sollten alle das kleine rote Buch lesen, damit wir lernen, *wie* man sich organisiert; sonst werden wir, wie ich schon sagte, eines Tages von den Kommunisten überrannt.«

Pat sprach hastig, leidenschaftlich, inkonsequent und humorvoll. Ich erinnerte mich daran, wie krank sie in China gewesen war und daß sie nichts außer Gurken hatte essen können. Ich erinnerte mich, wie Pat auf einer instinktiven Ebene vieles in China verstanden hatte, was wir anderen eher intellektualisierten.

»Und, weißt du, Shirley«, meinte sie schließlich, »etwas, was Yeh gesagt hat, geht mir nicht aus dem Kopf. Das war an unserem letzten Abend dort. Sie erzählte mir, sie sei für zwei Jahre zur Arbeit für die Reiseagentur eingeteilt worden, und wenn wir abgereist wären, müsse sie sechs Monate Landarbeit leisten. Ich fragte sie, was sie wirklich gern tun würde, und sie antwortete: ›Lehrerin sein, Schullehrerin.‹ Ich fragte sie, warum sie das nicht sein könne, wenn sie es wolle, und sie sagte: ›Weil meine Arbeit die Arbeit ist, die sie für mich ausgesucht haben.‹ Das geht mir nicht aus dem Kopf, weil man hier bei uns das Recht hat, alles zu werden, was man will.«

Die robusteste von uns allen war Margaret Whitman gewesen. Sie war während der ganzen Reise fröhlich und vital geblieben und hatte sich sehr wenig von der inneren Verwirrung anmerken lassen, die sie empfunden haben mußte. Der Schlüssel zu ihrer Selbstbeherrschung lag in ihrem Umfeld. »Ich wurde dazu erzogen, mich immer und unter allen Umständen zu beherrschen«, sagte sie. »Aber ich glaube, jetzt werde ich die Zügel schleifen lassen und mein Leben wirklich genießen. Ich bin zu dem Schluß gekommen, daß ich im Grunde nie ein konservativer Mensch war. Ich dachte nur, ich müßte es sein, weil alle anderen um mich herum es auch waren.«

Nach der Ausreise aus China reiste Margaret allein um die ganze Welt, nicht ohne die anderen Mitglieder der Delegation zu drängen, sie sollten dieselbe Gelegenheit nutzen, solange sie noch jung seien. Sie schrieb mir einen Brief aus Singapur, der mir immer lieb und wert sein wird. Sie sprach davon, wie unangenehm, ja peinlich es ihr immer gewesen sei, ihre tieferen Gefühle zu äußern. »Aber meine Bewunderung für die Chinesen und ihre Gefühle ist so grenzenlos, daß ich mich ändern werde. Ich fühle mich befreit«, schrieb sie, »und mein armer Mann weiß nicht, ob er darüber lachen oder weinen soll oder beides.« Am Ende liebte er die neue Margaret.

Rosa Marin und Phyllis Kronhausen reagierten kühler und unpersönlicher auf China. Sie waren Profis, geschult in Sozialforschung, und waren dazu ausgebildet worden, die Dinge objektiver zu sehen als wir übrigen. Diese Ausbildung machte ihre Reaktionen wohl weniger persönlich. Sie fanden es schwierig, das, was sie gesehen hatten, auf sich selbst anzuwenden, und schienen sich an die Vorstellung zu klammern, jede Wahrheit sei relativ und habe mit ihnen persönlich wenig zu tun.

Während des größten Teils der Reise hatte Rosa sich von uns abgesondert und schließlich um ein Einzelzimmer gebeten, damit sie abends in Ruhe studieren konnte. Weil ihre Dolmetscherin Spanisch gesprochen hatte, hatte sie China anders wahrgenommen als wir. Als sie nach Hause kam, setzte sie sich hin und schrieb Artikel über ihre Erfahrungen. Sie schickte mir diese Artikel mit einem Brief aus Israel, wo sie eine andere Untersuchung durchführte.

»Wenn es in China eine Elite gibt«, schrieb sie, »dann sind es die Massen; und die Massen sind die Arbeiter, Bauern und Soldaten. Sie haben das größte Gewicht und den größten Einfluß. Nach unseren Maßstäben sind sie vielleicht arm. Aber ihre Armut ist gerecht verteilt. Es gibt keine Kluft zwischen Reichen und Armen.«

Ihre Artikel, inhaltsvoll mit detaillierten Berichten, handelten im wesentlichen von der »Hilfsbereitschaft und Aufrichtigkeit der revolutionären Gesellschaft«. Aber sie verkannte auch nicht die Fehler und Mängel. Mit der staatlich verordneten Berufswahl war sie überhaupt nicht einverstanden, auch wenn die betroffenen Individuen sich dem gerne fügten. Und sie sprach mehrmals von der künstlerischen Isolation (in China gibt es für die allgemeine Bevölkerung keine ausländischen Filme, Bücher, Zeitschriften oder Zeitungen) und dem Mangel an künstlerischer Individualität. »Wenn ein Künstler ein Bild malt, erscheint sein Name nicht«, schrieb sie. »Die Anonymität wird betont. Individualität ist verpönt.« Sie nahm an, Mao würde nach seinem Tod zu einer Art Buddhagestalt werden, von allen zitiert und verehrt.

»Doch ich glaube, die Chinesen verstehen, daß die wahre Revolution in ihnen selbst ist«, schrieb sie, »und zwar nicht in abstrakten Überlegungen, sondern im konkreten Handeln.«

Phyllis war am meisten beeindruckt von der Geschwindigkeit, mit der es den Chinesen gelungen war, »einen völligen Umsturz der Werte und Ziele zu verwirklichen, und zwar zu relativ geringen Kosten«. Sie hielt es für fragwürdig, ja sogar traurig, daß die jahrhundertealte künstlerische Tradition Chinas verändert oder abgeschafft worden war, vielleicht für immer. »Das gegenwärtige System«, fuhr sie fort, »setzt alle Nonkonformisten, Intellektuellen, Künstler und so weiter unter starken Druck, doch die *meisten* Chinesen konnten sich ohnehin niemals mit solchen Persönlichkeiten identifizieren, da fünfundneunzig Prozent von ihnen Bauern sind. Für die Chinesen bedeutet dieses Opfer also nicht viel.«

Phyllis stimmte mit den anderen darin überein, wie eindrucksvoll es ist, »daß die Chinesen so glücklich sind und so warmherzig miteinander umgehen. Sie haben, mit dem Westen verglichen, einen geringen Lebensstandard, aber ihnen liegt mehr an der Kommunikation untereinander als daran, was sie besitzen. Chinas Abkehr vom Individuum ist deshalb erfolgreich, weil sie erfolgreich sein mußte. Und sie könnte die Zukunft der ganzen Welt sein, auch der Vereinigten Staaten, wenn wir unser Übervölkerungsproblem nicht lösen. Der Mensch ist ein geselliges, interdependentes Lebewesen; Interdependenz und Individualität aber sind extrem schwer aufrechtzuerhalten, wenn der Druck der Zahl groß ist. Je mehr Menschen es gibt, desto stärker ist die Tendenz zu Konservatismus und Abkehr von der Individualität.«

Im Krankenhaus erfuhr Phyllis sehr viel über einen anderen Aspekt Chinas; stundenlang unterhielt sie sich mit den Krankenschwestern und Ärzten. Sie wirkte stark verändert durch diese Erfahrung.

»Es war wichtig für mich, mit eigenen Augen zu sehen, daß China funktioniert. Ich konnte die Wahrheit nicht von der Propaganda unterscheiden, bis ich sie selbst sah. Ich schätze die Erfahrung höher, als ich sagen kann, weil sie mir die Überzeugung vermittelte, daß Menschen sich verändern können. Als Psychologin meine ich jetzt, daß wir Psychologen einen Zweck haben. Wenn ich heute entmutigt bin, dann denke ich an das, was die Chinesen getan haben. Es tut mir nur leid, daß wir nicht freier reisen können, weil wir alle voneinander zu lernen hätten. Einer der größten Fehler, die China macht, ist übrigens, daß das Land nicht allzuviel von der Außenwelt lernt. Doch ich wünschte, auch wir hätten mehr Gelegenheit, von China zu lernen. Der Schlüssel zu Lebendigkeit und Glück einer Gesellschaft ist das ständige Streben, besser zu sein. Darum bemühen sich die Chinesen.«

Als Karen Boutilier nach China reiste, war sie gescheit, redegewandt und zwölf Jahre alt. Ich vermute, die Erfahrung wird ihr in Zukunft einmal mehr bedeuten, als sie es seinerzeit tat. In China schien sie oft verwirrt über ihre Reaktionen, als äußere sie das, was sie fühlen *sollte,* und nicht das, was sie wirklich fühlte. Sicherlich hat die Demoralisierung der amerikanischen Erwachsenen in der Delegation sie emotional betroffen gemacht. Wenn Karen also von China sehr wenig in sich aufzunehmen schien, lag es vermutlich daran, daß sie es schmerzhaft empfand, mit uns zusammen zu sein. Als ich am Telefon mit ihr sprach, konnte sie die Erfahrung noch immer nicht richtig benennen.

»Meine Freunde sagen, ich hätte mich verändert, wenn ich mit ihnen rede. Ich frage, was sie meinen, und sie erklären, ich handele anders. Sie behandeln mich jetzt als etwas Besonderes. Daher weiß ich nie, ob sie mich mögen, weil ich *ich* bin, oder ob es daran liegt, daß ich jetzt berühmt bin. Ich erzähle ihnen von der Großen Mauer und der Verbotenen Stadt und dem Kinderpalast und der Begegnung mit Madame Tschou En-lai. Und dann erzähle ich ihnen, wie herzlich die Chinesen zueinander sind. Einige meiner Freunde wollen wissen, ob Mao Tse-tung ein König oder ein Gott oder so was ist, und ich sage ihnen, daß seine Worte und Aussprüche Teil des Alltagslebens sind und daß die Chinesen ihn die ganze

Zeit preisen. Einige haben gefragt, ob das nur Show ist, aber ich habe geantwortet, nein, es ist wirklich so. Manche fragten, ob man uns nur die guten Seiten gezeigt hätte, und ich sagte, nein, sie hätten uns anscheinend nach Wunsch überall hingehen lassen, außer in die Mongolei. Aber manchmal werde ich gefragt, ob *ich* eine Show abziehe.«

»Und – tust du's?«

»Ach, nein«, meinte Karen ein wenig zögernd. »Aber etwas möchte ich dich fragen. Weißt du, ich werde in der Fernsehshow ›To Tell the Truth‹ auftreten – wie soll ich mich benehmen?«

Die vier Mitglieder des Teams – Claudia Weill, Cabell Glickler, Joan Weidman und Nancy Shreiber – waren von der Erfahrung Chinas am tiefsten erschüttert worden. Sie waren nicht als Zuschauer da, sondern, um zu arbeiten. Das machte den Kulturschock noch härter. Als Filmemacherinnen mußten sie eine Gesellschaft visuell interpretieren, die sie weder leicht noch schnell verstehen konnten. Sie mußten arbeiten, ohne die Aufnahmen des jeweils vorherigen Tages sehen zu können, und ihre Ängste wurden noch verstärkt durch Zeitdruck, unzulängliche Planung und eine Ausrüstung, die gelegentlich nicht funktionierte. Die Folge war, daß jede von ihnen sich zu diesem oder jenem Zeitpunkt hilflos, unsicher und unfähig fühlte, den Job zu bewältigen. Da alle vier hochintelligente, gut ausgebildete und qualifizierte Frauen waren, kränkten diese unvermeidlichen Umstände ihren beruflichen Stolz. Wenn sie sich von ihren chinesischen Schwestern beobachtet sahen, war die Frustration doppelt schmerzlich.

Rückblickend glaube ich, daß das fundamentale Problem, das wir *alle* in China hatten, mit unserer Vorstellung von uns selbst als Frauen zu tun hatte. Was uns in China am meisten beeinflußte, mehr als der wirtschaftliche Fortschritt, die Nahrungsmittelproduktion, die organisierte Einheit der Massen und sogar die Freundlichkeit der Chinesen zueinander, war, wie sich die *chinesischen Frauen* gegenüber den *chinesischen Männern* verhielten. Da war sie, auf einer primitiven und fundamentalen Ebene: *Die Leich-*

*tigkeit der Gleichheit.* Den ganzen Tag sahen wir uns davon umgeben. Die chinesischen Frauen trugen unklassifizierbare Unisex-Kleidung, kein Make-up, keinen Schmuck, keine modischen Frisuren. Sie hatten keine der traditionellen weiblichen Accessoires. Doch gerade weil sie sich um solche Dinge nicht kümmerten, wirkten sie sicher in ihrer Weiblichkeit, und ihre Beziehungen zu Männern hatten eine wunderbare Leichtigkeit.

Wir erlebten Auseinandersetzungen und Meinungsverschiedenheiten zwischen Ehemännern und Ehefrauen, zwischen männlichen und weiblichen Arbeitskollegen oder Studenten, doch die Sexualität war dabei nie ein Faktor. Der *Gegenstand* der Auseinandersetzung war wichtiger als die Art und Weise, wie sie geführt wurde.

Die Chinesinnen schienen nicht »besser« als die Männer oder »so gut wie die Männer« sein zu wollen. Sie waren mehr daran interessiert, sich *selbst* bis an die Grenzen ihrer Fähigkeiten zu entwickeln. Sie taten *ihr* Bestes und waren gewöhnlich fähig, ebensoviel oder mehr zu leisten als die Männer, die neben ihnen arbeiteten. Wenn es ihnen nicht gelang, schien sie das nicht zu irritieren oder zu entmutigen (besonders in den Kommunen, in denen körperliche Kraft ein Faktor war). Statt dessen akzeptierten sie die Umstände sachlich, irgendwie sicher in dem Wissen, daß es andere Lebensbereiche gab, in denen sie sich auszeichneten. Man sah keine Anzeichen für die Art von traurigem Machtkampf, bei dem unsere Frauen sich so oft ertappen.

Diese Erkenntnis war für uns alle erschütternd, besonders aber für das Filmteam. Es war so leicht, in die Falle des Wettbewerbs mit den Männern zu gehen, statt sein eigenes Potential auszuleben. Es war verlockend, im frustrierenden Kampf um Gleichheit den Mann als Feind zu behandeln. Diese Einstellung war den chinesischen Frauen vollkommen unverständlich. Als wir mit ihnen über die Frauenbefreiung diskutierten, fragten die Chinesinnen nach den militanten Feministinnen in Amerika, die sie für gute Soldaten und Organisatorinnen hielten. Als wir schilderten, wie weit einige westliche Feministinnen in der Ablehnung der Männer gingen, wollten die chinesischen Frauen uns nicht glauben. Ein Kampf zwischen den Geschlechtern ging über ihr Fassungsvermögen, und sie sahen die Notwendigkeit so extremer Abwehrmechanismen nicht ein. In der Tat erlebten wir während unseres ganzen Aufenthalts in China nie und nirgends sexistische Einstellungen (was nicht heißen soll, daß es sie auf subtile Arten nicht doch gibt).

Zusätzlich zu allen anderen Werteverwirrungen, dem Kulturschock und schlichter Fremdheit war es, wie ich glaube, die Einsicht in unsere Geschlechterrolle im Westen, die uns zusammenbrechen ließ. Die zufällige Anwesenheit der Satellitenmannschaft im neunten Stock des Minzu-Hotels machte die Sache nicht besser, weil die westlichen Männer die Tendenz hatten, das Spiel von Männlich und Weiblich wieder zu betonen und zu verstärken, nachdem wir als Delegation von Frauen gerade zu verstehen begonnen hatten, daß wir es vermeiden mußten.

Obwohl wir alle uns durch unsere Beobachtungen der chinesischen Frauen abwechselnd erschüttert und aufgeklärt fühlten, waren die Frauen des Filmteams davon am meisten betroffen, weil sie sich als Feministinnen betrachteten. Ihre Grundbegriffe von Arbeit, Kunst, Sex und Geschlechterrollen, Individualismus, Frauenbefreiung und Kindererziehung waren mit einem Mal auf den Kopf gestellt. Das Eingeständnis, daß das meiste von dem, was wir über die Frauenbefreiung in Amerika gesagt hatten, nur Worte waren, war schmerzlich; das Handeln, das wir in China am Werk sahen, verstörte uns so, daß wir physisch krank wurden.

Ich habe Claudia seit der Rückkehr viele Male gesehen, weil wir den Film zusammen herausgaben. Sie hat ihre filmische Aufgabe glänzend gelöst und dadurch gelernt, ihrer Tüchtigkeit und Professionalität mehr zu vertrauen. Aus persönlicher Sicht sagte sie: »China hat mir geholfen, viele der Fassaden einzureißen, die ich als Feministin mit mir herumtrug. Ich fühle mich jetzt ehrlicher und verlange von den Menschen in meinem Leben mehr Ehrlichkeit.«

Nancy wollte sofort nach China zurückkehren. Wütend über die Ausschlußpolitik der Elektrikergewerkschaft von New York, die keine weiblichen Mitglieder aufnehmen wollte, wurde sie ständig an das Beispiel Chinas erinnert, wo Gleichberechtigung offizielle Politik war und gefördert wurde. Nancy schnitt ihr Haar kurz, nahm ab und fand Befriedigung darin, mit einem weiblichen Regisseur an einem Film zu arbeiten. Sie sagte: »Ich habe die Erfahrung Chinas irgendwo in meinem Hirn untergebracht, wo ich sie immer berühren kann, wenn ich Ruhe und Heiterkeit brauche.«

Cabell brach sich kurz nach der Rückkehr nach Amerika einen Knochen im Rücken und verbrachte einige Zeit im Krankenhaus. Sie sagte, die unsensible Art der amerikanischen Ärzte und Krankenschwestern sei ein brutaler Gegensatz zu der Sanftheit gewesen, die sie in China gesehen hatte. Zum erstenmal in ihrem Leben sei sie wütend geworden über die Behandlung der Armen in Amerika und zu dem Schluß gekommen: »Wenn man China einmal erlebt hat, kann man Amerika nie wieder mit den gleichen Augen betrachten wie vorher.«

Joans Erfahrung von China hatte mehr als alles andere mit ihrer eigenen Selbstdisziplin zu tun. Sie war noch immer böse auf sich selbst, weil sie sich in dem Krankenhaus in Kanton schlecht benommen hatte. »Ich wollte meinen Job zu Ende machen. Ich hatte noch nie Geduld mit mir selbst oder mit unvermeidlichen Problemen. Ich habe mir immer eingebildet, ich könnte mit einem Willensakt alles bewältigen. China hat mir beigebracht, lockerer zu sein – nicht so streng mit mir selbst –, das Unvermeidliche gelassen hinzunehmen, wenn es denn schon nicht zu ändern ist. Die Chinesen haben ihre Revolution gewonnen, indem sie Geduld mit sich selbst hatten. Ich habe von ihnen gelernt.«

Unsere Reise war also zu Ende, und nun waren wir wieder zu Hause und führten unser eigenes Leben. Wir zwölf Frauen kamen uns in den vier Wochen in China sehr nahe, obwohl wir einander anfangs fremd waren. Wir lernten uns auf intensive Arten kennen, zu denen es in den Vereinigten Staaten nie gekommen wäre, und zwischen uns entstand ein Band, das für den Rest unseres Lebens bestehen bleiben würde.

Ich verbrachte einige Zeit mit Margaret und Phyllis, und wir sprachen über unsere Reise »auf den anderen Planeten«. Abgesehen von meinen Anrufen bei ihnen und meiner Arbeit mit Claudia an dem Film hörte ich von den anderen nie wieder etwas.

Was mich angeht, so begann ich im Laufe der Monate zu verstehen, wie die Astronauten sich gefühlt haben müssen, als sie vom Mond zurückkehrten. Bei Dinnerparties stellten die Leute mir Fragen, und ich tat mein Bestes, um sie zu beantworten, aber sie reagierten gewöhnlich mit: »Und was kam dann?« Die Erfahrung war noch zu frisch, zu ungeformt, zu schwer mit Worten zu erklären. Es war wie mit dem Mond – man mußte dagewesen sein.

Aber das war natürlich nicht genug. Mein ganzes erwachsenes Leben hatte ich auf die eine oder andere Art damit zugebracht, mich Menschen mitzuteilen. Ich hätte inzwischen fähig sein müssen, das Wesen Chinas mitzuteilen. Doch als die Monate vergingen, erkannte ich, wie unzulänglich Worte sein können, wenn es darum geht, eine sehr große Idee zu definieren. Die Menschen fragten, ob ich dort leben könnte. Ich verneinte das; nein, ich könne nicht in China leben, es sei nicht mein Land, ich verstünde die Sprache nicht, könne nicht mit den Einschränkungen fertig werden, die China meiner Persönlichkeit auferlegen würde. Und ich vermutete, wenn ich fähig wäre, dort zu leben, wäre ich ein besserer Mensch. Wieder konnte ich nicht genau erklären, *warum* das so war; aber ich wußte, daß ich dann nicht so mit mir selbst, meinen Bedürfnissen, meinen Besitztümern, meinen Wünschen beschäftigt wäre. In China würde ich lernen, weniger selbstbezogen zu sein, mehr um andere besorgt, sensibler für meine Mitmenschen. Und der Grund dafür war einfach. Ich wäre dazu erzogen worden – oder *um*erzogen, wie es bei Angehörigen meiner Generation der Fall wäre –, *nicht* so ausschließlich an mich selbst zu denken. Die Gesellschaft als solche würde mich ständig daran erinnern, die Existenz anderer im Sinn zu behalten. Mit anderen Worten – und als ich das zum erstenmal erkannte, schauderte ich –,

ich wäre »konditioniert«.

Darüber dachte ich viel nach.

Auf eine völlig andere Weise war ich natürlich auch im Westen von Geburt an konditioniert worden. Diese Konditionierung erfolgte in den Schulen, die ich besuchte, in den Straßen von Virginia nach der Schule, in New York, als ich eine junge Tänzerin war, auf den Seiten von Zeitungen und Zeitschriften und durch Filme und Fernsehen. Es gab viele Werte, die mir während dieses Konditionierungsvorgangs übermittelt wurden: Angst vor dem Kommunismus, Glaube an die »amerikanische Art« (was natürlich Glauben an den Kapitalismus bedeutete). Es gab auch zynische Worte: »Jeder hat einen Preis«; »Politiker sind Gauner«; »Mehr Geld bedeutet mehr Glück«. Und alle Werte drehten sich um das individuelle Selbst. Als Kind hörte ich Erwachsene die Parole aussprechen: »Achte darauf, Nummer Eins zu sein«, als seien Selbstbezogenheit und Amerikanismus Synonyme. Als erwachsene Amerikanerin sah ich amerikanische Bomben asiatische Dörfer vernichten. Geschah das, damit Amerika selbst Nummer Eins sein konnte? In gewisser Weise war Amerika zu einem Musterbeispiel der Selbstbezogenheit herangewachsen.

Ich war Individualistin, überzeugt, daß Freiheit *persönliche* Freiheit bedeutete; das unveräußerliche Recht, alles zu tun, was man wollte, solange es anderen nicht schadet. Und dann war ich plötzlich in China, wo Individualismus nicht existierte. Und ich war außerordentlich glücklich. Am zweiten Tag meines Aufenthaltes dort hörte ich auf zu rauchen. Ich gab die nervöse Gewohnheit auf, an meinen Fingern zu zupfen und Nägel zu kauen. Ich begann, mich an Sonnenuntergängen und Bäumen und Speisen zu erfreuen, statt durch die Tage zu hetzen, weil Zeit Geld war. Der Tag schien nicht genug Stunden zu haben, um das Leben zu genießen, und ich schlief weniger, weil ich mich so viel lebendiger fühlte, wenn ich wach war.

Ich war seltener deprimiert, obwohl es Tage gab, an denen ich mich niedergedrückt fühlte durch die Verpflichtung, den Film zu machen und die Delegation zusammenzuhalten. Doch das waren

Kleinigkeiten. Wichtig war, daß ich jeden Tag die machtvollen Vibrationen der massiven, anonymen, gesunden Gruppe von Menschen fühlte, die das chinesische Volk waren. Es war eine Art übergeordneter Sprache, die wenig mit Wirtschaft oder Philosophie zu tun zu haben schien, aber alles mit geteilter Menschlichkeit. China war eine kollektive Gesellschaft, und doch schien es ein Gefühl individueller Harmonie geschaffen zu haben, bei dem alle Teile in das Ganze integriert waren.

Und so begann ich mich zu fragen, ob ein kollektiver Lebensstil nicht die ursprüngliche Absicht der Natur gewesen sein mochte. Vielleicht bedeutete »Kollektivismus« eine andere Beschreibung von Harmonie. Gewiß war es der Kontakt mit einer augenscheinlich harmonischen Gesellschaft, der uns alle in China anrührte. Vielleicht waren die westlichen Wertvorstellungen in den letzten fünfhundert Jahren eine menschliche Verzerrung gewesen, vielleicht war Wettbewerb einfach nicht vereinbar mit Harmonie, führte nicht zu menschlichem Glück; vielleicht entsprang der Drang zur Konkurrenz nur aus der übertriebenen Betonung des Individuums. Vielleicht war das Individuum einfach nicht so wichtig wie die Gruppe.

Als ich diese Stücke des chinesischen Puzzles zusammensetzte, mußte ich mir die Frage stellen, was der »American way of life« – mein eigener Lebensstil – im Hinblick auf das, was ich in China gesehen hatte, wirklich bedeutete. Dem amerikanischen Ethos zufolge ist freier Wettbewerb auf allen Ebenen für Fortschritt und Initiative notwendig. Man hatte uns die Bereitschaft gelehrt, für diese Freiheit zu sterben, statt uns der Möglichkeit der anderen Lebensart zu stellen. Nun fragte ich mich, was all das bedeutete. War eine Gesellschaft lebensfähig, wenn sie sich mehr darum kümmerte, was sie *geben* konnte, als um das, was sie *bekommen* konnte? Und war dieses Konzept zu erschreckend, unserer Denkweise zu entgegengesetzt, um als durchführbar angesehen zu werden? War China für uns deshalb so grundlegend bedrohlich?

Ich nehme an, daß das, was mich an China am meisten erschütterte, die Veränderung meiner Auffassung von der menschlichen

Natur war. Ich hatte immer geglaubt, die menschliche Natur sei absolut; mir war selbstverständlich gewesen, daß gewisse Mängel und Schwächen grundlegend und dauerhaft waren. Wenn ich mit der Existenz des Bösen konfrontiert wurde, pflegte ich achselzuckend zu sagen: »Tja, so ist die menschliche Natur eben.« Wenn jemand stahl, betrog, mordete oder extrem gierig war, tat ich dieses Verhalten oft als unabänderlich ab. Ich fand unzählige Beweise für die Annahme, daß der Mensch im Grunde selbstsüchtig, aggressiv, ängstlich, roh und gierig ist.

Doch so konnte ich nicht mehr denken. Ich hatte eine ganze Nation gesehen, einst erniedrigt, korrupt, demoralisiert und ausgebeutet, die tatsächlich ihre Natur veränderte. Durch den Wandel der politischen, ökonomischen und materiellen Strukturen hatten sie erreicht, daß die bessere Seite der menschlichen Natur dominierte. Natürlich gibt es in einem Volk von achthundert Millionen noch immer Menschen, die selbstsüchtig, grausam, böse und gierig sind. Aber die überwiegende Mehrheit ist von Gruppenstolz, Freundlichkeit und Anständigkeit zueinander bestimmt, friedliebend und human.

Ich erkannte, daß absolut *alles* möglich ist, wenn das, was wir die menschliche Natur nennen, verändert werden kann. Und von diesem Augenblick an wandelte sich mein Leben.

Es gab noch ein letztes Paradox: Nach dem Kontakt mit einer kollektiven Gesellschaft, die ihre kreative Kultur auslöschte und die Kunst nur als Mittel sah, um der Revolution zu dienen, begann ich wieder daran zu denken, künstlerisch zu arbeiten.

Die Verwicklungen der amerikanischen Politik langweilten mich plötzlich, und ich hatte nicht mehr das Bedürfnis, an ferne Orte zu reisen. Jetzt hatte ich an meine Begabung zu denken. Zu lange hatte ich dieses Talent verleugnet, es durch falsche Verwendung mißbraucht, war nachlässig damit umgegangen oder davor weggelaufen. Ich hatte seine Grenzen nie wirklich kennengelernt. Ich hatte die Begabung, die ich besaß, nie wirklich auf einen Langen Marsch geführt.

Nach meinem China-Aufenthalt erkannte ich, daß mein Talent

dazu da war, aufgefrischt, genährt, bis an seine Grenzen ausgedehnt und zu etwas gemacht zu werden, was nicht nur »dem Volk meines Landes diente«, sondern auch mir selbst. Ich war weder Soldat noch Philosoph noch Politiker; ich konnte keine Krankheit heilen, keine wirtschaftlichen Probleme lösen und keine Revolution anführen. Aber ich konnte tanzen. Ich konnte singen. Ich konnte die Menschen zum Lachen bringen. Ich konnte sie zum Weinen bringen.

Eine Woche später betrat ich zum erstenmal seit zwanzig Jahren wieder ein Tanzstudio.

Ein Jahr später eröffnete ich in Las Vegas. Es herrschte Jubel und Trubel. Reporter und Blitzlicht und Berühmtheiten waren zugegen und ein einsamer Kellner, der in einer Ecke stand; Tränen rannen ihm über das Gesicht, und er hatte die Hände ausgestreckt, um mich aus der Dunkelheit zu berühren. Am Ende, als die Lichter im Saal wieder angingen, sah ich ein vierzehnjähriges Mädchen mit seiner Familie dasitzen, und ich wollte ihm gern etwas über das Leben und die Natur und über Harmonie erzählen. Ich wollte ihm sagen, es solle sein Leben, sein Land, die Erde, von der es ein Teil war, hüten und bewahren. Ich wollte ihm sagen, es solle all das lieben und mit jedem Muskel in seinem Körper Verzweiflung und Haß und Gier bekämpfen. Ich wollte ihm von China erzählen und von all den herrlichen Möglichkeiten des Lebens, wenn man fest daran glaubt. »Man kann nicht von hier nach da gelangen«, lautete das Klischee. Ich aber konnte. Ich war unterwegs.

In der Garderobe bahnte sich ein Reporter einen Weg durch den Trubel und fragte mich, warum ich wieder live auf der Bühne auftrete. Ich sprach über das Bedürfnis, die Gesichter der Menschen zu sehen, ihr Lachen zu hören, Kontakt mit möglichst vielen Menschen zu bekommen. Und dann hörte ich mich sagen: »In Wirklichkeit ist wahrscheinlich Mao Tse-tung dafür verantwortlich, daß ich hier bin.« Der Reporter war verblüfft. Er lachte nervös und fragte, was ich damit meine. Margaret Whitman, jovial und fröhlich wie immer, stand mitten zwischen den Blumen und Telegrammen in dem überfüllten Raum. »Fragen Sie sie«, forderte ich ihn auf. Und Margaret sagte: »Ja, das stimmt. China läßt einen glauben, daß alles möglich ist.«

Es wurde fast schon hell, als ich endlich das Hotel verließ, um nach Hause zu fahren. Große, mauvefarbene Schlieren zogen über die kahlen Berge. Ich stand einen Augenblick still und lauschte dem Wind, der von den Bergen strich und Samenkörner und Sand vor sich hertrieb. Ein Programm für meine Show wurde raschelnd über den Parkplatz geweht.

Plötzlich fühlte ich, daß der Wind derselbe Wind war, von China, über Ozeane, Täler, Bergketten und die halbe Erde bis nach Nevada. Für mich war er ein Wind der Möglichkeiten, ein Wind der Hoffnung. Nicht wirklich ein chinesischer Wind und auch kein amerikanischer. Sondern ein Wind, bestehend aus der Luft, die uns allen gehört.

Ich ging zum Wagen, stieg ein und fuhr durch die menschenleeren, windigen Straßen nach Hause. Irgendwann merkte ich, daß ich sang.